TOSEL®

READING SERIES

READING STARTER

FOR TEACHERS

CONTENTS

BROCHURES

Starter Book 2 97

Starter Book 3 153

TOSEL® Level Chart TOSEL 단계표

TOSEL은 비영어권 국가들의 영어 사용자들을 대상으로 영어 구사능력을 평가하여 그 결과를 공식 인증하는 영어 능력인증 시험제도입니다.

COCOON

아이들이 접할 수 있는 공식 인증 시험의 첫 단계로써 아이들의 부담을 줄이고
즐겁게 흥미를 유발할 수 있도록 다채로운 색상과 디자인으로 시험지를 구성하였습니다.

Pre-STARTER

친숙한 주제에 대한 단어, 짧은 대화, 짧은 문장을 사용한 기본적인 문장표현 능력을 평가합니다.

STARTER

일상과 관련된 주제 / 상황에 대한 짧은 대화 및 문장을 이해하고
알맞은 응답을 할 수 있는 기초적인 의사소통 능력을 평가합니다.

BASIC

개인 정보와 일상 활동, 미래 계획, 과거의 경험에 대해 구어와 문어의 형태로 의사소통을
할 수 있는 능력을 평가합니다.

JUNIOR

일반적인 주제와 상황을 다루는 회화와 짧은 단락, 실용문, 짧은 연설 등을 이해하고 알맞은 응답을 할 수 있는 의사소통 능력을 평가합니다.

HIGH JUNIOR

넓은 범위의 사회적, 학문적 주제에서 영어를 유창하고 정확하게 사용할 수 있는 능력 및 중문과 복잡한 문장을 포함한 다양한 문장구조의 파악 능력을 평가합니다.

ADVANCED

대학 수준의 영어를 사용하고 이해할 수 있는 능력 및 취업 또는 직업근무환경에 필요한 실용영어능력을 평가합니다.

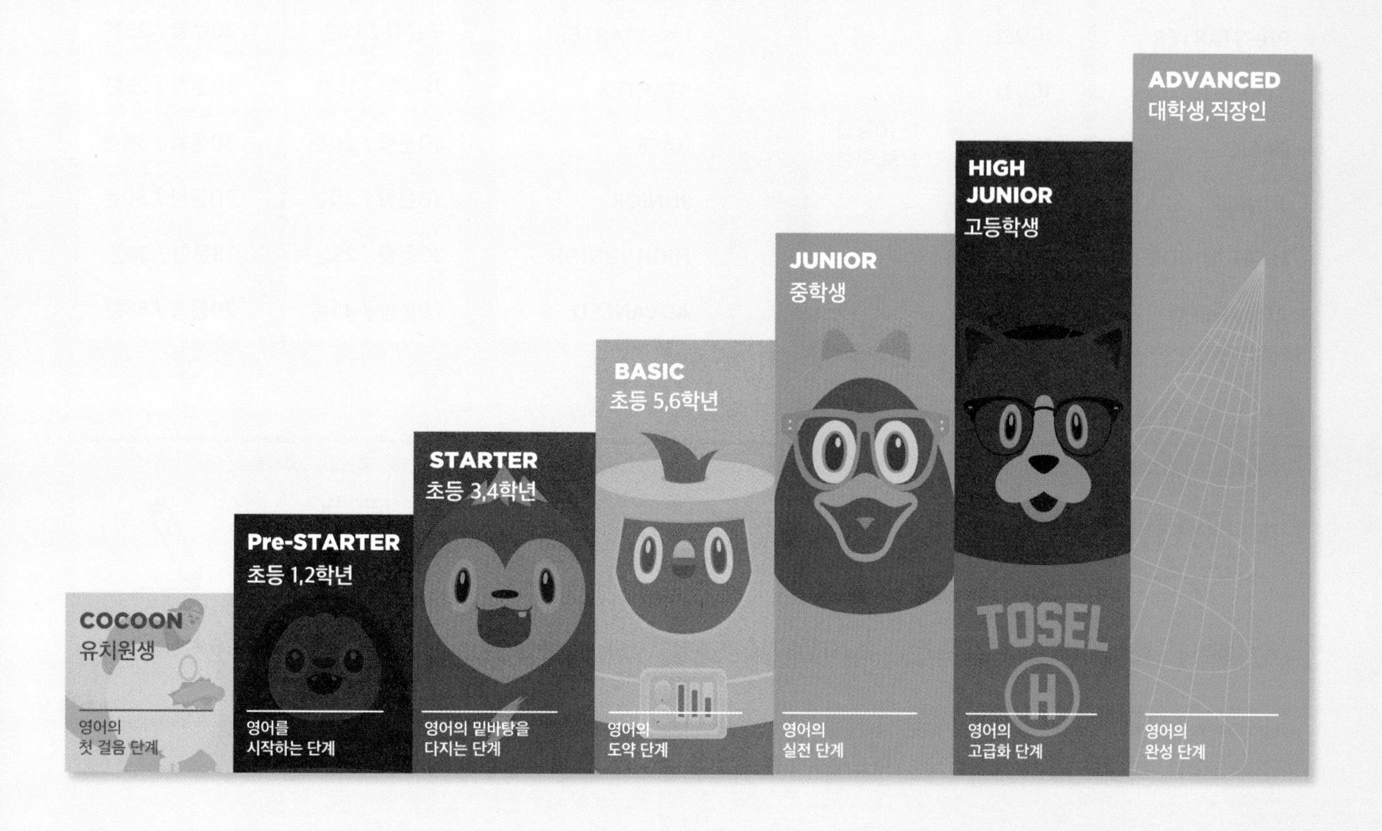

About TOSEL® —— TOSEL에 대하여

대상

유아, 초, 중, 고등학생,
대학생 및 직장인 등 성인

목적

한국을 비롯한 비영어권 국가
영어 사용자의 영어구사능력 증진

용도

실질적인 영어구사능력 평가 +
입학전형 / 인재선발 등에 활용 및
직무역량별 인재 배치

영어 사용자 중심의 맞춤식 영어능력 인증시험제도

**획일적 평가에서
맞춤식 평가로의 전환**

TOSEL은 응시자의 연령별 인지 단계, 학습 수준 등을 고려한 문항과 난이도를 적용하여 맞춤식 평가 시스템을 구축하였습니다.

**공정성과 신뢰성 확보
국제토셀위원회의 역할**

TOSEL은 대학입학 수학능력시험 출제위원 교수들이 중심이 된 국제토셀위원회가 출제하여 사회적 공정성과 신뢰성을 확보한 평가제도입니다.

**수입대체 효과
외화유출 차단 및 국위선양**

TOSEL은 해외 시험 응시로 인한 외화의 유출을 막는 수입대체 효과를 기대할 수 있습니다. TOSEL의 문항과 시험제도는 비영어권 국가에 수출하여 국위선양에 기여하고 있습니다.

배점 및 등급

구분	배점	등급
COCOON	100점	1~10등급으로 구성
Pre-STARTER	100점	
STARTER	100점	
BASIC	100점	
JUNIOR	100점	
HIGH JUNIOR	100점	
ADVANCED	990점	

문항 수 및 시험시간

구분	Section I Listening & Speaking	Section II Reading & Writing
COCOON	15문항 / 15분	15문항 / 15분
Pre-STARTER	15문항 / 15분	20문항 / 25분
STARTER	20문항 / 15분	20문항 / 25분
BASIC	30문항 / 20분	30문항 / 30분
JUNIOR	30문항 / 20분	30문항 / 30분
HIGH JUNIOR	30문항 / 25분	35문항 / 35분
ADVANCED	70문항 / 45분	70문항 / 55분

응시 방법 안내

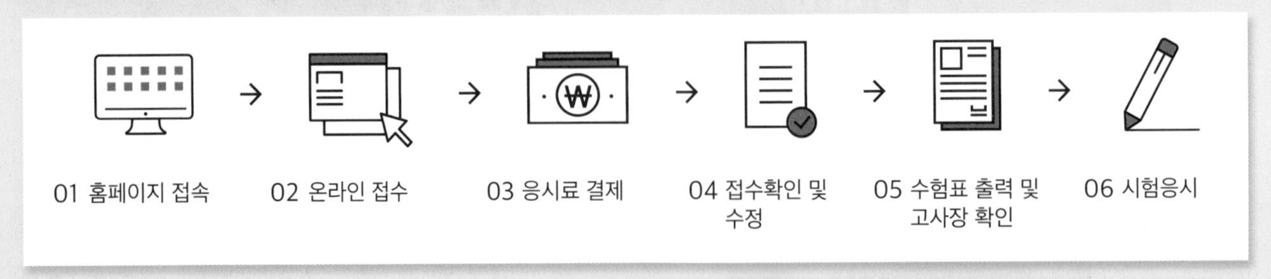

*지원서 작성은 온라인(www.tosel.org) 및 지역 본부를 통해 가능합니다. 학업성취기록부, 성적표 확인을 위해 회원가입은 필수입니다.

Evaluation ——— 평가

기본 원칙

TOSEL은 PBT(PAPER BASED TEST)를 통하여 간접평가와 직접평가를 모두 시행합니다.

TOSEL은 언어의 네 가지 요소인 읽기, 듣기, 말하기, 쓰기 영역을 모두 평가합니다.

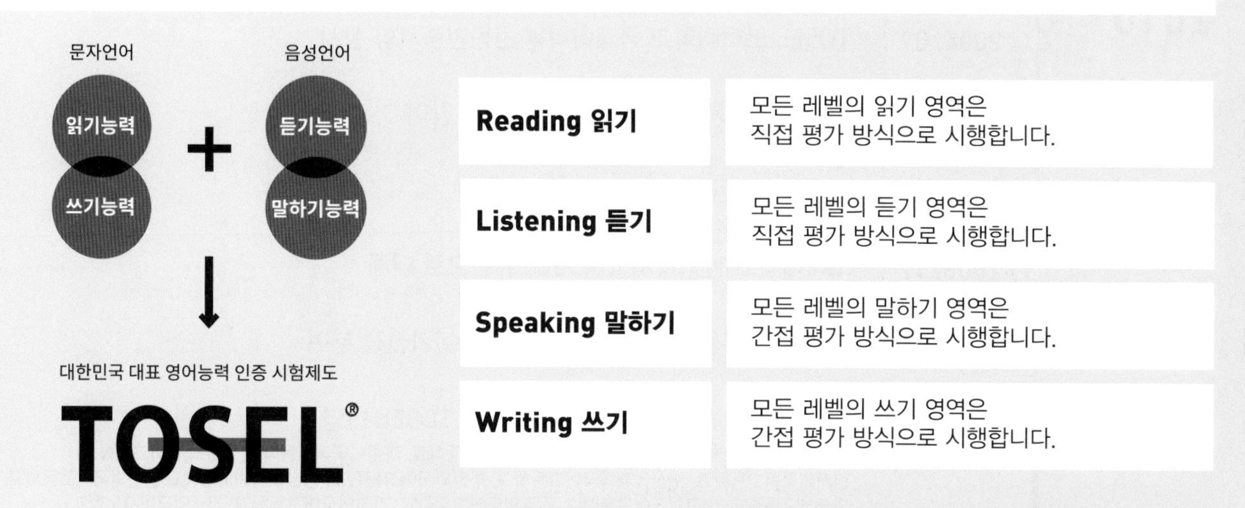

Reading 읽기	모든 레벨의 읽기 영역은 직접 평가 방식으로 시행합니다.
Listening 듣기	모든 레벨의 듣기 영역은 직접 평가 방식으로 시행합니다.
Speaking 말하기	모든 레벨의 말하기 영역은 간접 평가 방식으로 시행합니다.
Writing 쓰기	모든 레벨의 쓰기 영역은 간접 평가 방식으로 시행합니다.

TOSEL은 연령별 인지단계를 고려하여 **7단계로 나누어 평가합니다.**

단계	시험	대상
1 단계	TOSEL® COCOON	5~7세의 미취학 아동
2 단계	TOSEL® Pre-STARTER	초등학교 1~2학년
3 단계	TOSEL® STARTER	초등학교 3~4학년
4 단계	TOSEL® BASIC	초등학교 5~6학년
5 단계	TOSEL® JUNIOR	중학생
6 단계	TOSEL® HIGH JUNIOR	고등학생
7 단계	TOSEL® ADVANCED	대학생 및 성인

TOSEL® History — 연혁

2002 ~ 2010

- 2002. 02 | 국제토셀위원회 창설 (수능출제위원역임 전국대학 영어전공교수진 중심)
- 2004. 09 | TOSEL 고려대학교 국제어학원 공동인증시험 실시
- 2006. 04 | EBS 한국교육방송공사 주관기관으로 참여
- 2006. 05 | 민족사관고등학교 입학전형에 반영
- 2008. 12 | 고려대학교 편입학시험 TOSEL 유형으로 대체
- 2009. 01 | 서울시 공무원 근무평정에 TOSEL점수 가산점 부여
- 2009. 01 | 전국 대부분 외고, 자사고 입학전형에 TOSEL 반영
  (한영외국어고등학교, 한일고등학교, 고양외국어고등학교, 과천외국어고등학교, 김포외국어고등학교, 명지외국어고등학교, 부산국제외국어고등학교, 부일외국어고등학교, 성남외국어고등학교,인천외국어고등학교, 전북외국어고등학교, 대전외국어고등학교, 청주외국어고등학교, 강원외국어고등학교, 전남외국어고등학교)
- 2009. 12 | 청심국제중, 고등학교 입학전형 TOSEL 반영
- 2009. 12 | 한국외국어교육학회, 팬코리아영어교육학회, 한국음성학회, 한국응용언어학회 TOSEL 인증
- 2010. 03 | 고려대학교, TOSEL 출제기관 및 공동 인증기관으로 참여
- 2010. 07 | 경찰청 공무원 임용 TOSEL 성적 가산점 부여

2011 ~ 현 재

- 2014. 04 | 전국 200개 초등학교 단체 응시 실시
- 2017. 03 | 중앙일보 주관기관으로 참여
- 2018. 11 | 관공서, 대기업 등 100여 개 기관에서 TOSEL 반영
- 2019. 06 | 미얀마 TOSEL 도입 발족식
  베트남 TOSEL 도입 협약식
- 2019. 11 | 고려대학교 편입학전형에 TOSEL 반영

Why TOSEL® —— 왜 TOSEL인가

01
학교 시험 폐지
중학교 이하 중간, 기말고사 폐지로 인해 객관적인 영어 평가 제도의 부재가 우려됩니다. 그러나 전국단위로 연간 4번 시행되는 TOSEL 정기시험을 통해 학생들은 정확한 역량과 체계적인 학습 방향을 꾸준히 진단받을 수 있습니다.

02
연령별 / 단계별 대비로 영어학습 점검
TOSEL은 응시자의 연령별 인지단계와 영어 학습 정도 등에 따라 총 7단계로 구성됩니다. 각 단계에 알맞은 문항 유형과 난이도를 적용해 연령 및 학습 과정에 맞추어 가장 효율적으로 영어실력을 평가할 수 있도록 개발된 영어시험입니다.

03
학교 내신성적 향상
TOSEL은 학년별 교과과정과 연계하여 학교에서 배우는 내용을 복습하고 평가할 수 있도록 문항 및 주제를 구성하여, 내신영어 향상을 위한 최적의 솔루션을 제공합니다.

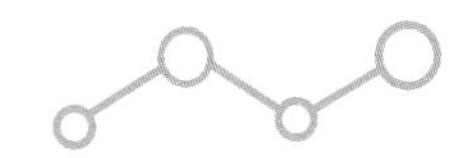

04
수능대비 직결
유아, 초, 중학시절 어렵지 않고 즐겁게 학습해 온 영어이지만, 수능시험준비를 위해 접하는 영어 문항의 유형과 난이도에 주춤하게 됩니다. 이를 대비하기 위해 TOSEL은 유아부터 성인까지 점진적인 학습을 통해 수능대비도 함께 해나갈 수 있도록 설계되어 있습니다.

05
진학과 취업에 대비한 필수 스펙관리
개인별 '학업성취기록부' 발급을 통해 영어학업성취이력을 꾸준히 기록한 영어학습 포트폴리오를 제공하여, 영어학습 이력을 관리할 수 있습니다.

06
자기소개서에 TOSEL 기재
개별적인 진로 적성 Report를 제공하여 진로를 파악하고 자기소개서 작성시 적극적으로 활용할 수 있는 객관적인 자료를 제공합니다.

07
영어학습 동기부여
시험실시 후 응시자 모두에게 수여되는 인증서는 영어학습에 대한 자신감과 성취감을 고취시키고 동기를 부여합니다.

08
미래형 인재 진로지능진단
문항의 주제 및 상황을 각 교과와 연계하여 정량적으로 진단하는 분석 자료를 통해 학생 개인에 대한 이해도를 향상하고 진로선택에 유용한 자료를 제공합니다.

09
명예의 전당, 우수협력기관 지정
성적우수자, 우수교육기관은 'TOSEL 명예의 전당'에 등재되고, 각 시/도별, 레벨별 만점자 및 최고득점자를 명예의 전당에 등재합니다.

TOSEL® —— 성적표 및 인증서

미래형 인재 진로적성지능 진단

십 수년간 전국단위 정기시험으로 축적된 **빅데이터**를 교육공학적으로 분석, 활용하여 산출한 **개인별 성적자료**

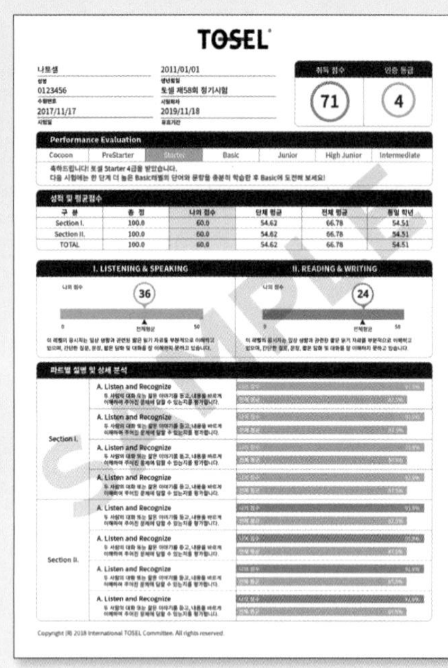

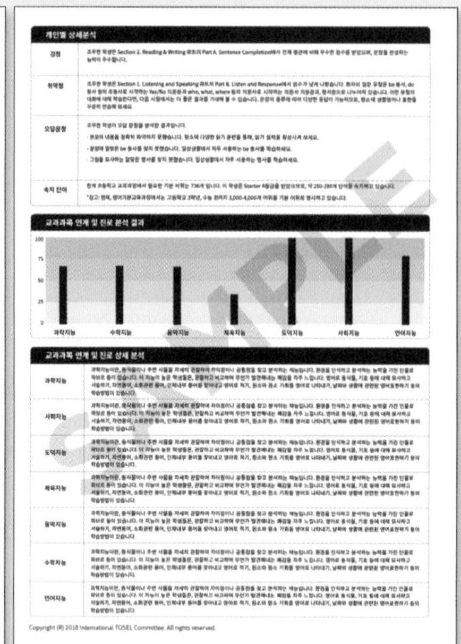

- 정확한 영어능력진단
- 응시지역, 동일학년, 전국에서의 학생의 위치
- 개인별 교과과정, 영어단어 숙지정도 진단
- 강점, 취약점, 오답문항 분석결과 제시

TOSEL 공식인증서

대한민국 초,중,고등학생의 영어숙달능력 평가 결과 공식인증

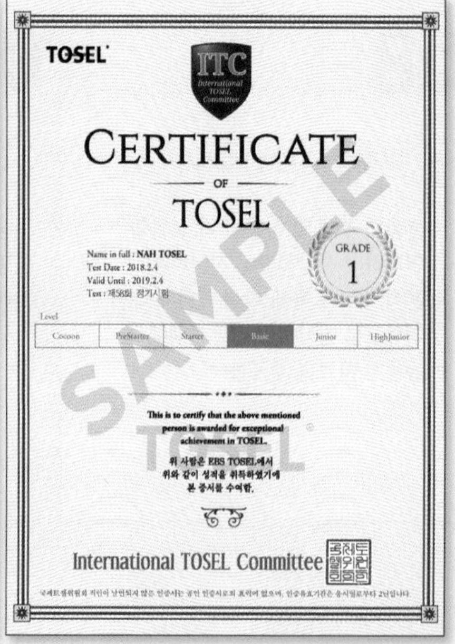

- 2010.03 고려대학교 인증획득
- 2009.10 팬코리아영어교육학회 인증획득
- 2009.11 한국응용언어학회 인증획득
- 2009.12 한국외국어교육학회 인증획득
- 2009.12 한국음성학회 인증획득

‘학업성취기록부’에 TOSEL 인증등급 기재

개인별 **‘학업성취기록부’ 평생 발급**. 진학과 취업을 대비한 **필수 스펙관리**

영어능력 학업성취기록부

Name in full : 나토셀 Date of birth : 2000-03-09

응시회차	날짜	응시레벨	인증취득사항
토셀 제 53회 정기시험	2016-08-20	HIGH JUNIOR	1등급
토셀 제 46회 정기시험	2015-02-28	JUNIOR	1등급
토셀 제 43회 정기시험	2014-06-28	JUNIOR	3등급
토셀 제 39회 정기시험	2013-08-24	BASIC	3등급

국제토셀위원회는 나토셀(NAH TO SEL) 학생의 학업성취기록을 상기와 같이 인증합니다.

International TOSEL Committee
국제토셀위원회

국제토셀위원회 직인이 날인되지 않은 인증서는 공인 인증서로의 효력이 없으며, 인증유효기간은 응시일로부터 2년입니다.

명예의 전당

특별시, 광역시, 도 별 1등 선발 (7개시 9개도 1등 선발)

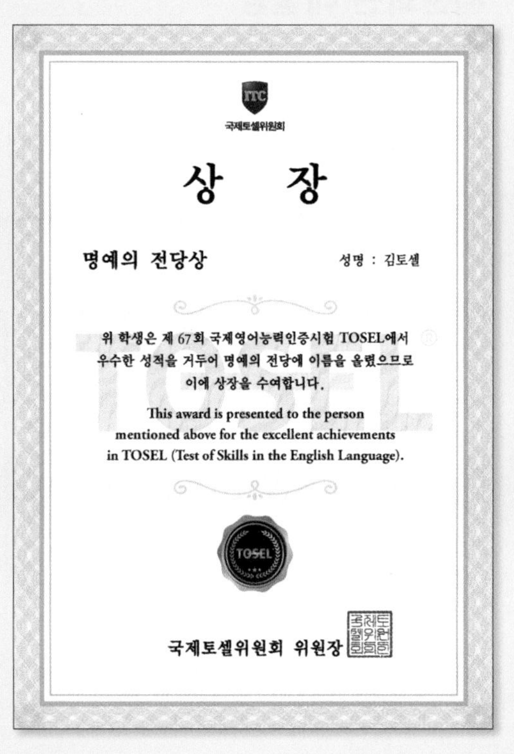

국제토셀위원회

상 장

명예의 전당상 성명 : 김토셀

위 학생은 제 67회 국제영어능력인증시험 TOSEL에서 우수한 성적을 거두어 명예의 전당에 이름을 올렸으므로 이에 상장을 수여합니다.

This award is presented to the person mentioned above for the excellent achievements in TOSEL (Test of Skills in the English Language).

국제토셀위원회 위원장

*홈페이지 로그인 - 시험결과 - 명예의 전당에서 해당자 상장 출력 가능

Reading Series 특장점

언어의 4대 영역 균형 학습 + 평가

말하기 연습

각 단어 학습 도입부에 주제와 관련된 이미지와 질문에 대해 말하기 연습

단어 학습

각 Unit의 목표 단어가 레벨별로 4-6개 제시, 그림 또는 영문으로 단어 뜻을 제공하여 독해학습 전에 단어 숙지

독해 학습

같은 주제로 일반 독해와 실용문을 모두 연습할 수 있는 지문과 함께 Comprehension 문항을 10개씩 수록하여 이해도 확인 및 진단

듣기 훈련

숙지한 독해지문을 원어민 음성으로 들으며 듣기 전, 듣기 중, 듣기 후 활동을 통해 학습 (MP3 스트리밍: www.tosel.org)

쓰기 훈련

단어 복습 및 요약연습을 통해 쓰기 연습

세분화된 레벨링

20년 간 대한민국 영어 평가 기관으로서 연간 4회 전국적으로 실시되는 정기시험에서 축적된 성적 데이터를 기반으로 정확하고 세분화된 레벨링을 통한 영어 학습 콘텐츠 개발

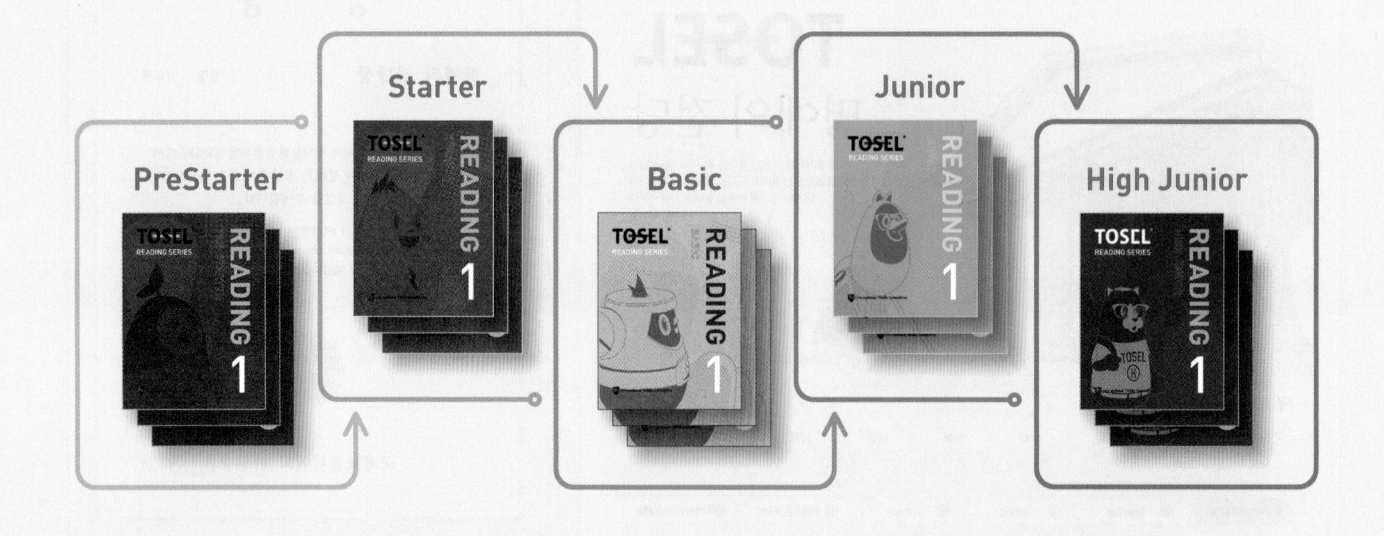

TOSEL 영어 학습 성장 프로그램

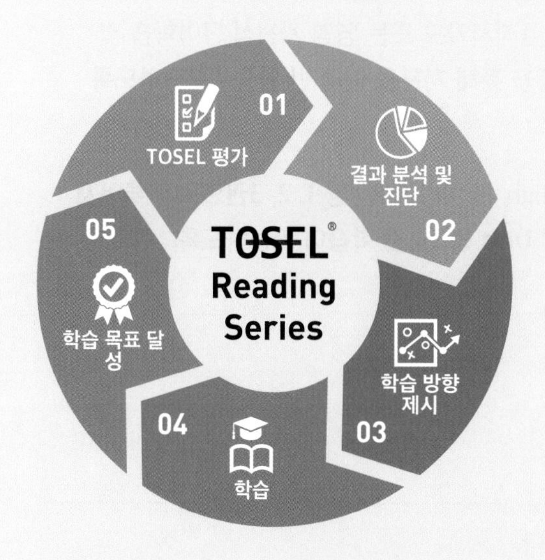

1 **TOSEL 평가**: 학생의 영어 능력을 정확하게 평가

2 **결과 분석 및 진단**: 시험 점수와 결과를 분석하여 학생의 강점, 취약점, 학습자 특성 등을 객관적으로 진단

3 **학습 방향 제시**: 객관적 진단 데이터를 기반으로 학습자 특성에 맞는 학습 방향 제시 및 목표 설정

4 **학습**: 제시된 방향과 목표에 따라 학생에게 적합한 콘텐츠 / 학습법으로 학습

5 **학습 목표 달성**: 학습 후 다시 평가를 통해 목표 달성 여부 확인 및 성장을 위한 다음 학습 목표 설정

학생이 공부하기 쉽고, 교사 / 학부모가 가르치기 편한 교재

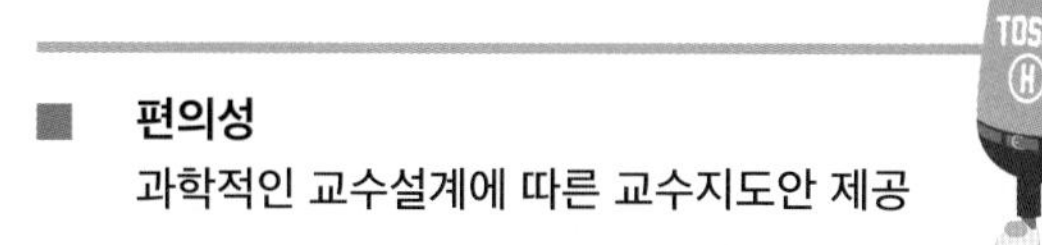

교사 / 학부모

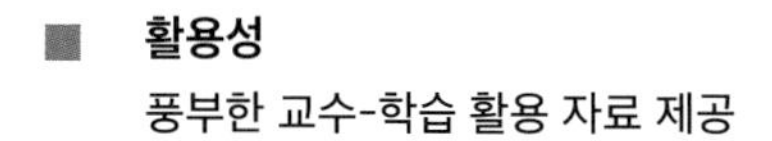

■ **편의성**
과학적인 교수설계에 따른 교수지도안 제공

■ **활용성**
풍부한 교수-학습 활용 자료 제공

■ **학생 상담 데이터 축적**
학생 학습 데이터 기록을 통한 전문 상담 도구 제공

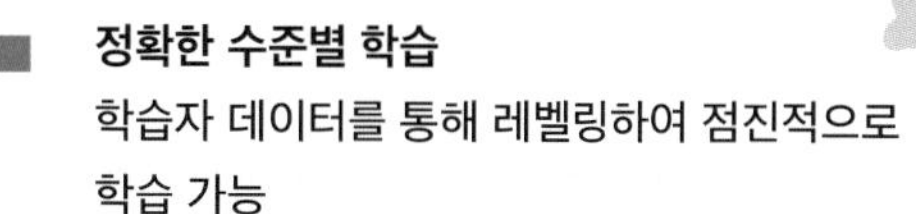

학생

■ **정확한 수준별 학습**
학습자 데이터를 통해 레벨링하여 점진적으로 학습 가능

■ **효율적 학습**
1시간 학습으로 말하기, 단어, 독해, 듣기, 쓰기, TOSEL까지 학습 및 훈련

■ **학습 성취 및 동기부여**
수준별로 효율적인 학습을 통해 성취감을 고취, 영어 학습에 재미를 느끼며 동기 부여

About this book

TOSEL Reading Series는 영어 독해 학습에 특화된 교재로서 각 Unit 마다 대상 학생의 **인지능력 수준 및 학습 교과와 연계**한, 흥미롭고 유용한 주제의 읽기 지문을 중심으로 다양한 학습자료와 활동이 제시되어 있습니다.
TOSEL Section II. Reading and Writing에 해당하는 Comprehension Questions 10문항으로 지문에 대한 이해력을 확인하고, 주제에 대한 배경지식을 영어로 말해볼 수 있는 말하기 연습, 플래시카드 또는 영영 사전식 단어학습 및 쓰기 연습, 지문 듣고 받아쓰기 훈련, 요약문 쓰기 훈련 등의 **다양한 활동을 통해 지문을 여러 번 연습 / 복습하도록 구성**되었습니다.

Reading Series는 총 **5개의 레벨** (PreStarter, Starter, Basic, Junior, High Junior), 레벨 당 **1, 2, 3권**으로 이루어져 있습니다. 각 권은 3개의 Chapter, 총 12개의 Unit으로 구성되어 있으며 **Unit 당 1시간 학습**이 가능하도록 설계되었습니다.

레벨마다 **학생용 교재 3권**과 **교사용 교재 1권**으로 이루어져 있습니다.

학생용 교재 (Starter)

영어 원문과 문항이 수록되어 있으며 학습자들이 활용하는 교재입니다.

학생용 교재 한 권은 주제에 따라 **3개의 Chapter, 총 12개의 Unit**으로 구성되었습니다.

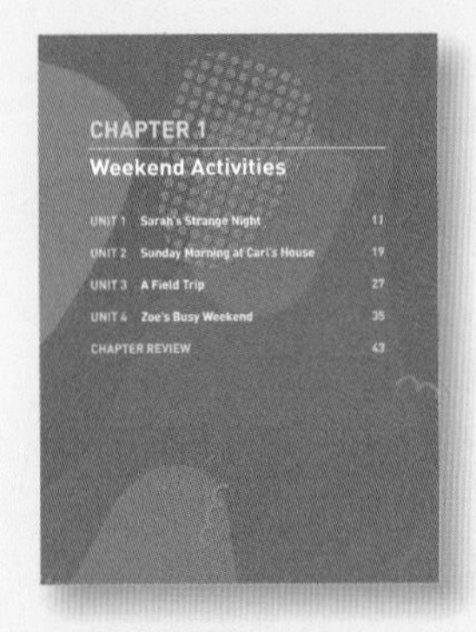

Chapter 1
Unit 1-4

Chapter 2
Unit 5-8

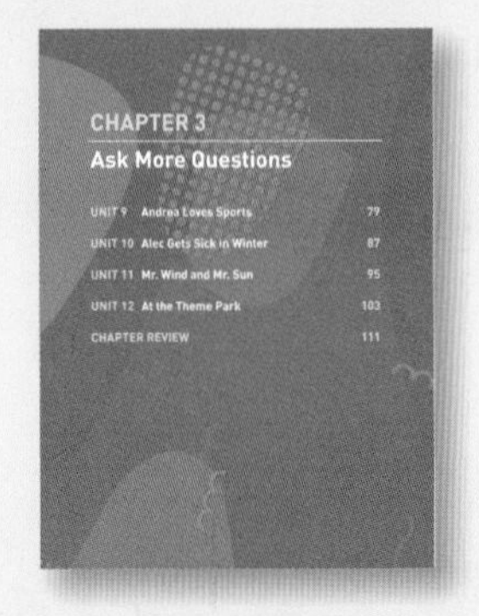

Chapter 3
Unit 9-12

교사용 교재

원문 해석과 문항별 정답 및 해설이 수록되어 있으며, 학생용 교재를 가르치는 데 필요한 교수 가이드라인과 Reading Series 구성표 등을 제시합니다.

교사용 교재 한 눈에 보기

Syllabus

TOSEL Reading Series 모든 레벨의 Chapter, Unit별 주제 요목

교사용 교재 활용 가이드

1시간 학습 / 지도 가이드라인

Book 1 정답 및 해설

영어 원문 해석과 문항 풀이

Book 2 정답 및 해설

영어 원문 해석과 문항 풀이

Book 3 정답 및 해설

영어 원문 해석과 문항 풀이

1 Syllabus

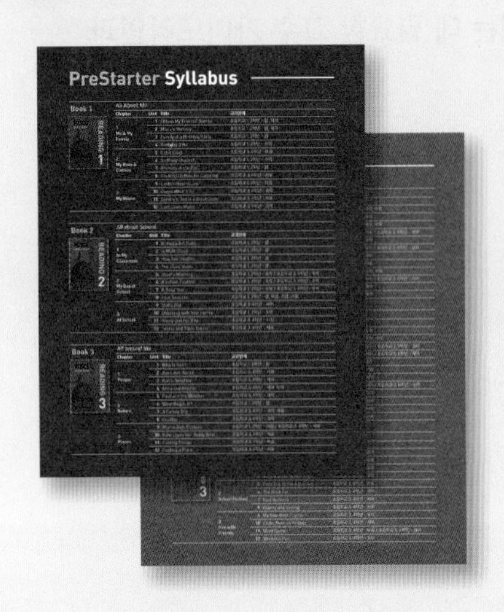

TOSEL Reading Series에 수록된 **각 Chapter와 Unit의 주제와 제목, 교과연계 정보**를 한눈에 보기 쉽게 정리했습니다.

전 레벨(PreStarter, Starter, Basic, Junior, High Junior)의 정리표를 통해 **단기 / 중·장기 수업 계획**을 수립하거나 학생 및 학부모와의 **학습 진도 / 수업 상담** 시 유용하게 활용할 수 있습니다.

2 교사용 교재 활용 가이드

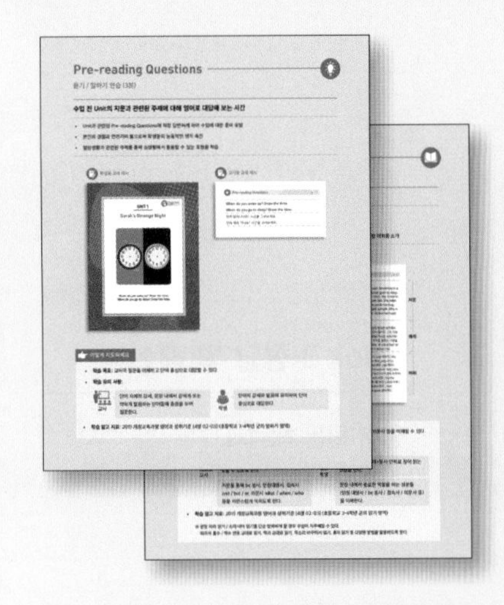

교사용 교재에는 **Unit별 1시간 학습 플랜**을 돕기 위해 **교재 활용 가이드**를 수록하였으며, 한 Unit에 있는 모든 활동에 대한 지침을 제시합니다.

활동마다 학습 내용, 학습 시간, 학습 목적, 학습 지도 팁 등을 세세하게 설명하여 선생님 또는 학부모의 **지도 방향**을 제시합니다.

3 정답 및 해설

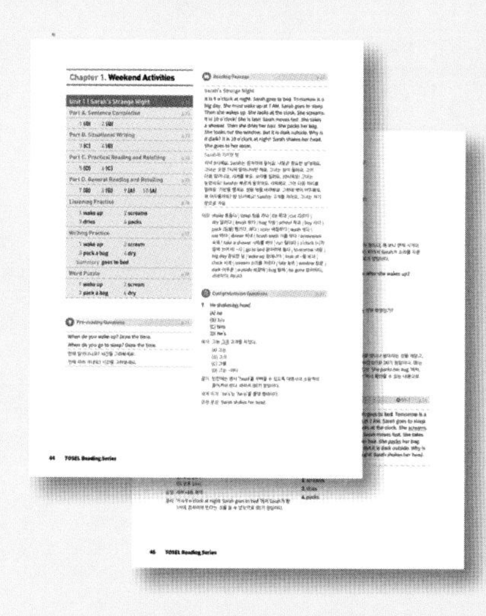

교사용 교재의 정답 및 해설 부분은 **영어 지문 해석, 정답, 풀이**를 상세하게 제공합니다. **문제 유형, 관련 문장, 새겨 두기** 등의 코너를 통해 학생 지도 시 유용하게 활용할 수 있도록 하였습니다.

주요 구성

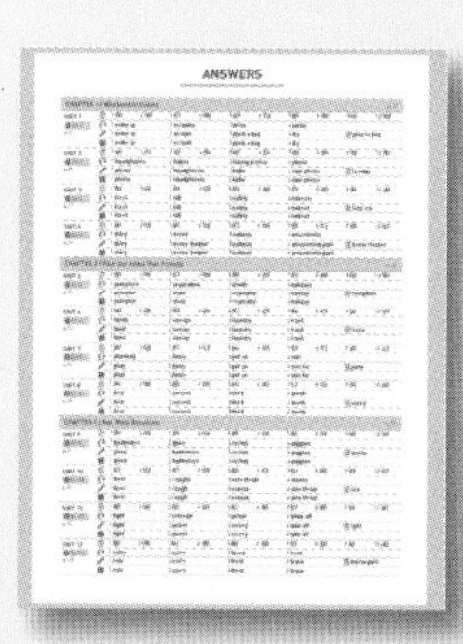

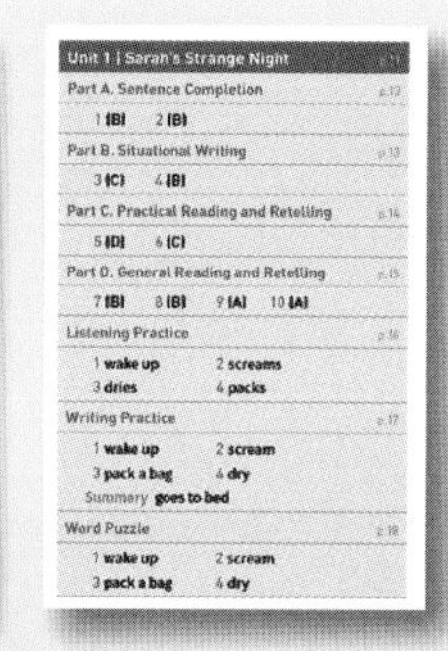

Unit 1 | Sarah's Strange Night p.11

Part A. Sentence Completion p.12

1 (B) 2 (B)

Part B. Situational Writing p.13

3 (C) 4 (B)

Part C. Practical Reading and Retelling p.14

5 (D) 6 (C)

Part D. General Reading and Retelling p.15

7 (B) 8 (B) 9 (A) 10 (A)

Listening Practice p.16

1 wake up 2 screams
3 dries 4 packs

Writing Practice p.17

1 wake up 2 scream
3 pack a bag 4 dry
Summary goes to bed

Word Puzzle p.18

1 wake up 2 scream
3 pack a bag 4 dry

- 빠른 정답
  책 앞에는 전체 Unit 정답표, 각 Unit의 처음에는 빠른 정답표를 배치하여 채점의 용이성을 높였습니다.

- 해석
  영어 지문과 문항 등 영어 원문에 대한 한국어 해석을 제공합니다.
- 풀이
  정답을 먼저 자세히 설명하고, 어렵거나 헷갈릴 만한 오답에 대한 설명도 추가하였습니다.

PreStarter Syllabus

Book 1

All about Me

Chapter	Unit	Title	교과연계
1 Me & My Family	1	I Know My Friends' Names	초등학교 1, 2학년 - 봄, 국어
	2	Maria's Monday	초등학교 1, 2학년 - 봄, 국어
	3	Family at a Birthday Party	초등학교 1, 2학년 - 봄
	4	Birthday Gifts	초등학교 1, 2학년 - 수학
2 A Colorful World	5	Color Land	초등학교 3, 4학년 - 미술
	6	So Many Shapes!	초등학교 1, 2학년 - 수학
	7	Animals at the Zoo	초등학교 1, 2학년 - 봄
	8	Packing Clothes for Camping	초등학교 3, 4학년 - 사회
3 My House	9	Linda's New House	초등학교 1, 2학년 - 여름
	10	Guess What It Is!	초등학교 3, 4학년 - 과학
	11	Sandra's Dad Is a Great Cook!	초등학교 3, 4학년 - 사회
	12	Lars Loves Music	초등학교 3, 4학년 - 음악

Book 2

All about School

Chapter	Unit	Title	교과연계
1 In My Classroom	1	A Happy Art Class	초등학교 1, 2학년 - 봄
	2	In Math Class	초등학교 1, 2학년 - 봄
	3	How Taki Studies	초등학교 1, 2학년 - 봄
	4	The Class Rules	초등학교 1, 2학년 - 봄
2 My Day at School	5	Josef's Morning	초등학교 1, 2학년 - 수학 / 초등학교 3, 4학년 - 수학
	6	A School Festival	초등학교 1, 2학년 - 수학 / 초등학교 3, 4학년 - 수학
	7	A Busy Year	초등학교 1, 2학년 - 수학 / 초등학교 3, 4학년 - 수학
	8	Four Seasons	초등학교 1, 2학년 - 봄, 여름, 가을, 겨울
3 At School	9	Olaf's Day	초등학교 3, 4학년 - 국어
	10	Shopping with Your Family	초등학교 1, 2학년 - 수학
	11	Henry and His Bike	초등학교 3, 4학년 - 사회
	12	Tennis and Table Tennis	초등학교 3, 4학년 - 체육

Book 3

All around Me

Chapter	Unit	Title	교과연계
1 People	1	Who Is She?	초등학교 1, 2학년 - 봄
	2	Zoe Likes Korea	초등학교 3, 4학년 - 사회
	3	Kari's Neighbor	초등학교 3, 4학년 - 국어
	4	Anna and Hennie	초등학교 3, 4학년 - 국어, 도덕
2 Nature	5	Paul and the Weather	초등학교 3, 4학년 - 과학
	6	What Bug Is It?	초등학교 1, 2학년 - 봄
	7	A Family Trip	초등학교 3, 4학년 - 과학, 사회
	8	Giraffes	초등학교 3, 4학년 - 과학
3 Places	9	Martin Gets Cookies	초등학교 1, 2학년 - 가을 / 초등학교 3, 4학년 - 사회
	10	Kate Loves Her Teddy Bear	초등학교 3, 4학년 - 사회
	11	Finding Things	초등학교 3, 4학년 - 미술
	12	Finding a Place	초등학교 3, 4학년 - 사회

Starter Syllabus

Book 1

Talking to Friends

Chapter	Unit	Title	교과연계
1 Weekend Activities	1	Sarah's Strange Night	초등학교 3, 4학년 - 국어, 수학
	2	Sunday Morning at Carl's House	초등학교 3, 4학년 - 국어
	3	A Field Trip	초등학교 3, 4학년 - 국어, 체육
	4	Zoe's Busy Weekend	초등학교 3, 4학년 - 사회 / 초등학교 5, 6학년 - 국어
2 Find Out about Your Friends	5	All about Pumpkins	초등학교 3, 4학년 - 과학
	6	Chores at Home	초등학교 3, 4학년 - 도덕 / 초등학교 5, 6학년 - 실과
	7	Having a Party	초등학교 3, 4학년 - 국어
	8	Kelly Learns Chinese Sounds	초등학교 5, 6학년 - 사회
3 Ask More Questions	9	Andrea Loves Sports	초등학교 3, 4학년 - 수학, 체육
	10	Alec Gets Sick in Winter	초등학교 3, 4학년 - 체육 / 초등학교 5, 6학년 - 과학
	11	Mr. Wind and Mr. Sun	초등학교 3, 4학년 - 국어
	12	At the Theme Park	초등학교 3, 4학년 - 국어

Book 2

Family & House

Chapter	Unit	Title	교과연계
1 Daily Life	1	Going to the Movies	초등학교 3, 4학년 - 수학
	2	Tina's Day	초등학교 3, 4학년 - 국어, 수학
	3	Jisoo Cleans Her Room	초등학교 3, 4학년 - 도덕 / 초등학교 5, 6학년 - 실과
	4	At Blue Mountain	초등학교 3, 4학년 - 체육 / 초등학교 5, 6학년 - 국어
2 House	5	Lea's Dream House	초등학교 5, 6학년 - 수학
	6	Milo Sits in Chairs	초등학교 3, 4학년 - 미술
	7	Show and Tell Class	초등학교 3, 4학년 - 국어
	8	Summer Vacation	초등학교 3, 4학년 - 국어 / 초등학교 5, 6학년 - 수학
3 Family Occasion	9	Grandma's Birthday	초등학교 3, 4학년 - 도덕
	10	Eating Out vs. Eating at Home	초등학교 5, 6학년 - 실과
	11	Henry's Family	초등학교 3, 4학년 - 사회
	12	My Aunt's Wedding Day	초등학교 3, 4학년 - 사회

Book 3

School

Chapter	Unit	Title	교과연계
1 School Activity	1	Our Music Teacher	초등학교 3, 4학년 - 음악
	2	A Day at a Gallery	초등학교 3, 4학년 - 미술
	3	How Do You Make Salad?	초등학교 5, 6학년 - 실과
	4	A Book about Street Dogs	초등학교 3, 4학년 - 국어
2 School Festival	5	Field Trip to the Aquarium	초등학교 3, 4학년 - 사회
	6	The Book Fair	초등학교 3, 4학년 - 국어
	7	Fast Runners	초등학교 3, 4학년 - 체육
	8	Buying and Selling	초등학교 3, 4학년 - 사회
3 Fun with Friends	9	My New Best Friend	초등학교 3, 4학년 - 도덕
	10	Clubs Meet on Fridays	초등학교 3, 4학년 - 체육
	11	Word Game!	초등학교 3, 4학년 - 미술 / 초등학교 5, 6학년 - 실과
	12	Weekend Fun	초등학교 3, 4학년 - 도덕

Basic Syllabus

Book 1

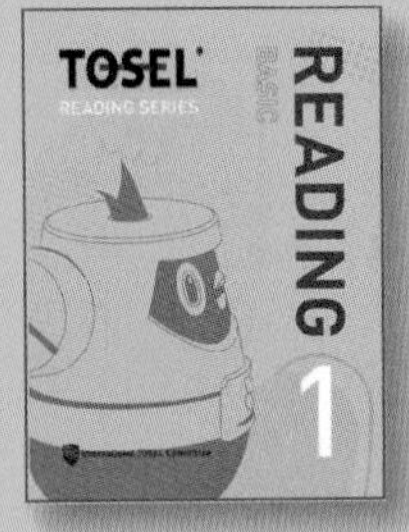

My Town

Chapter	Unit	Title	교과연계
1 Neighbors	1	My Perfect Neighborhood	초등학교 5, 6학년 - 국어
	2	Asking People about Jobs	초등학교 5, 6학년 - 실과
	3	Volunteering for the Community	초등학교 5, 6학년 - 도덕
	4	A Great Man in Town	초등학교 5, 6학년 - 도덕
2 Neighborhood	5	Kali's Favorite Park	초등학교 5, 6학년 - 체육
	6	Problems at the Mall	초등학교 5, 6학년 - 사회
	7	A Horror Movie	초등학교 5, 6학년 - 미술
	8	The Best Library in the City	초등학교 5, 6학년 - 국어
3 Stadium in My Town	9	At the Baseball Game	초등학교 5, 6학년 - 체육
	10	A Favorite Sports Star	초등학교 5, 6학년 - 수학, 체육
	11	A Magic Show	초등학교 5, 6학년 - 미술
	12	Quiet Hip Hop Songs	초등학교 5, 6학년 - 음악

Book 2

General Interest

Chapter	Unit	Title	교과연계
1 Healthy Life	1	How to Keep Friends	초등학교 5, 6학년 - 국어
	2	Is Having a Dog Good for You?	초등학교 5, 6학년 - 실과
	3	What Is Hay Fever?	초등학교 5, 6학년 - 과학
	4	Smartphone Posture	초등학교 5, 6학년 - 과학, 국어(글쓴이의 주장)
2 Food Trend	5	Hawaiian Pizza	초등학교 5, 6학년 - 실과
	6	Fourth Meal	초등학교 5, 6학년 - 실과
	7	Jamic and Local Food	초등학교 5, 6학년 - 실과
	8	Good Avocados	초등학교 5, 6학년 - 과학, 실과
3 Arts and Crafts	9	Art Gallery of Saint Peter	초등학교 5, 6학년 - 미술
	10	What Is Origami?	초등학교 5, 6학년 - 미술
	11	Introduction to Webtoons	초등학교 5, 6학년 - 미술, 실과
	12	Haihat's Recycled Pig	초등학교 5, 6학년 - 사회, 미술

Book 3

Travel & the Earth

Chapter	Unit	Title	교과연계
1 Travel	1	Koh Lipe	초등학교 5, 6학년 - 국어, 사회
	2	Flying to London	초등학교 5, 6학년 - 실과
	3	Petronas Towers	초등학교 5, 6학년 - 수학, 미술
	4	Travel Manners	초등학교 5, 6학년 - 도덕
2 Culture	5	Thanksgiving in Detroit	초등학교 5, 6학년 - 사회
	6	Siesta	초등학교 5, 6학년 - 사회
	7	The Mystery of King Tut	초등학교 5, 6학년 - 사회, 미술
	8	The History of the Mexican Flag	초등학교 5, 6학년 - 사회, 미술
3 Nature & the Earth	9	Eric's Book about Habitats	초등학교 5, 6학년 - 과학, 국어
	10	Global Warming: The Sahara	초등학교 5, 6학년 - 사회, 과학
	11	Three Ways to Save the Earth	초등학교 5, 6학년 - 사회
	12	How Will 2035 Be Different?	초등학교 5, 6학년 - 사회

Junior Syllabus

Book 1

Math & Science

Chapter	Unit	Title	교과연계
1 Humans and Animals	1	Animal Communication	중학교 - 기술·가정
	2	Animals and Earthquakes	중학교 - 과학
	3	Super Babies	중학교 - 과학, 기술·가정
	4	Pigeons	중학교 - 기술·가정
2 Math	5	The Fields Medal	중학교 - 수학
	6	Statistics	중학교 - 수학, 사회
	7	The Golden Ratio	중학교 - 수학, 미술
	8	Barcodes	중학교 - 수학, 과학, 기술·가정
3 Science	9	The Water Cycle	중학교 - 과학
	10	Earth Day	중학교 - 과학
	11	Lightning	중학교 - 과학
	12	Superbugs	중학교 - 과학

Book 2

Cultural Life

Chapter	Unit	Title	교과연계
1 Sports	1	Sit-ups	중학교 - 체육
	2	The Skeleton	중학교 - 체육
	3	Doping in Sports	중학교 - 체육, 도덕
	4	Supersuits	중학교 - 체육
2 Art	5	Camera Shots	중학교 - 미술, 기술·가정
	6	The State Hermitage	중학교 - 미술
	7	Persian Miniatures	중학교 - 미술
	8	Animals Symbols	중학교 - 미술
3 Music	9	Musical vs. Opera	중학교 - 음악
	10	Vivaldi's "The Four Seasons"	중학교 - 음악
	11	Dynamics in Music	중학교 - 음악
	12	The Alphorn	중학교 - 음악

Book 3

Famous People

Chapter	Unit	Title	교과연계
1 Famous People 1	1	Linus Pauling	중학교 - 과학
	2	Maryam Mirzakhani	중학교 - 수학
	3	CV Raman	중학교 - 과학
	4	Ada Lovelace	중학교 - 기술·가정
2 Famous People 2	5	Tu Youyou	중학교 - 과학
	6	Rigoberta Menchú	중학교 - 사회
	7	Antoni Gaudi	중학교 - 미술
	8	Wangari Maathai	중학교 - 사회
3 Famous People 3	9	Mary Jackson	중학교 - 과학, 기술·가정
	10	Isabel Allende	중학교 - 국어
	11	Pius Mau Piailug	중학교 - 과학, 기술·가정
	12	Mary Anning	중학교 - 과학

High Junior Syllabus

Book 1

Awards and Award Winners

Chapter	Unit	Title	교과연계
1 Competitions 1	1	Toe Wrestling: UK	고등학교 - 체육
	2	Chessboxing	고등학교 - 체육
	3	The World Memory Championships	고등학교 - 체육
	4	The O Henry Pun-Off	고등학교 - 문학
2 Competitions 2	5	The Air Guitar Championships	고등학교 - 음악
	6	Mistakes at the Academy Awards	고등학교 - 미술
	7	Extreme Ironing	고등학교 - 체육
	8	The Heso Odori	고등학교 - 세계지리
3 Competitions 3	9	Making Faces	고등학교 - 체육
	10	The Argungu Fishing Festival	고등학교 - 세계지리
	11	ClauWau	고등학교 - 세계지리
	12	Competitive Chili Eating	고등학교 - 세계지리

Book 2

Health & Science

Chapter	Unit	Title	교과연계
1 Health	1	Health Literacy	고등학교 - 체육
	2	Yoga	고등학교 - 체육
	3	Digital Eye Strain	고등학교 - 생명과학
	4	Just One Food	고등학교 - 기술·가정
2 Environment	5	Climate Change	고등학교 - 통합사회, 지구과학
	6	Drone-based Delivery	고등학교 - 기술·가정
	7	The Nene	고등학교 - 통합과학
	8	The Amazon	고등학교 - 통합사회, 지구과학
3 Science	9	Memory	고등학교 - 생명과학
	10	Phases of the Moon	고등학교 - 지구과학
	11	Plasma	고등학교 - 물리, 화학
	12	Contagious Yawning	고등학교 - 생명과학

Book 3

Society & Technology

Chapter	Unit	Title	교과연계
1 Social Studies / Psychology	1	Forms of Government	고등학교 - 정치와 법
	2	A Violinist in the Station	고등학교 - 음악, 미술
	3	Biopiracy: The Neem Tree	고등학교 - 통합사회, 생활과 윤리
	4	A Hierarchy of Needs	고등학교 - 통합사회, 사회·문화
2 Culture	5	Mythical Creatures	고등학교 - 문학, 미술
	6	Ramadan: The Fast	고등학교 - 통합사회, 사회·문화
	7	The Bibliomotocarro	고등학교 - 문학, 통합사회
	8	Garífuna Punta	고등학교 - 통합사회, 음악
3 Technology	9	Virtual Reality	고등학교 - 통합과학, 기술·가정
	10	Suspension Bridges	고등학교 - 통합과학, 기술·가정
	11	Bone Conduction	고등학교 - 생명과학, 기술·가정
	12	Videophones	고등학교 - 과학, 기술·가정

TOSEL® READING SERIES FOR TEACHERS

교사용 교재 활용 가이드

1시간 학습 가이드라인

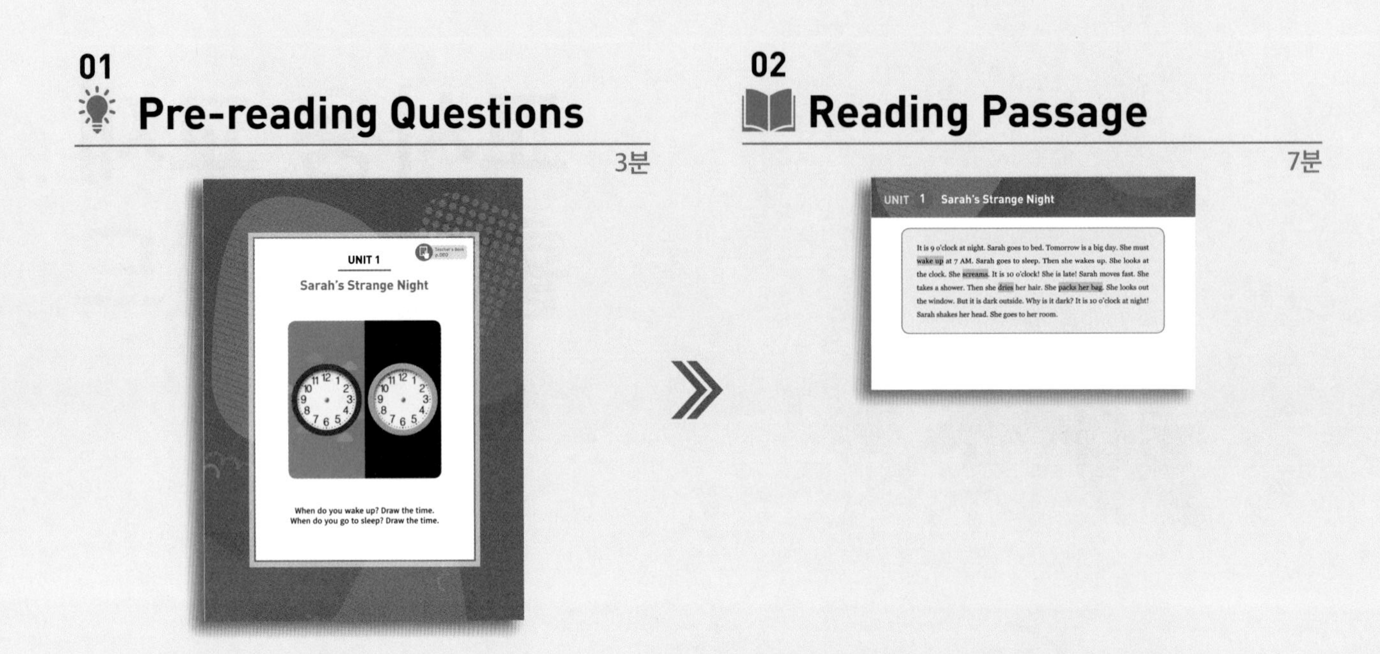

01 Pre-reading Questions

3분

02 Reading Passage

7분

05 Listening Practice

10분

06 Writing Practice

5분

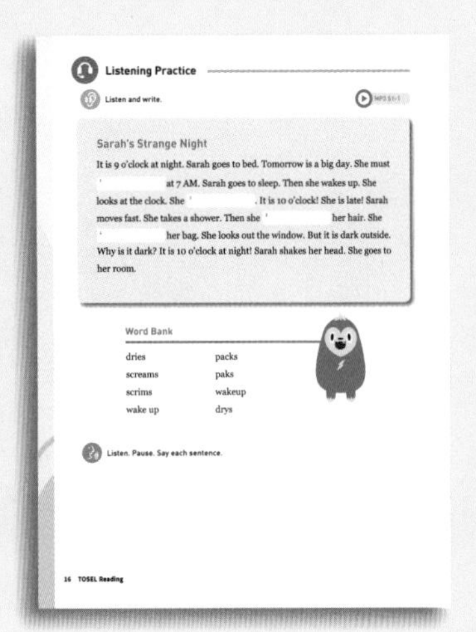

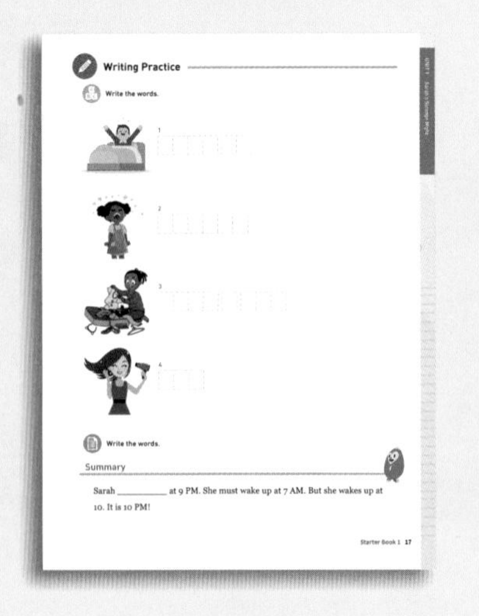

03 New Words

10분

New Words

fight

jacket

strong

take off

96 TOSEL Reading

04 Comprehension Questions

10분

Part A. Sentence Completion

1. He shakes ________ head.
(A) he
(B) his
(C) him
(D) he's

2. She ________ to sleep.
(A) go
(B) goes
(C) to go
(D) going

Part B. Situational

3.

4.

Part C. Practical Reading and Retelling

Before Berko Goes to Bed

5:30 6:00 6:10

8:00 9:00 10:00

5. What does Berko do at 9:00?
(A) eat dinner
(B) brush teeth
(C) do homework
(D) take a shower

6. When does Berko run?
(A) at 5:30
(B) at 6:10
(C) at 8:00
(D) at 10:00

14 TOSEL Reading

07 Word Puzzle

5분

Word Puzzle

D	N	P	H	D	J	O	C	Z	O	Q	A	P	P	P
I	Y	E	B	R	N	N	S	W	D	D	Q	B	D	Q
F	Y	M	O	Y	C	R	C	T	U	D	X	O	C	H
Z	I	Z	C	J	S	C	R	Q	M	Q	J	Q	H	I
O	R	E	F	U	F	X	E	L	I	I	T	O	N	Q
R	C	S	M	J	M	P	A	C	K	A	B	A	G	T
N	M	R	G	R	D	N	M	V	P	G	T	U	X	Y
U	Y	K	N	Y	R	G	G	G	L	M	Q	X	W	V
M	O	L	E	Z	Q	S	J	P	K	O	O	N	A	G
I	R	M	X	M	G	Y	Q	R	I	P	G	L	K	Y
H	A	O	L	K	O	R	X	Z	U	M	Q	G	E	M
W	S	Y	O	E	E	C	Z	I	U	I	V	K	U	E
H	V	O	K	Z	A	G	X	A	R	D	S	Q	P	X
Y	G	X	X	D	N	G	G	N	V	C	Z	R	C	V
U	B	Z	R	V	L	V	O	G	I	F	T	Z	V	F

Write the words. Then find them in the puzzle.

1 2 3 4

18 TOSEL Reading

08 오답노트

10분

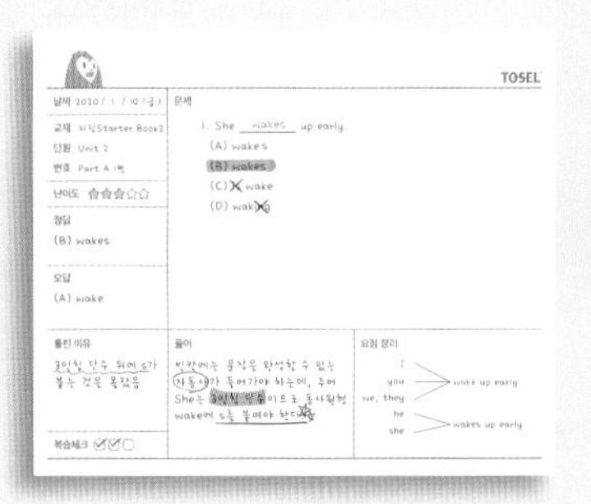

Pre-reading Questions

듣기 / 말하기 연습 (3분)

수업 전 Unit의 지문과 관련된 주제에 대해 영어로 대답해 보는 시간

- Unit과 관련된 Pre-reading Questions에 직접 답변하게 하여 수업에 대한 흥미 유발
- 본인의 경험과 연관지어 봄으로써 학생들의 능동적인 생각 촉진
- 일상생활과 관련된 주제를 통해 실생활에서 활용할 수 있는 표현을 학습

학생용 교재 예시

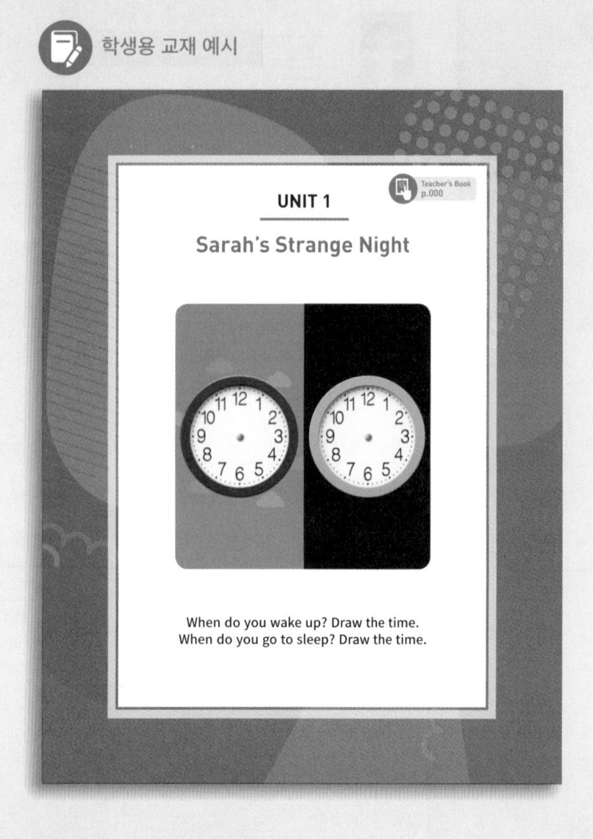

UNIT 1
Sarah's Strange Night
When do you wake up? Draw the time.
When do you go to sleep? Draw the time.

교사용 교재 예시

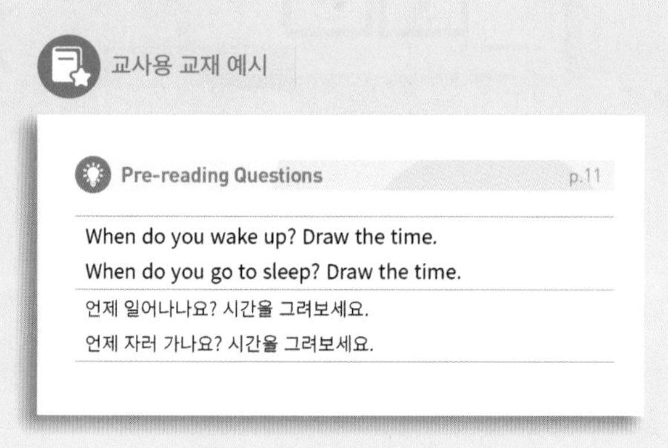

Pre-reading Questions
p.11
When do you wake up? Draw the time.
When do you go to sleep? Draw the time.
언제 일어나나요? 시간을 그려보세요.
언제 자러 가나요? 시간을 그려보세요.

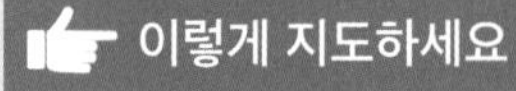

이렇게 지도하세요

- **학습 목표:** 교사의 질문을 이해하고 단어 중심으로 대답할 수 있다.
- **학습 유의 사항:**

교사

단어 자체의 강세, 문장 내에서 강하게 또는 약하게 발음하는 단어들에 중점을 두어 질문한다.

학생

단어의 강세와 발음에 유의하여 단어 중심으로 대답한다.

- **학습 참고 지표:** 2015 개정교육과정 영어과 성취기준 [4영 02-03] (초등학교 3-4학년 군의 말하기 영역)

Reading Passage

독해 연습 (7분)

Unit의 해당 지문 내용을 파악하는 시간

- 주어진 시간 내에 지문을 읽고 핵심 내용과 단어를 파악
- TOSEL 독해 문항을 전략적으로 준비 가능
- Unit에서 다루는 새로운 어휘는 학생용 교재 지문에 표시되어 있으며, 교사용 교재에서는 해석과 등장 어휘를 소개

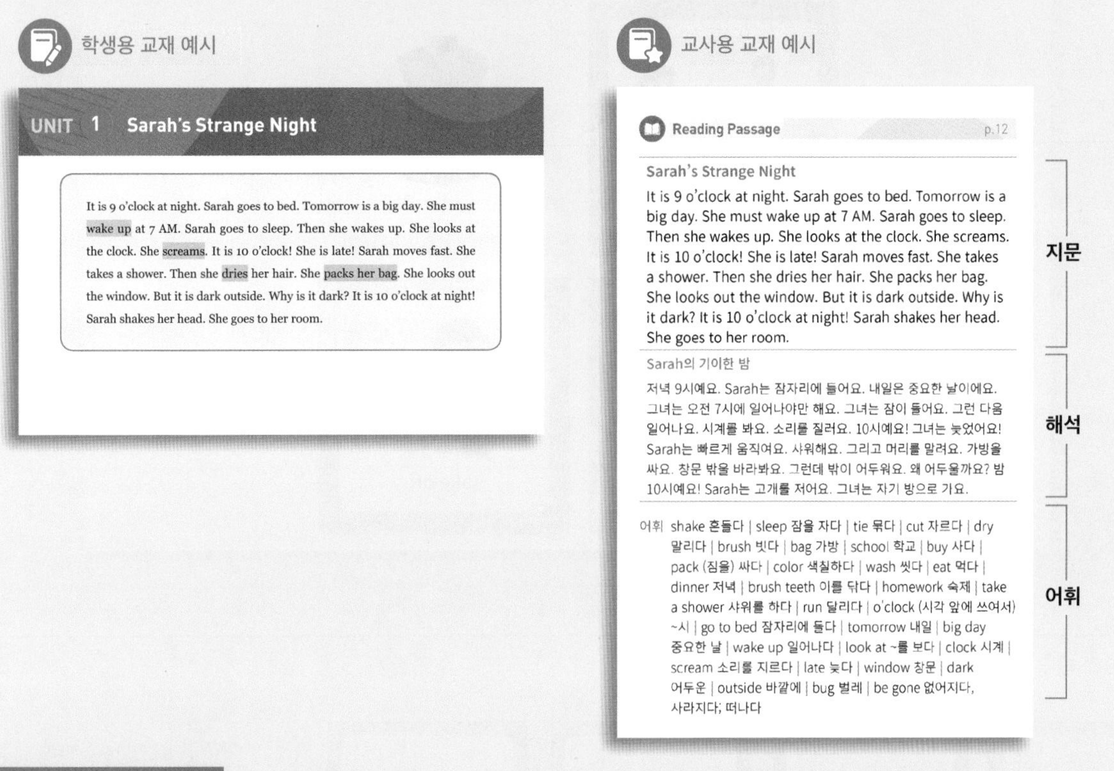
학생용 교재 예시

UNIT 1 Sarah's Strange Night

It is 9 o'clock at night. Sarah goes to bed. Tomorrow is a big day. She must wake up at 7 AM. Sarah goes to sleep. Then she wakes up. She looks at the clock. She screams. It is 10 o'clock! She is late! Sarah moves fast. She takes a shower. Then she dries her hair. She packs her bag. She looks out the window. But it is dark outside. Why is it dark? It is 10 o'clock at night! Sarah shakes her head. She goes to her room.

교사용 교재 예시

Reading Passage p.12

Sarah's Strange Night

It is 9 o'clock at night. Sarah goes to bed. Tomorrow is a big day. She must wake up at 7 AM. Sarah goes to sleep. Then she wakes up. She looks at the clock. She screams. It is 10 o'clock! She is late! Sarah moves fast. She takes a shower. Then she dries her hair. She packs her bag. She looks out the window. But it is dark outside. Why is it dark? It is 10 o'clock at night! Sarah shakes her head. She goes to her room.

지문

Sarah의 기이한 밤

저녁 9시예요. Sarah는 잠자리에 들어요. 내일은 중요한 날이에요. 그녀는 오전 7시에 일어나야만 해요. 그녀는 잠이 들어요. 그런 다음 일어나요. 시계를 봐요. 소리를 질러요. 10시예요! 그녀는 늦었어요! Sarah는 빠르게 움직여요. 샤워해요. 그리고 머리를 말려요. 가방을 싸요. 창문 밖을 바라봐요. 그런데 밖이 어두워요. 왜 어두울까요? 밤 10시예요! Sarah는 고개를 저어요. 그녀는 자기 방으로 가요.

해석

어휘 shake 흔들다 | sleep 잠을 자다 | tie 묶다 | cut 자르다 | dry 말리다 | brush 빗다 | bag 가방 | school 학교 | buy 사다 | pack (짐을) 싸다 | color 색칠하다 | wash 씻다 | eat 먹다 | dinner 저녁 | brush teeth 이를 닦다 | homework 숙제 | take a shower 샤워를 하다 | run 달리다 | o'clock (시각 앞에 쓰여서) ~시 | go to bed 잠자리에 들다 | tomorrow 내일 | big day 중요한 날 | wake up 일어나다 | look at ~를 보다 | clock 시계 | scream 소리를 지르다 | late 늦다 | window 창문 | dark 어두운 | outside 바깥에 | bug 벌레 | be gone 없어지다, 사라지다; 떠나다

어휘

이렇게 지도하세요

- **학습 목표**: Reading Passage 내 주어+동사를 찾을 수 있으며, 인칭대명사 / be 동사 / 접속사 / 의문사 등을 이해할 수 있다.
- **학습 유의 사항**:

교사

문장을 끊어 읽는 훈련을 통해 '주어+동사'를 찾을 수 있도록 한다.

지문을 통해 be 동사, 인칭대명사, 접속사 and / but / or, 의문사 what / when / who 등을 자연스럽게 익히도록 한다.

학생

문장을 읽을 때 주어+동사 단위로 끊어 읽는 연습을 한다.

문장 내에서 중요한 역할을 하는 성분들 (인칭 대명사 / be 동사 / 접속사 / 의문사 등)을 이해한다.

- **학습 참고 지표**: 2015 개정교육과정 영어과 성취기준 [4영 02-03] (초등학교 3-4학년 군의 읽기 영역)

※ 문장 따라 읽기 / 소리 내어 읽기를 단순 반복하게 할 경우 수업이 지루해질 수 있다.
따라서 홀수 / 짝수 번호 교대로 읽기, 짝과 교대로 읽기, 목소리 바꾸어서 읽기, 혼자 읽기 등 다양한 방법을 활용하도록 한다.

New Words

새로운 어휘 암기 연습 (10분)

지문 속 표시된 새로운 어휘를 배우는 시간

학생용 교재 예시

단어 카드의 테두리 색깔은 **품사**를 의미

New Words 추가 활동

TOSEL 홈페이지(www.tosel.org)에서 New Words 학습을 위한 **Picture Cards / Word Cards / Word List** 제공
(다운로드 후 출력 사용 가능)

Picture Cards

워크시트 예시

- **활용 방법**: 점선을 따라 오린 후 그림을 통해 단어를 학습한다.
- **활용 예시**: ① Picture Cards를 색깔별로 구분하여 품사별로 단어 학습하기
  ② 카드의 단어를 그림으로 표현하여 상대방이 맞추기 (Picturesque)
  ③ 팀을 나누어 카드의 철자를 팀원 한 명이 몸으로 표현하고 나머지 팀원이 카드의 단어를 맞추기 (Charades)

Word Cards

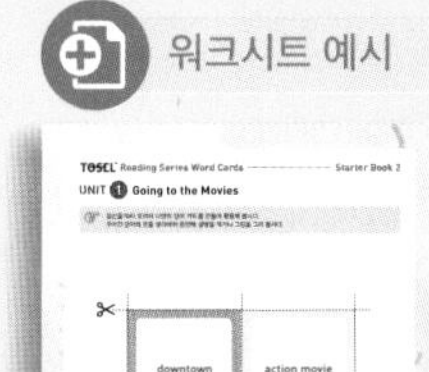

워크시트 예시

- **활용 방법**: 점선을 따라 오린 후 카드 뒷면에 단어의 뜻을 쓰거나 그림으로 뜻을 표현한다.
- **활용 예시**: ① Word Cards 한 개를 고른 뒤 카드 뒷면에 단어의 동의어 / 반의어 쓰기
  ② 카드 단어를 그림으로 표현하여 상대방이 맞추기 (Picturesque)
  ③ 팀을 나누어 카드의 철자를 팀원 한 명이 몸으로 표현하고 나머지 팀원이 카드의 단어를 맞추기 (Charades)
  ④ Word Cards를 활용하여 문장을 만든 후 품사의 문장 속 역할 파악하기

예)

Word List

워크시트 예시

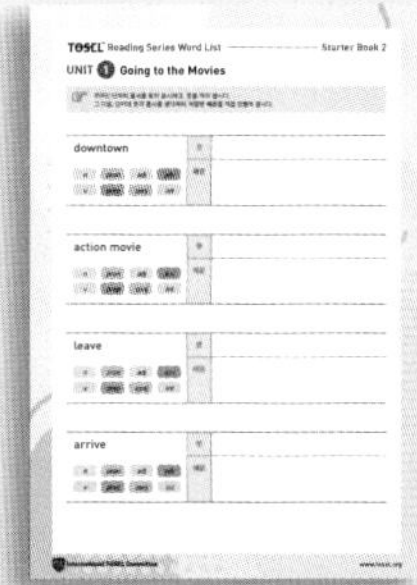

- **활용 방법**: 단어 / 어구의 품사 또는 expressions를 선택하여 뜻과 예문을 쓰게 한다.
- **활용 예시**: ① 수업 전 예습지 또는 수업 후 복습지로 활용
  ② Unit / Chapter 완료 시 New Words 평가지로 활용
  ③ 지문 외 다양한 장르(뉴스 기사, 책, 포스터 등)에서 New Words의 쓰임을 찾아 예문에 적어보기
  ④ 뜻을 영어로 재표현(paraphrase)하여 자신만의 단어로 만들기
  예) volunteering = helping others for free

Comprehension Questions

독해 문제 풀이 (10분)

새로운 어휘를 익히고 지문과 관련된 문제를 풀어보는 시간

4개의 파트로 구성된 Comprehension Questions를 통해 TOSEL 읽기와 간접 쓰기 유형에 해당하는 문항을 풀어봄으로써 시험을 전략적으로 대비할 수 있다.

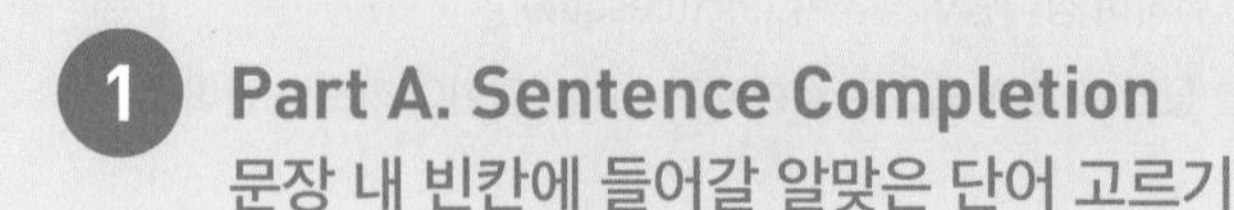

1 Part A. Sentence Completion
문장 내 빈칸에 들어갈 알맞은 단어 고르기

- 문법적으로 가장 알맞은 단어를 골라 문장을 완성하는 유형으로 평서문, 의문문, 명령문 등으로 출제
- 동사의 시제·태·수 일치 / 동명사·부정사 / 분사 / 관계사 / 가정법 등의 문법 사항을 통해 문장 구조 파악 및 완성 능력 평가

학생용 교재 예시

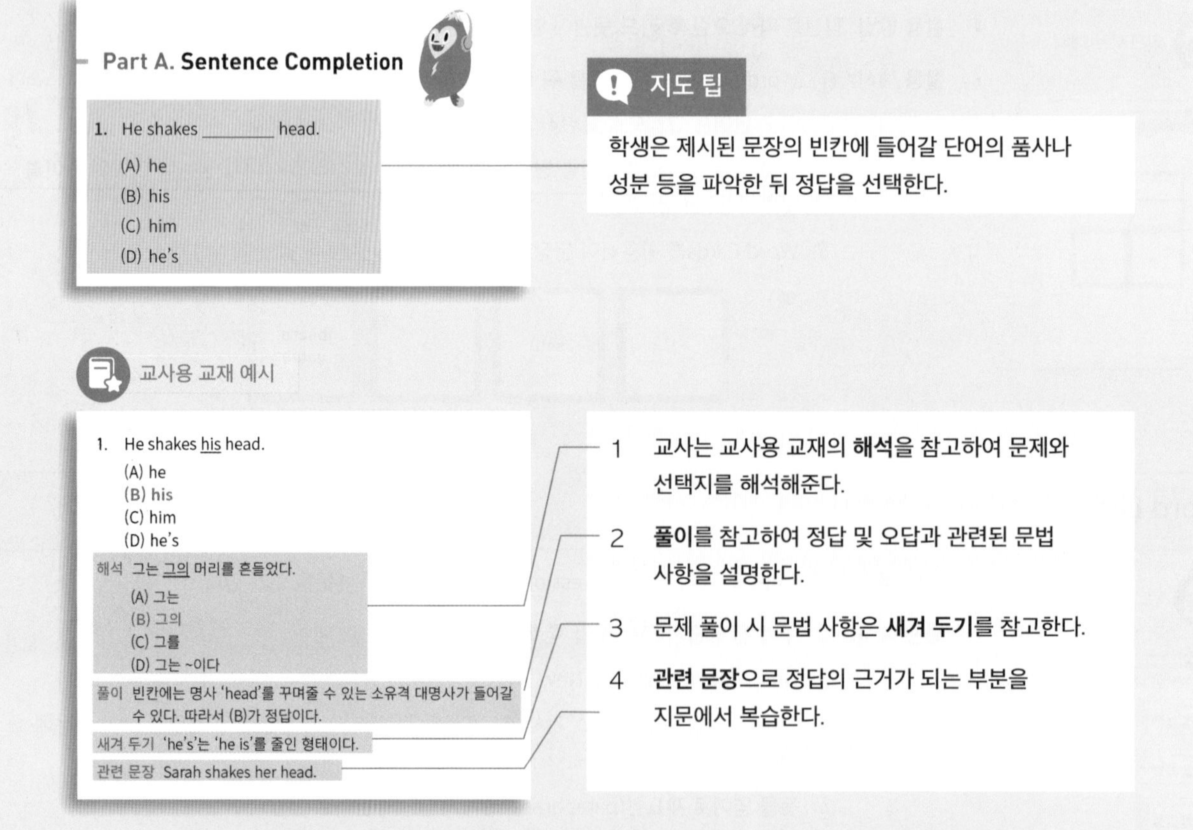

Part A. Sentence Completion
1. He shakes _______ head.
(A) he
(B) his
(C) him
(D) he's
지도 팁
학생은 제시된 문장의 빈칸에 들어갈 단어의 품사나 성분 등을 파악한 뒤 정답을 선택한다.
교사용 교재 예시
1. He shakes his head.
(A) he
(B) his
(C) him
(D) he's
해석 그는 그의 머리를 흔들었다.
(A) 그는
(B) 그의
(C) 그를
(D) 그는 ~이다
풀이 빈칸에는 명사 'head'를 꾸며줄 수 있는 소유격 대명사가 들어갈 수 있다. 따라서 (B)가 정답이다.
새겨 두기 'he's'는 'he is'를 줄인 형태이다.
관련 문장 Sarah shakes her head.
1 교사는 교사용 교재의 해석을 참고하여 문제와 선택지를 해석해준다.
2 풀이를 참고하여 정답 및 오답과 관련된 문법 사항을 설명한다.
3 문제 풀이 시 문법 사항은 새겨 두기를 참고한다.
4 관련 문장으로 정답의 근거가 되는 부분을 지문에서 복습한다.

2 Part B. Situational Writing
제시된 그림 / 상황에 가장 알맞은 단어 고르기

- 제시된 그림 / 상황에 일치하는 문장이 되도록 빈칸에 가장 알맞은 단어를 선택하는 유형
- 적절한 어휘 선택 및 사용 능력 평가

학생용 교재 예시

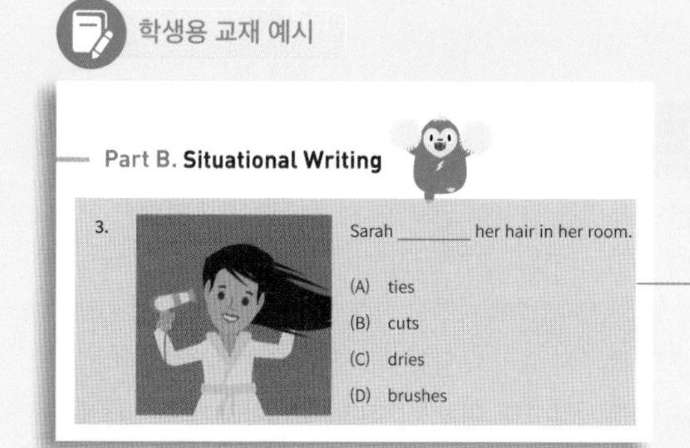
Part B. Situational Writing

3. Sarah ________ her hair in her room.

(A) ties
(B) cuts
(C) dries
(D) brushes

지도 팁

학생은 제시된 그림을 가장 잘 설명하는 문장이 되도록 빈칸에 알맞은 단어를 선택한다.

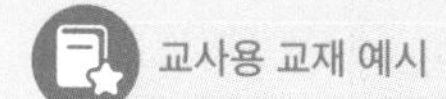
교사용 교재 예시

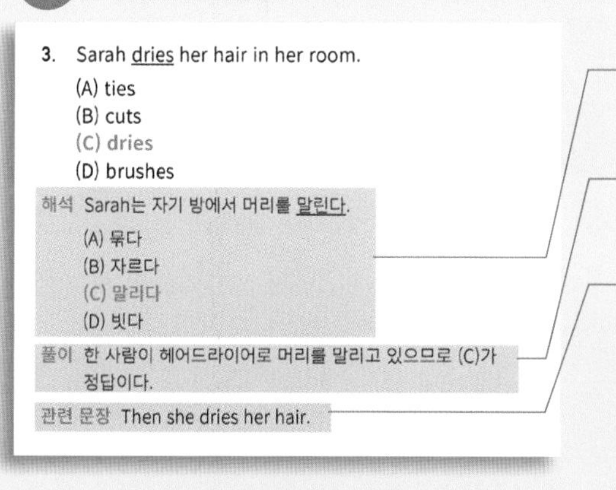
3. Sarah dries her hair in her room.

(A) ties
(B) cuts
(C) dries
(D) brushes

해석 Sarah는 자기 방에서 머리를 말린다.
(A) 묶다
(B) 자르다
(C) 말리다
(D) 빗다

풀이 한 사람이 헤어드라이어로 머리를 말리고 있으므로 (C)가 정답이다.

관련 문장 Then she dries her hair.

1 교사는 교사용 교재의 **해석**을 참고하여 문제와 선택지를 해석해준다.

2 **풀이**를 참고하여 관련 문법 사항과 그림을 연계시켜 정답과 오답을 설명한다.

3 **관련 문장**으로 정답의 근거가 되는 부분을 지문에서 복습한다.

Part C. Practical Reading and Retelling
실용문 읽고 정보 파악하기

- 실용적 주제와 관련된 자료나 지문을 읽고 구체적인 내용을 파악하여 답하는 유형으로, 수능의 실용문 세부내용 파악 유형과 유사
- 실생활에서 자주 접할 수 있는 지문들을 통해 정보를 파악하고 이해하는 능력 평가

학생용 교재 예시

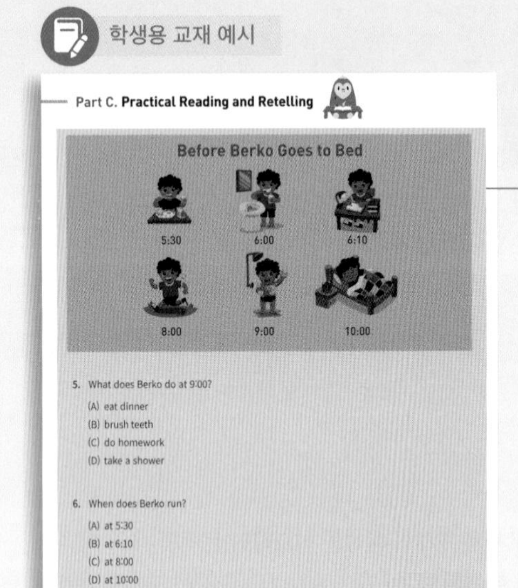
Part C. Practical Reading and Retelling

Before Berko Goes to Bed

5:30 6:00 6:10
8:00 9:00 10:00

5. What does Berko do at 9:00?
(A) eat dinner
(B) brush teeth
(C) do homework
(D) take a shower

6. When does Berko run?
(A) at 5:30
(B) at 6:10
(C) at 8:00
(D) at 10:00

지도 팁

학생은 실용문의 종류를 파악한 뒤 지문 안에서 문제에 필요한 정보를 찾는다.

교사는 실용문의 종류에 따라 내용을 해석하는 방법을 지도한다.

예)
- 그래프(가로·세로 막대, 원형 등): 최소 / 최대치 찾기
- 벤 다이어그램: 공통점 / 차이점, 포함 관계가 의미하는 내용
- 초대장: 일시 / 장소 / 대상 / 중심 내용 파악하기
- 광고: 제목 / 일시 / 장소 / 혜택 등의 단서 찾기

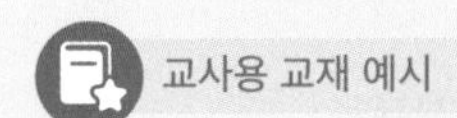

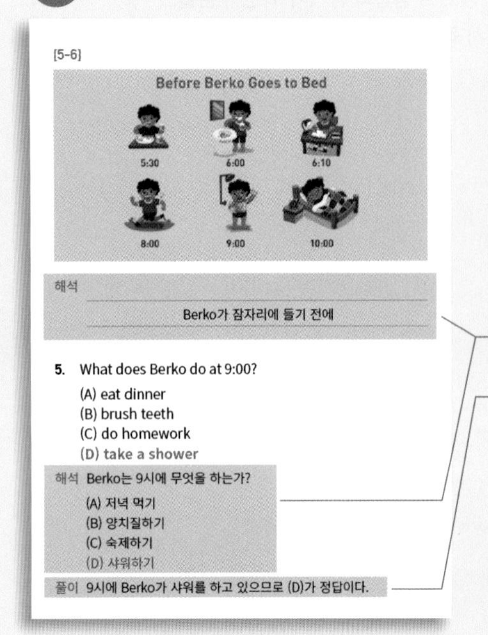
[5-6]

Before Berko Goes to Bed

5:30 6:00 6:10
8:00 9:00 10:00

해석
Berko가 잠자리에 들기 전에

5. What does Berko do at 9:00?
(A) eat dinner
(B) brush teeth
(C) do homework
(D) take a shower

해석 Berko는 9시에 무엇을 하는가?
(A) 저녁 먹기
(B) 양치질하기
(C) 숙제하기
(D) 샤워하기

풀이 9시에 Berko가 샤워를 하고 있으므로 (D)가 정답이다.

1. 교사는 교사용 교재를 참고하여 문제와 선택지를 **해석**한다.
2. **풀이**를 참고하여 실용문의 주제 / 목적 / 내용 등과 연계시켜 정답과 오답을 설명한다.

4 Part D. General Reading and Retelling

지문 읽고 내용 파악하기

- 교과나 학술적인 주제와 관련된 지문을 읽고 주제 / 내용을 파악하는 유형으로, 수능의 제목 찾기·일치 / 불일치·세부내용 파악 유형과 유사
- 지문의 주제 및 세부 내용을 파악하고 이해하는 능력 평가

학생용 교재 예시

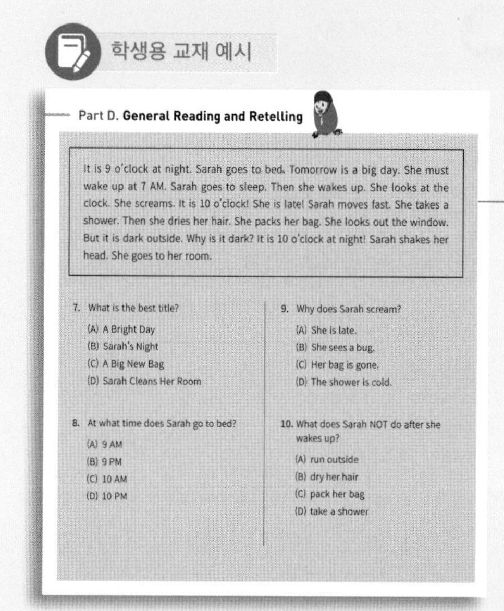

Part D. General Reading and Retelling

It is 9 o'clock at night. Sarah goes to bed. Tomorrow is a big day. She must wake up at 7 AM. Sarah goes to sleep. Then she wakes up. She looks at the clock. She screams. It is 10 o'clock! She is late! Sarah moves fast. She takes a shower. Then she dries her hair. She packs her bag. She looks out the window. But it is dark outside. Why is it dark? It is 10 o'clock at night! Sarah shakes her head. She goes to her room.

7. What is the best title?
   (A) A Bright Day
   (B) Sarah's Night
   (C) A Big New Bag
   (D) Sarah Cleans Her Room

8. At what time does Sarah go to bed?
   (A) 9 AM
   (B) 9 PM
   (C) 10 AM
   (D) 10 PM

9. Why does Sarah scream?
   (A) She is late.
   (B) She sees a bug.
   (C) Her bag is gone.
   (D) The shower is cold.

10. What does Sarah NOT do after she wakes up?
   (A) run outside
   (B) dry her hair
   (C) pack her bag
   (D) take a shower

지도 팁

학생은 지문을 읽고 문제에 따라 중심 / 세부 내용을 파악한다.

교사는 문제 유형별로 접근 방법을 지도한다.

예)
- 주제(제목, 요지) 찾기 유형: 첫 문장과 마지막 문장, 접속사 (Therefore, However, In short 등) 등을 활용한 주제문 찾기
- 세부 내용 파악 유형: 고유명사·숫자·접속사 등을 활용하여 지문의 내용을 단락별로 구분 지은 후 질문에서 요구하는 세부 내용 찾기
- 내용 일치 / 불일치 유형: 질문의 단서를 지문에서 찾은 뒤 선택지를 하나씩 지워나가기, 질문에서 요구하는 세부 정보를 먼저 파악한 뒤 지문 읽기

교사용 교재 예시

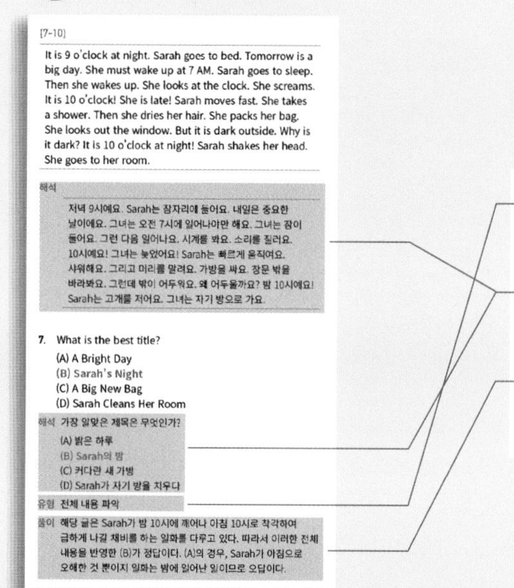

[7-10]

It is 9 o'clock at night. Sarah goes to bed. Tomorrow is a big day. She must wake up at 7 AM. Sarah goes to sleep. Then she wakes up. She looks at the clock. She screams. It is 10 o'clock! She is late! Sarah moves fast. She takes a shower. Then she dries her hair. She packs her bag. She looks out the window. But it is dark outside. Why is it dark? It is 10 o'clock at night! Sarah shakes her head. She goes to her room.

해석

저녁 9시예요. Sarah는 잠자리에 들어요. 내일은 중요한 날이에요. 그녀는 오전 7시에 일어나야만 해요. 그녀는 잠이 들어요. 그런 다음 일어나요. 시계를 봐요. 소리를 질러요. 10시예요! 그녀는 늦었어요! Sarah는 빠르게 움직여요. 샤워해요. 그리고 머리를 말려요. 가방을 싸요. 창문 밖을 바라봐요. 그런데 밖이 어두워요. 왜 어두울까요? 밤 10시예요! Sarah는 고개를 저어요. 그녀는 자기 방으로 가요.

7. What is the best title?
   (A) A Bright Day
   (B) Sarah's Night
   (C) A Big New Bag
   (D) Sarah Cleans Her Room

해석 가장 알맞은 제목은 무엇인가?
(A) 밝은 하루
(B) Sarah의 밤
(C) 커다란 새 가방
(D) Sarah가 자기 방을 치우다

유형 전체 내용 파악

풀이 해당 글은 Sarah가 밤 10시에 깨어나 아침 10시로 착각하여 급하게 나갈 채비를 하는 일화를 다루고 있다. 따라서 이러한 전체 내용을 반영한 (B)가 정답이다. (A)의 경우, Sarah가 아침으로 오해한 것 뿐이지 일화는 밤에 일어난 일이므로 오답이다.

1. 교사는 교사용 교재를 참고하여 해당 문제의 **유형**을 파악한다.
2. 교사는 교사용 교재를 참고하여 지문을 **해석** 후 문제와 선택지를 해설한다.
3. **풀이**를 참고하여 지문에서 정답과 오답의 근거를 찾아 설명한다.

Listening Practice

듣기 연습 (10분)

듣기 훈련을 통해 지문을 듣고 복습하는 시간

- **듣고 받아쓰기:** 음원을 들으며 키워드 위주로 빈칸 채우기
- Listening Practice를 **듣기 전 활동, 듣기 중 활동, 듣기 후 활동**으로 단계별로 나누어 지도

학생용 교재 예시

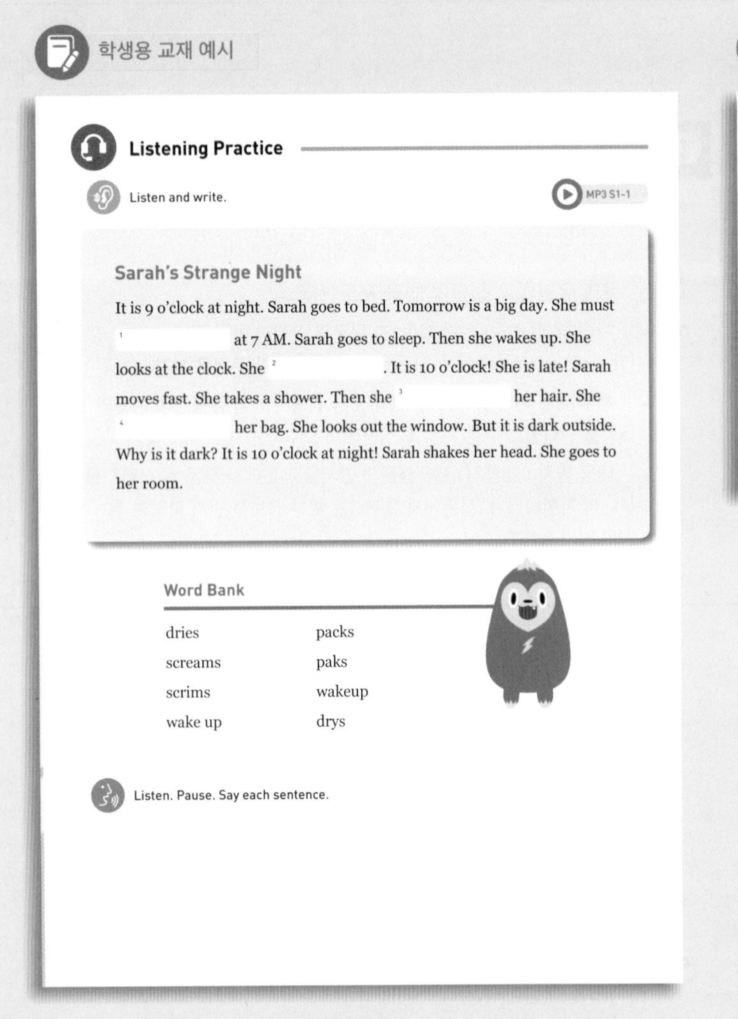

교사용 교재 예시

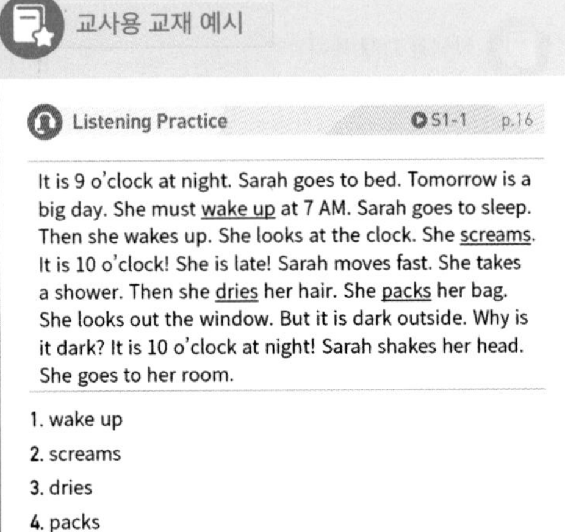

1 듣기 전 활동

- **목표:** 학생의 적극적인 참여 유도 및 듣기 이해도(listening comprehension)를 높인다.
- **예시:** 지문과 관련된 배경 지식이나 주제를 간단히 설명

2 듣기 중 활동

Dictation 음원을 들으면서 빈칸의 내용 받아쓰기

1 음원을 1회 들려주고 전체적인 내용이나 주제를 파악하도록 하기
(음원에만 집중하도록 Word Bank는 가린다)

2 두번째 음원 재생 시 빈칸의 단어나 어구의 철자에 유념하여 Word Bank에서 찾아 쓴다.

3 빈칸의 정답 공개 후 학생이 쓴 내용 확인

4 틀린 부분을 반복 청취함으로써 세부 내용 파악 연습

5 마지막 음원 재생 시 빈칸을 처음부터 다시 채우게 하여 지문을 이해했는지 최종 점검 및 듣기 능력 향상 확인
(음원에만 집중하도록 Word Bank는 가린다)

Shadow Reading 듣고 바로 따라 읽기

듣기 / 말하기 영역 향상을 위해 음원을 들으며, 거의 동시에 한 문장씩 같이 읽기 또는 듣고 바로 따라하기

1 억양, 발음, 속도, 강세, 리듬, 끊어 읽는 구간 등을 최대한 따라하기

2 3~5번 정도 반복 훈련하기

3 학생의 shadow reading 음성을 녹음하거나 모습을 동영상으로 촬영 후,
발음이나 억양, 속도, 강세 등에 대한 피드백 제공하기

3 듣기 후 활동

- **목표:** 지문의 문장이나 패턴을 듣고 이해할 수 있다.
- **예시:** ① 지문 내 문장이나 패턴을 듣고 행동으로 반응하기
  ② 지시대로 행동하기

Writing Practice

쓰기 연습 (10분)

Unit에서 익힌 단어를 글로 표현하는 시간

New Words 단어 쓰기

Unit을 마치기 전 New Words 숙지 여부를 철자 쓰기를 통해 확인

학생용 교재 예시

Write the words.

1

2

3

4

교사용 교재 예시

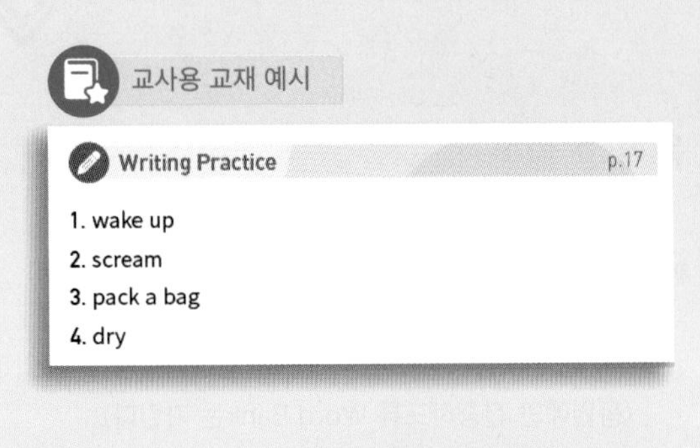

Writing Practice p.17

1. wake up
2. scream
3. pack a bag
4. dry

Summary

수능에 고정적으로 출제되는 유형으로 한 Unit에서 다룬 지문을 요약하는 훈련 및 내용 정리

※ 본 레벨에서는 수, 시제, 동사 형태 등의 문법 요소까지 고려하여 빈칸을 채우는 것은 어려우므로 문맥상 알맞은 단어라면 맞는 것으로 간주한다.

학생용 교재 예시

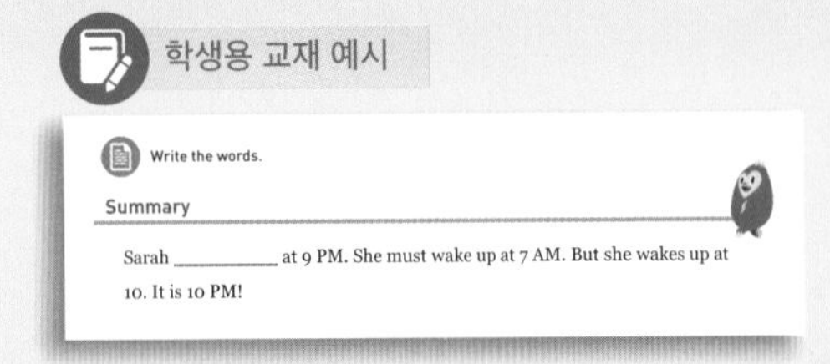

Write the words.

Summary

Sarah __________ at 9 PM. She must wake up at 7 AM. But she wakes up at 10. It is 10 PM!

교사용 교재 예시

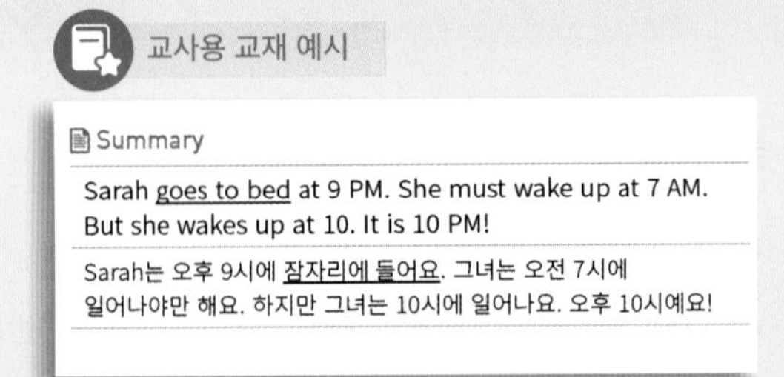

Summary

Sarah goes to bed at 9 PM. She must wake up at 7 AM. But she wakes up at 10. It is 10 PM!

Sarah는 오후 9시에 잠자리에 들어요. 그녀는 오전 7시에 일어나야만 해요. 하지만 그녀는 10시에 일어나요. 오후 10시예요!

Writing Practice 추가 활동

Writing Practice 추가 활동의 워크시트는 **TOSEL 홈페이지(www.tosel.org)** 자료실에서 다운로드 후 사용 가능

- **목표**: 인칭 대명사 / be 동사 / 접속사 / 의문사 등을 이용하여 간단한 문장을 만들 수 있다.
- **예시**: ① Picture Cards / Word Cards를 이용하여 품사 익히기 연습
  ② 인칭대명사 / be 동사 / 동사 등을 사용한 1 / 2 / 3형식의 간단한 영어 문장 만들기

Word Puzzle

어휘 퍼즐 (5분)

Unit에서 학습한 단어들을 퍼즐 속에서 찾기

학생용 교재 예시

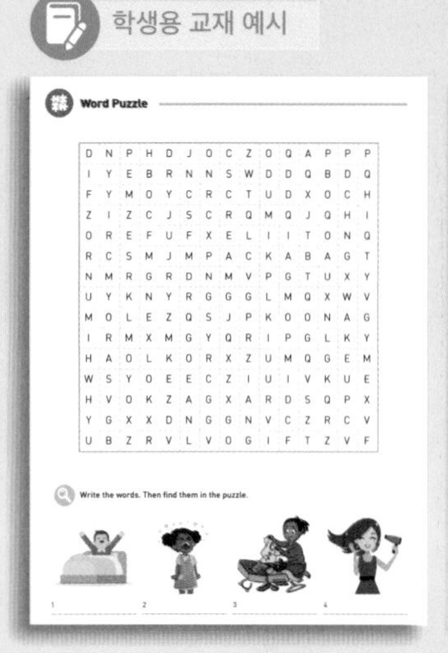

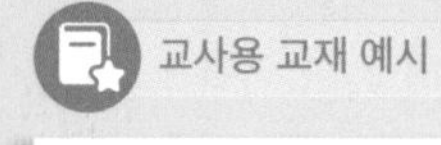

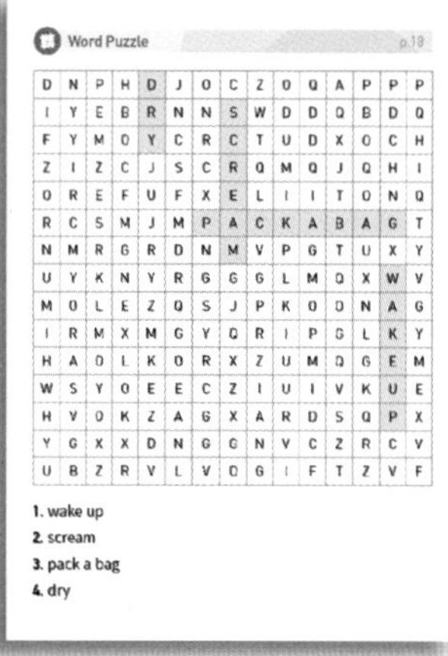

시각적 요소를 활용하여 단어의 장기적 기억 유도

- 한정된 시간 내 퍼즐 풀기나 퍼즐을 가장 빨리 푸는 학생에게 선물주기 등의 활동을 더하여, 해당 Unit의 복습 및 동기 부여를 하며 수업을 마무리

Chapter Review

Chapter 마무리 전 학습한 단어들을 복습하는 시간

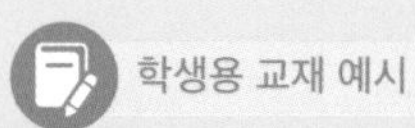

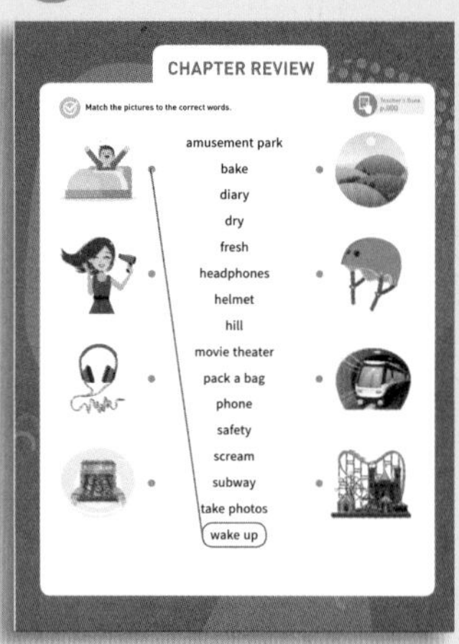

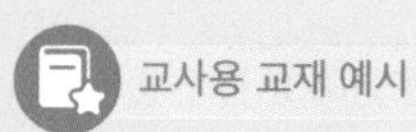

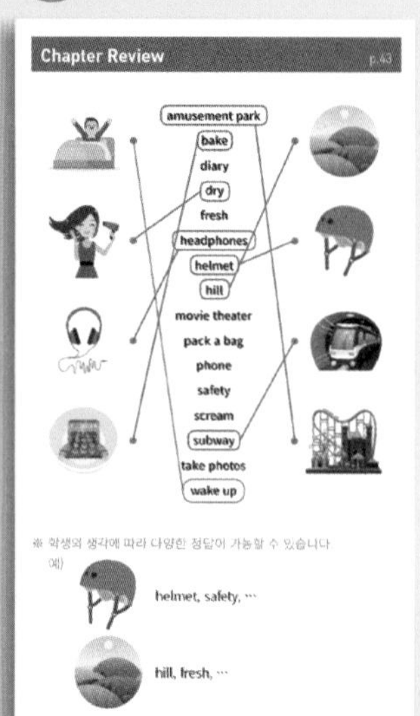

한 Chapter 완료시 네 개의 Unit에서 학습한 New Words의 단어들을 최종 복습

- 그림에 알맞은 단어 연결하기
- Chapter의 단어 복습지로 사용 가능

오답노트

취약 부분 점검 (10분)

채점 후 오답노트 작성

Unit을 마친 뒤 학습자 스스로 틀린 문제를 적게 함으로써 해당 학습 내용에 대한 이해 여부와 취약점 등을 파악, 정리

- 한 Chapter가 끝나면 오답노트에 기록한 문제들을 모아 프린트 후 다시 풀어보게 하기
- **TOSEL 홈페이지(www.tosel.org) 자료실**에서 다운로드 후 사용 또는 오답노트 구매

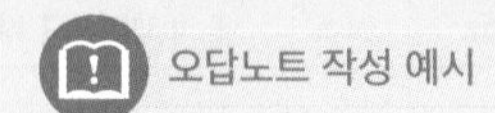

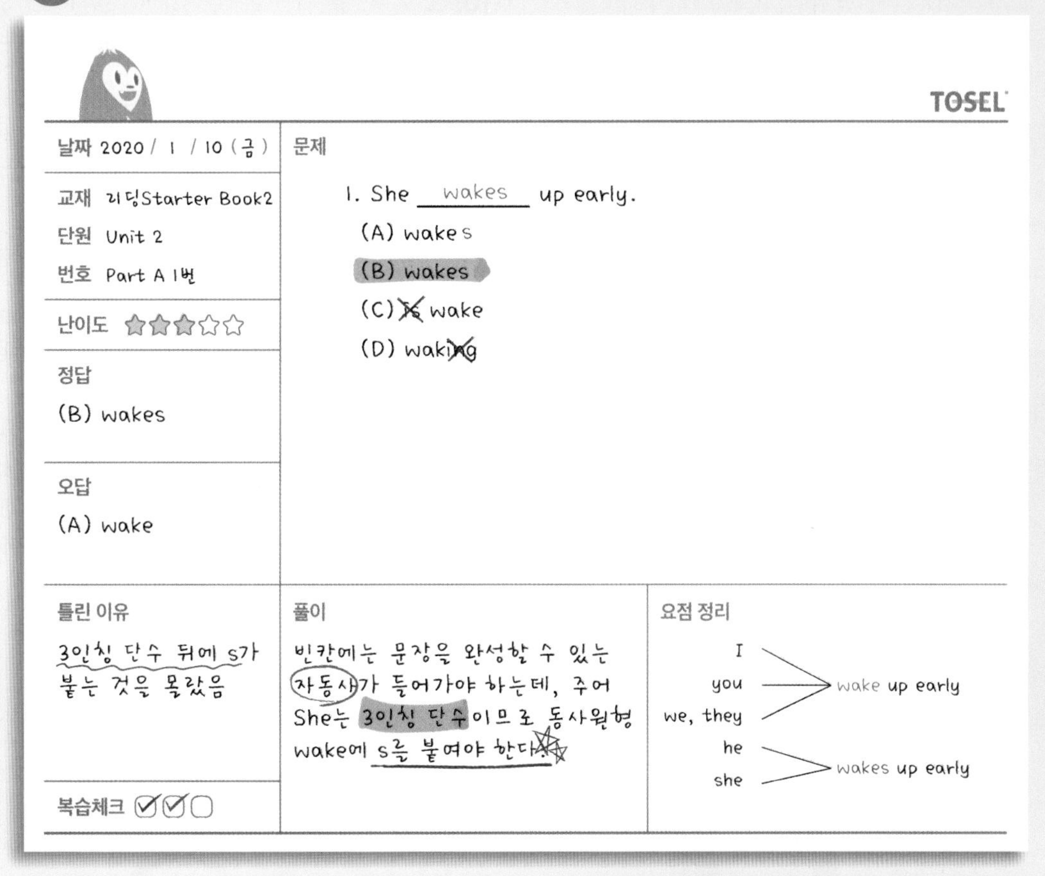

TOSEL

날짜 2020 / 1 / 10 (금)

교재 리딩Starter Book2

단원 Unit 2

번호 Part A 1번

난이도 ★★★☆☆

정답

(B) wakes

오답

(A) wake

문제

1. She __wakes__ up early.

(A) wakes

(B) wakes

(C) is wake

(D) waking

틀린 이유

3인칭 단수 뒤에 s가 붙는 것을 몰랐음

풀이

빈칸에는 문장을 완성할 수 있는 자동사가 들어가야 하는데, 주어 She는 3인칭 단수이므로 동사원형 wake에 s를 붙여야 한다.

요점 정리

I / you / we, they → wake up early

he / she → wakes up early

복습체크 ☑☑☐

오답노트 활용법

1. 오답노트에 학습 날짜, Reading Series 책 번호, Unit, 틀린 번호를 적는다.
2. 자신이 느끼는 난이도를 표시한다.
3. 정답 및 내가 쓴 답(오답)을 적는다.
4. 문제란에 틀린 문제와 틀린 이유, 풀이를 적는다.
5. 요점 정리로 해당 문제를 마무리하며, 복습을 할 때마다 복습 체크란에 표시한다.

Voca Syllabus

Prestarter

Book	N.S	T.N.W	T.N.U.W
1	138	667	270
2	137	661	274
3	144	700	292

Starter

Book	N.S	T.N.W	T.N.U.W
1	269	1446	456
2	279	1560	409
3	279	1489	428

Basic

Book	N.S	T.N.W	T.N.U.W
1	333	2469	695
2	333	2528	710
3	340	2662	730

Junior

Book	N.S	T.N.W	T.N.U.W
1	289	3012	974
2	263	2985	985
3	232	3206	994

High Junior

Book	N.S	T.N.W	T.N.U.W
1	219	3432	1195
2	223	3522	1145
3	288	4170	1339

- N.S: Number of Sentences, 교재에 사용된 전체 문장 수
- T.N.W: Total Number of Words, 교재에 사용된 전체 단어 수 (중복 포함)
- T.N.U.W: Total Number of Unique Words, 교재에 사용된 전체 단어 수 (중복 미포함)

Reading Series는 각 레벨별 3권, 총 15권의 본교재와 5권의 교사용 교재로 이루어져 있으며, 학생의 수준에 맞는 난이도의 교재를 선택해 학습을 진행하실 수 있습니다. Prestarter 레벨부터 High Junior 레벨까지의 리딩시리즈 교재를 통해 총 **3,766개의 문장**과 **10,866개의 단어**를 학습하실 수 있습니다.

TOSEL vs 수학능력시험

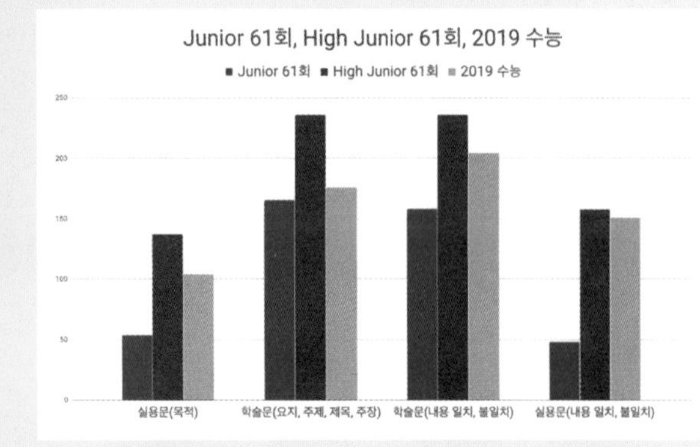

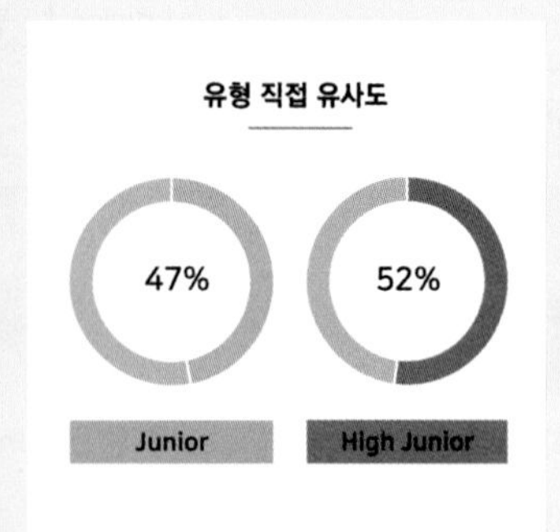

평균적으로 수학 능력 시험 (CSAT) 영어 과목 1등급을 받기 위해 요구되는 단어의 수는 5,000개 이상입니다. TOSEL Reading Series 교재를 통해 학습할 수 있는 단어의 수는 총 10,866개로, 이는 수학 능력 시험을 대비하기에 충분한 숫자입니다. Prestarter, Starter, Basic, Junior, High Junior 레벨의 TOSEL 문항은 각급 학교 내신 시험 및 수학 능력 시험과 높은 문항 일치율을 보인다는 점에서 내신 1등급과 수학 능력 시험 1등급이라는 결과를 동시에 기대할 수 있습니다.

TOSEL® Reading
Starter Book 1

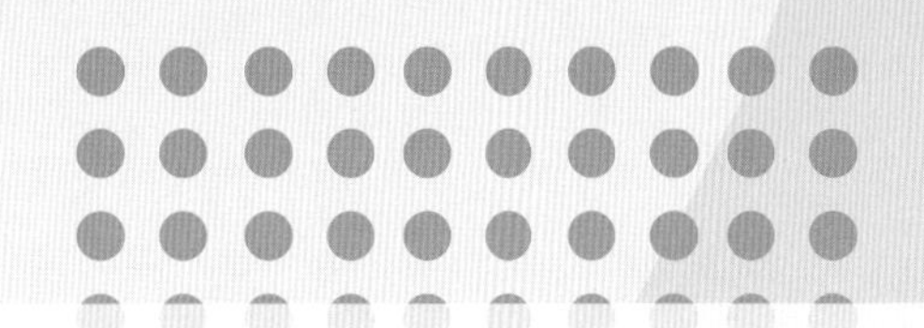

Starter Book 1

ANSWERS

CHAPTER 1 | Weekend Activities

p.10

Unit										
UNIT 1	1 (B)	2 (B)	3 (C)	4 (B)	5 (D)	6 (C)	7 (B)	8 (B)	9 (A)	10 (A)
S1-1	1 wake up		2 screams		3 dries		4 packs			
p.11	1 wake up		2 scream		3 pack a bag		4 dry		goes to bed	
	1 wake up		2 scream		3 pack a bag		4 dry			
UNIT 2	1 (A)	2 (C)	3 (D)	4 (B)	5 (D)	6 (D)	7 (D)	8 (B)	9 (B)	10 (B)
S1-2	1 headphones		2 bakes		3 taking photos		4 phone			
p.19	1 phone		2 headphones		3 bake		4 take photos		Sunday	
	1 phone		2 headphones		3 bake		4 take photos			
UNIT 3	1 (B)	2 (A)	3 (D)	4 (D)	5 (D)	6 (B)	7 (D)	8 (B)	9 (A)	10 (A)
S1-3	1 fresh		2 hill		3 safety		4 helmets			
p.27	1 fresh		2 hill		3 safety		4 helmet		field trip	
	1 fresh		2 hill		3 safety		4 helmet			
UNIT 4	1 (A)	2 (D)	3 (A)	4 (D)	5 (C)	6 (B)	7 (B)	8 (C)	9 (B)	10 (D)
S1-4	1 diary		2 movie		3 subway		4 amusement			
p.35	1 diary		2 movie theater		3 subway		4 amusement park		movie theater	
	1 diary		2 movie theater		3 subway		4 amusement park			

CHAPTER 2 | Find Out about Your Friends

p.44

Unit										
UNIT 5	1 (B)	2 (B)	3 (C)	4 (D)	5 (B)	6 (D)	7 (D)	8 (A)	9 (B)	10 (B)
S1-5	1 pumpkins		2 vegetables		3 shells		4 holidays			
p.45	1 pumpkin		2 shell		3 vegetable		4 holiday		Pumpkins	
	1 pumpkin		2 shell		3 vegetable		4 holiday			
UNIT 6	1 (A)	2 (D)	3 (D)	4 (A)	5 (C)	6 (D)	7 (D)	8 (C)	9 (A)	10 (C)
S1-6	1 feeds		2 sweeps		3 laundry		4 trash			
p.53	1 feed		2 sweep		3 laundry		4 trash		home	
	1 feed		2 sweep		3 laundry		4 trash			
UNIT 7	1 (A)	2 (D)	3 (C)	4 (C)	5 (A)	6 (D)	7 (D)	8 (C)	9 (B)	10 (C)
S1-7	1 planning		2 fancy		3 put on		4 wait			
p.61	1 plan		2 fancy		3 put on		4 wait for		party	
	1 plan		2 fancy		3 put on		4 wait for			
UNIT 8	1 (A)	2 (B)	3 (B)	4 (D)	5 (A)	6 (A)	7 (C)	8 (C)	9 (B)	10 (A)
S1-8	1 first		2 second		3 third		4 fourth			
p.69	1 first		2 second		3 third		4 fourth		sound	
	1 first		2 second		3 third		4 fourth			

CHAPTER 3 | Ask More Questions

p.78

Unit										
UNIT 9	1 (B)	2 (D)	3 (D)	4 (C)	5 (B)	6 (D)	7 (B)	8 (A)	9 (D)	10 (D)
S1-9	1 badminton		2 glove		3 racket		4 goggles			
p.79	1 glove		2 badminton		3 racket		4 goggles		sports	
	1 glove		2 badminton		3 racket		4 goggles			
UNIT 10	1 (C)	2 (C)	3 (C)	4 (D)	5 (D)	6 (C)	7 (C)	8 (B)	9 (C)	10 (C)
S1-10	1 fever		2 coughs		3 sore throat		4 sneeze			
p.87	1 fever		2 cough		3 sneeze		4 sore throat		sick	
	1 fever		2 cough		3 sneeze		4 sore throat			
UNIT 11	1 (B)	2 (B)	3 (D)	4 (D)	5 (C)	6 (B)	7 (D)	8 (B)	9 (A)	10 (B)
S1-11	1 fight		2 stronger		3 jacket		4 takes off			
p.95	1 fight		2 jacket		3 strong		4 take off		fight	
	1 fight		2 jacket		3 strong		4 take off			
UNIT 12	1 (B)	2 (B)	3 (A)	4 (B)	5 (B)	6 (D)	7 (C)	8 (D)	9 (A)	10 (A)
S1-12	1 rides		2 scary		3 brave		4 front			
p.103	1 ride		2 scary		3 front		4 brave		theme park	
	1 ride		2 scary		3 front		4 brave			

Chapter 1. Weekend Activities

Unit 1 | Sarah's Strange Night p.11

Part A. Sentence Completion p.13

1 (B) 2 (B)

Part B. Situational Writing p.13

3 (C) 4 (B)

Part C. Practical Reading and Retelling p.14

5 (D) 6 (C)

Part D. General Reading and Retelling p.15

7 (B) 8 (B) 9 (A) 10 (A)

Listening Practice p.16

1 wake up 2 screams
3 dries 4 packs

Writing Practice p.17

1 wake up 2 scream
3 pack a bag 4 dry
Summary goes to bed

Word Puzzle p.18

1 wake up 2 scream
3 pack a bag 4 dry

Pre-reading Questions p.11

When do you wake up? Draw the time.
When do you go to sleep? Draw the time.

언제 일어나나요? 시간을 그려보세요.
언제 자러 가나요? 시간을 그려보세요.

Reading Passage p.12

Sarah's Strange Night

It is 9 o'clock at night. Sarah goes to bed. Tomorrow is a big day. She must wake up at 7 AM. Sarah goes to sleep. Then she wakes up. She looks at the clock. She screams. It is 10 o'clock! She is late! Sarah moves fast. She takes a shower. Then she dries her hair. She packs her bag. She looks out the window. But it is dark outside. Why is it dark? It is 10 o'clock at night! Sarah shakes her head. She goes to her room.

Sarah의 기이한 밤

저녁 9시예요. Sarah는 잠자리에 들어요. 내일은 중요한 날이에요. 그녀는 오전 7시에 일어나야만 해요. 그녀는 잠이 들어요. 그런 다음 일어나요. 시계를 봐요. 소리를 질러요. 10시예요! 그녀는 늦었어요! Sarah는 빠르게 움직여요. 샤워해요. 그런 다음 머리를 말려요. 가방을 챙겨요. 창문 밖을 바라봐요. 그런데 밖이 어두워요. 왜 어두울까요? 밤 10시예요! Sarah는 고개를 저어요. 그녀는 자기 방으로 가요.

어휘 shake 흔들다 | sleep 잠을 자다 | tie 묶다 | cut 자르다 | dry 말리다 | brush 빗다 | bag 가방 | school 학교 | buy 사다 | pack (짐을) 챙기다, 싸다 | color 색칠하다 | wash 씻다 | eat 먹다 | dinner 저녁 | brush teeth 이를 닦다 | homework 숙제 | take a shower 샤워를 하다 | run 달리다 | o'clock (시각 앞에 쓰여서) ~시 | go to bed 잠자리에 들다 | tomorrow 내일 | big day 중요한 날 | wake up 일어나다 | look at ~을 보다 | clock 시계 | scream 소리를 지르다 | late 늦은 | window 창문 | dark 어두운 | outside 바깥에 | bug 벌레 | be gone 없어지다, 사라지다; 떠나다

Comprehension Questions p.13

1. He shakes his head.
   (A) he
   (B) his
   (C) him
   (D) he's

해석 그는 그의 고개를 저었다.
(A) 그는
(B) 그의
(C) 그를
(D) 그는 ~이다

풀이 빈칸에는 명사 'head'를 꾸며줄 수 있도록 대명사의 소유격이 들어가야 한다. 따라서 (B)가 정답이다.

새겨 두기 'he's'는 'he is'를 줄인 형태이다.

관련 문장 Sarah shakes her head.

2. She goes to sleep.

(A) go
(B) goes
(C) to go
(D) going

해석 그녀는 잠자러 간다.

(A) 가다
(B) 가다
(C) 가는 것
(D) 가는 것

풀이 빈칸에는 동사가 들어가야 한다. 주어가 3인칭 단수 'She'이므로 'go'라는 동사 원형에 '-es'를 붙인 (B)가 정답이다.

새겨 두기 동사가 '-o'로 끝나는 경우 보통 '-s'가 아니라 '-es'를 붙인다는 점에 유의한다.

새겨 두기 'go to sleep'(잠자러 가다)라는 표현을 익혀둔다.

관련 문장 Sarah goes to sleep.

3. Sarah dries her hair in her room.

(A) ties
(B) cuts
(C) dries
(D) brushes

해석 Sarah는 자기 방에서 머리를 말린다.

(A) 묶다
(B) 자르다
(C) 말리다
(D) 빗다

풀이 헤어드라이어로 머리를 말리고 있으므로 (C)가 정답이다.

관련 문장 Then she dries her hair.

4. He packs his bag for school.

(A) buys
(B) packs
(C) colors
(D) washes

해석 그는 학교 가방을 챙긴다.

(A) 사다
(B) 챙기다
(C) 색칠하다
(D) 씻다

풀이 소년이 가방을 챙기고 있으므로 (B)가 정답이다.

관련 문장 She packs her bag.

[5-6]

해석

Berko가 잠자리에 들기 전에

5. What does Berko do at 9:00?

(A) eat dinner
(B) brush teeth
(C) do homework
(D) take a shower

해석 Berko는 9시에 무엇을 하는가?

(A) 저녁 먹기
(B) 양치질하기
(C) 숙제하기
(D) 샤워하기

풀이 9시에 Berko가 샤워를 하고 있으므로 (D)가 정답이다.

6. When does Berko run?

(A) at 5:30
(B) at 6:10
(C) at 8:00
(D) at 10:00

해석 Berko는 언제 달리는가?

(A) 5시 30분에
(B) 6시 10분에
(C) 8시에
(D) 10시에

풀이 8시에 Berko가 달리고 있으므로 (C)가 정답이다.

[7-10]

It is 9 o'clock at night. Sarah goes to bed. Tomorrow is a big day. She must wake up at 7 AM. Sarah goes to sleep. Then she wakes up. She looks at the clock. She screams. It is 10 o'clock! She is late! Sarah moves fast. She takes a shower. Then she dries her hair. She packs her bag. She looks out the window. But it is dark outside. Why is it dark? It is 10 o'clock at night! Sarah shakes her head. She goes to her room.

해석

저녁 9시예요. Sarah는 잠자리에 들어요. 내일은 중요한 날이에요. 그녀는 오전 7시에 일어나야만 해요. 그녀는 잠이 들어요. 그런 다음 일어나요. 시계를 봐요. 소리를 질러요. 10시예요! 그녀는 늦었어요! Sarah는 빠르게 움직여요. 샤워해요. 그런 다음 머리를 말려요. 가방을 챙겨요. 창문 밖을 바라봐요. 그런데 밖이 어두워요. 왜 어두울까요? 밤 10시예요! Sarah는 고개를 저어요. 그녀는 자기 방으로 가요.

7. What is the best title?

(A) A Bright Day
(B) Sarah's Night
(C) A Big New Bag
(D) Sarah Cleans Her Room

해석 가장 알맞은 제목은 무엇인가?

(A) 밝은 하루
(B) Sarah의 밤
(C) 커다란 새 가방
(D) Sarah가 자기 방을 치우다

유형 전체 내용 파악

풀이 Sarah가 밤 10시에 깨어나 아침 10시로 착각하여 급하게 나갈 채비를 하는 일화를 다루고 있는 글이므로 (B)가 정답이다. (A)는 Sarah가 아침으로 오해한 것일 뿐, 밝은 낮이 아니라 밤에 일어난 일이므로 오답이다.

8. At what time does Sarah go to bed?

(A) 9 AM
(B) 9 PM
(C) 10 AM
(D) 10 PM

해석 Sarah는 몇 시에 잠자리에 드는가?

(A) 오전 9시
(B) 오후 9시
(C) 오전 10시
(D) 오후 10시

유형 세부 내용 파악

풀이 'It is 9 o'clock at night. Sarah goes to bed.'에서 Sarah가 밤 9시에 잠자리에 든다는 것을 알 수 있으므로 (B)가 정답이다.

9. Why does Sarah scream?

(A) She is late.
(B) She sees a bug.
(C) Her bag is gone.
(D) The shower is cold.

해석 Sarah는 왜 소리를 지르는가?

(A) 늦었다.
(B) 벌레를 본다.
(C) 그녀의 가방이 없어졌다.
(D) 샤워가 차갑다.

유형 세부 내용 파악 & 추론하기

풀이 Sarah는 아침 7시에 일어나야 했으나, 깨 보니 현재 시각이 10시라서 소리를 지르고 있다. 따라서 Sarah가 소리를 지른 이유는 늦었기 때문이므로 (A)가 정답이다.

10. What does Sarah NOT do after she wakes up?

(A) run outside
(B) dry her hair
(C) pack her bag
(D) take a shower

해석 Sarah가 일어나서 하지 않는 것은 무엇인가?

(A) 밖으로 달려가기
(B) 머리 말리기
(C) 가방 챙기기
(D) 샤워하기

유형 세부 내용 파악

풀이 Sarah가 일어나서 나갈 채비를 했으나 밤이라는 것을 깨닫고, 밖이 아니라 다시 방으로 돌아갔으므로 (A)가 정답이다. (B)는 'she dries her hair'에서, (C)는 'She packs her bag.'에서, (D)는 'She takes a shower.'에서 확인할 수 있는 내용으로 오답이다.

Listening Practice S1-1 p.16

It is 9 o'clock at night. Sarah goes to bed. Tomorrow is a big day. She must wake up at 7 AM. Sarah goes to sleep. Then she wakes up. She looks at the clock. She screams. It is 10 o'clock! She is late! Sarah moves fast. She takes a shower. Then she dries her hair. She packs her bag. She looks out the window. But it is dark outside. Why is it dark? It is 10 o'clock at night! Sarah shakes her head. She goes to her room.

1. wake up
2. screams
3. dries
4. packs

Writing Practice

p.17

1. wake up
2. scream
3. pack a bag
4. dry

Summary

Sarah goes to bed at 9 PM. She must wake up at 7 AM. But she wakes up at 10. It is 10 PM!

Sarah는 오후 9시에 잠자리에 들어요. 그녀는 오전 7시에 일어나야만 해요. 하지만 그녀는 10시에 일어나요. 오후 10시예요!

Word Puzzle

p.18

D	N	P	H	D	J	O	C	Z	O	Q	A	P	P	P
I	Y	E	B	R	N	N	S	W	D	D	Q	B	D	Q
F	Y	M	O	Y	C	R	C	T	U	D	X	O	C	H
Z	I	Z	C	J	S	C	R	Q	M	Q	J	Q	H	I
O	R	E	F	U	F	X	E	L	I	I	T	O	N	Q
R	C	S	M	J	M	P	A	C	K	A	B	A	G	T
N	M	R	G	R	D	N	M	V	P	G	T	U	X	Y
U	Y	K	N	Y	R	G	G	G	L	M	Q	X	W	V
M	O	L	E	Z	Q	S	J	P	K	O	O	N	A	G
I	R	M	X	M	G	Y	Q	R	I	P	G	L	K	Y
H	A	O	L	K	O	R	X	Z	U	M	Q	G	E	M
W	S	Y	O	E	E	C	Z	I	U	I	V	K	U	E
H	V	O	K	Z	A	G	X	A	R	D	S	Q	P	X
Y	G	X	X	D	N	G	G	N	V	C	Z	R	C	V
U	B	Z	R	V	L	V	O	G	I	F	T	Z	V	F

1. wake up
2. scream
3. pack a bag
4. dry

Unit 2 | Sunday Morning at Carl's House

p.19

Part A. Sentence Completion

p.21

1 (A) 2 (C)

Part B. Situational Writing

p.21

3 (D) 4 (B)

Part C. Practical Reading and Retelling

p.22

5 (D) 6 (D)

Part D. General Reading and Retelling

p.23

7 (D) 8 (B) 9 (B) 10 (B)

Listening Practice

p.24

1 headphones 2 bakes
3 photos 4 phone

Writing Practice

p.25

1 phone 2 headphones
3 bake 4 take photos

Summary Sunday

Word Puzzle

p.26

1 phone 2 headphones
3 bake 4 take photos

Pre-reading Questions

p.19

How many people are in your family?
Do you have any sisters or brothers?
If so, how many?

여러분의 가족은 몇 명인가요?
여자 형제나 남자 형제가 있나요?
그렇다면, 몇 명이나 있나요?

Reading Passage p.20

Sunday Morning at Carl's House

Today is Sunday. It is a sunny morning. Carl's family is in the living room. Carl's father is watching TV. He is lying on the sofa. Carl's mother is wearing headphones. She is listening to her favorite music. Carl is hungry. He goes to the kitchen. There is no food. So he bakes cookies. Carl's sister is in the garden. She likes taking photos. She takes photos of flowers. Suddenly, the phone rings. Carl's father answers the phone. He says, "Hello." Then he calls Carl. He says, "Carl, your school friend wants you! Come here."

Carl이 사는 집의 일요일 아침

오늘은 일요일이에요. 화창한 아침이에요. Carl의 가족은 거실에 있어요. Carl의 아버지는 TV를 보고 있어요. 그는 소파 위에 누워 있어요. Carl의 어머니는 헤드폰을 끼고 있어요. 그녀는 그녀가 특히 좋아하는 음악을 듣고 있어요. Carl은 배고파요. 그는 주방으로 가요. 음식이 없어요. 그래서 그는 쿠키를 구워요. Carl의 여동생은 정원에 있어요. 그녀는 사진 찍는 것을 좋아해요. 그녀는 꽃 사진을 찍어요. 갑자기, 전화가 울려요. Carl의 아버지가 전화를 받아요. 그가 말해요, "여보세요." 그런 다음 그는 Carl을 불러요. 그가 말해요, "Carl, 네 학교 친구가 너를 원한단다! 여기로 오렴."

어휘 food 음식 | watch 보다 | wear 입다[쓰다] | hat 모자 | scarf 스카프, 목도리 | earring 귀걸이 | headphone 헤드폰 | take a picture 사진을 찍다 | gym 체육관 | garden 정원 | kitchen 부엌 | living room 거실 | right now 지금 | tell 말하다 | chess 체스 | read 읽다 | come over to ~에 오다 | house 집 | together 같이 | take a walk 산책하다 | take photos (of) (~의) 사진을 찍다 | hospital 병원 | Sunday 일요일 | morning 아침 | favorite 특히 (매우, 아주) 좋아하는 | music 음악 | hungry 배고픈 | flower 꽃 | ring (전화가) 울리다 | answer 대답하다 | call 부르다 | say 말하다 | want 원하다 | baking class 제빵 수업 | park 공원 | family 가족 | lie on ~에 눕다 | sofa 소파 | listen 듣다 | phone 전화기 | bake 굽다 | cold 추운 | visit 방문하다 | on the phone 통화 중인, 전화로 | sister 여자형제, 여동생, 언니, 누나 | friend 친구 | teacher 선생님 | grandfather 할아버지

Comprehension Questions p.21

1. There <u>is</u> no food.

(A) is
(B) be
(C) am
(D) can

해석 음식<u>이</u> 없다.

(A) ~이 있다; ~이다
(B) ~이 있다; ~이다
(C) ~이 있다; ~이다
(D) ~할 수 있다

풀이 '~가 있다'를 뜻하는 'there is/are ~' 형태의 구문이다. 'food'는 3인칭 단수이므로 이에 알맞은 be 동사 (A)가 정답이다. 여기서 'no'는 '아무것도 없는'이라는 뜻을 나타내는 한정사라는 점에 유의한다. (D)는 'There can be no food.'와 같은 형태가 되어야 올바른 문장이므로 오답이다.

관련 문장 There is no food.

2. His father <u>watches</u> TV.

(A) watch
(B) is watch
(C) watches
(D) watching

해석 그의 아버지는 TV를 <u>본다</u>.

(A) 보다
(B) 어색한 표현
(C) 보다
(D) 보기

풀이 빈칸에는 동사가 들어가야 한다. 주어가 3인칭 단수 'His father' 이므로 동사 원형 'watch'에 '-es'를 붙인 (C)가 정답이다.

새겨 두기 '-ch', '-sh'로 끝나는 경우 보통 '-s'가 아니라 '-es'를 붙인다는 점에 유의한다.

관련 문장 Carl's father is watching TV.

3. Carl's mother is wearing <u>headphones</u>.

(A) a hat
(B) a scarf
(C) earrings
(D) headphones

해석 Carl의 어머니는 <u>헤드폰</u>을 쓰고 있다.

(A) 모자
(B) 스카프
(C) 귀걸이
(D) 헤드폰

풀이 여자가 헤드폰을 끼고 있으므로 (D)가 정답이다.

새겨 두기 헤드폰('headphones')은 pants나 glasses와 같이 항상 복수로 쓰인다는 점에 유의한다.

관련 문장 Carl's mother is wearing headphones.

4. Let's take pictures in the garden.

(A) gym
(B) garden
(C) kitchen
(D) living room

해석 정원에서 사진을 찍자.

(A) 체육관
(B) 정원
(C) 부엌
(D) 거실

풀이 꽃과 나무 등 식물을 키우는 장소인 정원이므로 (B)가 정답이다.

관련 문장 Carl's sister is in the garden. She likes taking photos.

[5-6]

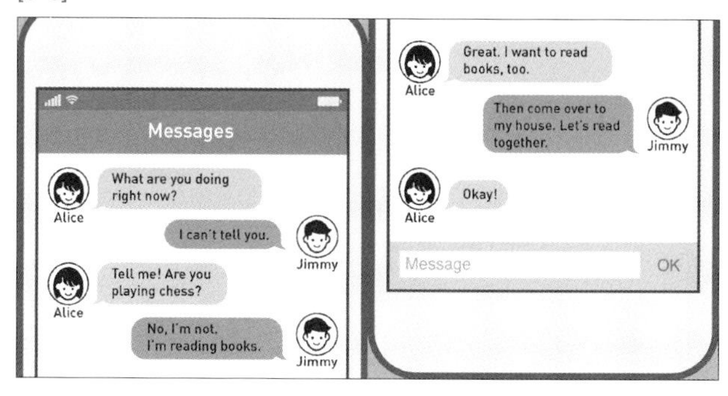

해석

Alice: 지금 뭐 해?
Jimmy: 말해줄 수 없어.
Alice: 말해줘! 체스 하고 있니?
Jimmy: 아니. 책 읽고 있어.
Alice: 좋아. 나도 책 읽고 싶어.
Jimmy: 그러면 우리 집에 와. 같이 읽자.
Alice: 알았어!

5. What is Jimmy doing now?

(A) taking a walk
(B) taking photos
(C) playing chess
(D) reading books

해석 Jimmy는 지금 무엇을 하고 있는가?

(A) 산책하기
(B) 사진찍기
(C) 체스하기
(D) 독서하기

풀이 'I'm reading books.'에서 Jimmy가 책을 읽고 있다는 것을 알 수 있으므로 (D)가 정답이다.

6. Where is Alice going?

(A) to school
(B) to her room
(C) to the hospital
(D) to Jimmy's house

해석 Alice는 어디로 갈 것인가?

(A) 학교로
(B) 자기 방으로
(C) 병원으로
(D) Jimmy의 집으로

풀이 Jimmy가 자기 집으로 와서 같이 책을 읽자고 제안하자 Alice가 'Okay'라며 수락하고 있다. 따라서 Alice는 Jimmy의 집으로 갈 것이므로 (D)가 정답이다.

[7-10]

Today is Sunday. It is a sunny morning. Carl's family is in the living room. Carl's father is watching TV. He is lying on the sofa. Carl's mother is wearing headphones. She is listening to her favorite music. Carl is hungry. He goes to the kitchen. There is no food. So he bakes cookies. Carl's sister is in the garden. She likes taking photos. She takes photos of flowers. Suddenly, the phone rings. Carl's father answers the phone. He says, "Hello." Then he calls Carl. He says, "Carl, your school friend wants you! Come here."

해석

오늘은 일요일이에요. 화창한 아침이에요. Carl의 가족은 거실에 있어요. Carl의 아버지는 TV를 보고 있어요. 그는 소파 위에 누워 있어요. Carl의 어머니는 헤드폰을 끼고 있어요. 그녀는 그녀가 특히 좋아하는 음악을 듣고 있어요. Carl은 배고파요. 그는 주방으로 가요. 음식이 없어요. 그래서 그는 쿠키를 구워요. Carl의 여동생은 정원에 있어요. 그녀는 사진 찍는 것을 좋아해요. 그녀는 꽃 사진을 찍어요. 갑자기, 전화가 울려요. Carl의 아버지가 전화를 받아요. 그가 말해요, "여보세요." 그런 다음 그는 Carl을 불러요. 그가 말해요, "Carl, 네 학교 친구가 너를 원한단다! 여기로 오렴."

7. What is the best title?

(A) Baking Class
(B) Walking in the Park
(C) Carl's Friends at School
(D) Carl's Family on Sunday

해석 가장 알맞은 제목은 무엇인가?

(A) 제빵 수업
(B) 공원에서 걷기
(C) Carl의 학교 친구들
(D) 일요일 Carl의 가족

유형 전체 내용 파악

풀이 첫 두 문장 'Today is Sunday. It is a sunny morning.'에서 일요일 아침이라고 언급한 뒤, Carl의 가족이 무엇을 하고 있는지 나열하고 있는 글이다. 따라서 Carl 가족의 일요일 일상이라는 중심 내용을 가장 잘 반영한 (D)가 정답이다.

8. What is Carl's mother doing?

(A) lying on the sofa
(B) listening to music
(C) answering the phone
(D) taking photos of flowers

해석 Carl의 어머니는 무엇을 하고 있는가?

(A) 소파 위에 누워 있기
(B) 음악 듣기
(C) 전화 받기
(D) 꽃 사진 찍기

유형 세부 내용 파악

풀이 'Carl's mother is wearing headphones. She is listening to her favorite music.'에서 Carl의 어머니가 음악을 듣고 있다고 했으므로 (B)가 정답이다. (A)와 (C)는 Carl의 아버지가, (D)는 Carl의 여동생이 하고 있는 행동이므로 오답이다.

9. Why does Carl bake cookies?

(A) He is cold.
(B) He is hungry.
(C) His friend is visiting.
(D) His mother wants cookies.

해석 Carl은 왜 쿠키를 굽는가?

(A) 춥다.
(B) 배고프다.
(C) 친구가 온다.
(D) 어머니가 쿠키를 원하신다.

유형 세부 내용 파악 & 추론하기

풀이 'Carl is hungry. He goes to the kitchen. There is no food. So he bakes cookies.'를 통해 Carl이 배가 고픈데 음식이 없어서 쿠키를 굽는다는 것을 알 수 있으므로 (B)가 정답이다.

10. Who is on the phone?

(A) Carl's sister
(B) Carl's friend
(C) Carl's teacher
(D) Carl's grandfather

해석 누가 전화하였는가?

(A) Carl의 여동생
(B) Carl의 친구
(C) Carl의 선생님
(D) Carl의 할아버지

유형 세부 내용 파악 & 추론하기

풀이 전화를 받은 Carl의 아버지가 Carl에게 'Carl, your school friend wants you!'라고 했으므로 Carl의 친구가 Carl의 집으로 전화를 걸었다는 것을 알 수 있다. 따라서 (B)가 정답이다.

Listening Practice S1-2 p.24

Today is Sunday. It is a sunny morning. Carl's family is in the living room. Carl's father is watching TV. He is lying on the sofa. Carl's mother is wearing headphones. She is listening to her favorite music. Carl is hungry. He goes to the kitchen. There is no food. So he bakes cookies. Carl's sister is in the garden. She likes taking photos. She takes photos of flowers. Suddenly, the phone rings. Carl's father answers the phone. He says, "Hello." Then he calls Carl. He says, "Carl, your school friend wants you! Come here."

1. headphones
2. bakes
3. photos
4. phone

Writing Practice p.25

1. phone
2. headphones
3. bake
4. take photos

Summary

It is Sunday morning. Carl's family is in the living room. Carl's friend calls.

일요일 아침이에요. Carl의 가족은 거실에 있어요. Carl의 친구가 전화해요.

Word Puzzle p.26

J	V	Z	H	P	S	Q	F	Y	K	S	P	I	E	M
H	K	U	E	Q	A	L	T	Z	I	K	H	Q	F	Y
P	O	M	A	Z	Y	J	S	K	B	U	E	G	C	Q
U	I	Z	D	A	S	P	R	E	P	M	G	B	Y	L
I	G	O	P	P	B	I	E	E	S	N	V	G	L	Z
A	U	S	H	Q	N	Y	Y	I	X	L	G	X	X	B
G	K	M	O	B	H	I	K	S	W	K	A	N	P	Z
O	C	N	N	X	U	K	M	G	P	B	Z	E	R	S
L	V	M	E	T	P	H	O	N	E	H	Q	C	Z	M
Q	O	H	S	R	M	C	J	Y	H	D	K	G	J	X
W	U	S	F	B	W	A	M	V	X	Z	F	A	H	N
O	W	V	M	W	T	A	K	E	P	H	O	T	O	S
Z	P	S	X	N	N	T	K	L	D	X	V	P	M	G
W	W	D	A	L	Z	G	N	P	O	M	J	A	N	A
Y	Z	Y	G	A	Z	E	R	B	A	K	E	Q	X	P

1. phone
2. headphones
3. bake
4. take photos

Unit 3 | A Field Trip p.27

Part A. Sentence Completion p.29

1 (B) 2 (A)

Part B. Situational Writing p.29

3 (D) 4 (D)

Part C. Practical Reading and Retelling p.30

5 (D) 6 (B)

Part D. General Reading and Retelling p.31

7 (D) 8 (B) 9 (A) 10 (A)

Listening Practice p.32

1 fresh 2 hill
3 safety 4 helmets

Writing Practice p.33

1 fresh 2 hill
3 safety 4 helmet
Summary field trip

Word Puzzle p.34

1 fresh 2 hill
3 safety 4 helmet

Pre-reading Questions p.27

Does your school have field trips?
Where does your class go on field trips?

학교에서 견학 여행을 하러 가나요?
여러분의 반은 어디로 견학 여행을 하러 가나요?

Reading Passage p.28

A Field Trip

What starts on June 26? It is Boram Elementary School's big field trip! The trip is two days. On the first day, Class 1 goes fishing. Students wait for a big fish, but no fish bites. Class 2 goes hiking. The class goes up a big mountain. The students like the fresh air. But they are very hot. On day 2, both classes ride on horses. They go to a hill and learn about safety. They all wear helmets. They ride the horses. It is so much fun! How does the trip end? There is a cooking contest. Class 1 makes a pepperoni pizza. Class 2 makes pasta with tomato sauce. Class 2 wins the contest. The students are all happy.

견학 여행

6월 26일에 무엇이 시작하나요? 보람 초등학교의 큰 견학 여행 날이에요! 여행은 이틀이에요. 첫째 날에는, 1반이 낚시하러 가요. 학생들이 큰 물고기를 기다리지만, 아무 물고기도 물지 않아요. 2반은 하이킹을 하러 가요. 그 반은 큰 산에 올라가요. 학생들은 신선한 공기가 마음에 들어요. 하지만 그들은 매우 더워요. 둘째 날에는, 두 반이 모두 승마를 해요. 그들은 언덕으로 가서 안전에 관해 배워요. 그들은 모두 헬멧을 써요. 그들은 말을 타요. 그것은 매우 재밌어요! 여행은 어떻게 마무리되나요? 요리 대회가 있어요. 1반은 페퍼로니 피자를 만들어요. 2반은 토마토소스 파스타를 만들어요. 2반이 대회에서 이겨요. 학생들은 모두 행복해요.

어휘 start 시작하다 | elementary school 초등학교 | field trip 견학 여행, 현장 학습 | class (학교의) 반 | hiking 하이킹 | mountain 산 | fresh 신선한 | ride 타다 | horse 말 | hill 언덕 | wear 쓰다 | helmet 헬멧 | cooking 요리 | contest 대회 | skirt 치마 | mask 마스크 | fishing 낚시 | driving 운전 | surfing 서핑 | sailing 보트 타기 | water skiing 수상스키 | rowing 조정 | final exam 기말고사 | lesson 수업 | catch 잡다 | climb 오르다 | meet 만나다

Comprehension Questions p.29

1. What starts <u>on</u> June 26?

   (A) in
   (B) on
   (C) above
   (D) behind

해석 6월 26일<u>에</u> 무엇이 시작하는가?

(A) ~에
(B) ~에
(C) ~ 위에
(D) ~ 뒤에

풀이 요일이나 날짜 앞에서 전치사 'on'을 사용하여 '~에'라는 뜻을 나타내므로 (B)가 정답이다. (A)는 'in June'과 같이 년이나 달 앞에서 주로 사용하여 해당 문장에서는 어색하므로 오답이다.

관련 문장 What starts on June 26?

2. I <u>like</u> the fresh air here.

   (A) like
   (B) liker
   (C) likes
   (D) liking

해석 나는 여기 신선한 공기를 <u>좋아한다</u>.

(A) 좋아하다
(B) 좋아하는 사람
(C) 좋아하다
(D) 좋아하기

풀이 빈칸에는 문장의 동사가 들어가야 한다. 주어가 'I'로 1인칭 단수이므로 'like'의 동사 원형을 그대로 쓴 (A)가 정답이다.

관련 문장 The students like the fresh air.

3. The rider wears a <u>helmet</u>.

   (A) skirt
   (B) mask
   (C) dress
   (D) helmet

해석 기수는 <u>헬멧</u>을 쓰고 있다.

(A) 치마
(B) 마스크
(C) 드레스
(D) 헬멧

풀이 말에 올라타 있는 기수가 헬멧을 쓰고 있으므로 (D)가 정답이다.

관련 문장 They all wear helmets.

4. Our class wins the <u>cooking</u> contest.

   (A) hiking
   (B) fishing
   (C) driving
   (D) cooking

해석 우리 학급은 <u>요리</u> 대회에서 이긴다.

(A) 하이킹
(B) 낚시
(C) 운전
(D) 요리

풀이 학생들이 요리하고 있으므로 (D)가 정답이다.

관련 문장 There is a cooking contest.

[5-6]

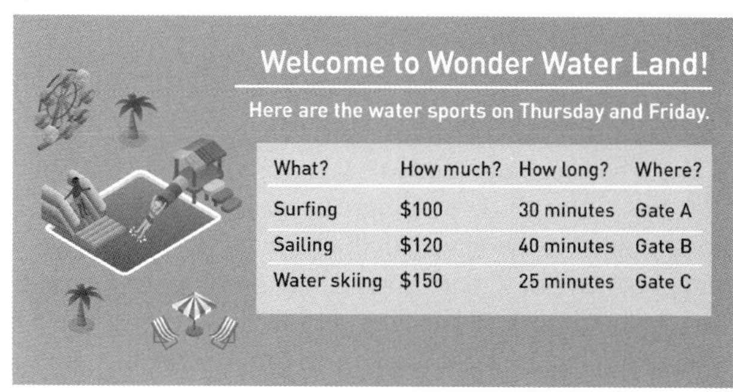

What?	How much?	How long?	Where?
Surfing	$100	30 minutes	Gate A
Sailing	$120	40 minutes	Gate B
Water skiing	$150	25 minutes	Gate C

해석

Wonder Water Land에 오신 것을 환영합니다!
여기 목요일과 금요일에 있는 수상 스포츠들이 있습니다.

무엇을?	얼마에?	얼마 동안?	어디에서?
서핑	$100	30분	게이트 A
보트 타기	$120	40분	게이트 B
수상스키	$150	25분	게이트 C

5. What can we do at Gate C?
   (A) sailing
   (B) surfing
   (C) rowing
   (D) water skiing

해석 게이트 C에서 무엇을 할 수 있는가?
   (A) 보트 타기
   (B) 서핑
   (C) 조정
   (D) 수상스키

풀이 게이트 C에서 수상스키('Water skiing')를 할 수 있다고 나와 있으므로 (D)가 정답이다.

6. What is NOT true about sailing?
   (A) It is at Gate B.
   (B) One hour costs $120.
   (C) It is open on Thursday.
   (D) You can sail for 40 minutes.

해석 보트 타기에 관해 옳지 않은 설명은 무엇인가?
   (A) 게이트 B에 있다.
   (B) 한 시간에 120달러이다.
   (C) 목요일에 열린다.
   (D) 40분 동안 보트를 탈 수 있다.

풀이 'Sailing'은 1시간이 아니라 40분마다 120달러이므로 (B)가 정답이다. (C)는 'Here are the water sports on Thursday and Friday.'에서 목요일과 금요일에 하는 수상 스포츠라고 했으므로 맞는 설명이 되어 오답이다.

[7-10]

What starts on June 26? It is Boram Elementary School's big field trip! The trip is two days. On the first day, Class 1 goes fishing. Students wait for a big fish, but no fish bites. Class 2 goes hiking. The class goes up a big mountain. The students like the fresh air. But they are very hot. On day 2, both classes ride on horses. They go to a hill and learn about safety. They all wear helmets. They ride the horses. It is so much fun! How does the trip end? There is a cooking contest. Class 1 makes a pepperoni pizza. Class 2 makes pasta with tomato sauce. Class 2 wins the contest. The students are all happy.

해석

6월 26일에 무엇이 시작하나요? 보람 초등학교의 큰 견학 여행 날이에요! 여행은 이틀이에요. 첫째 날에는, 1반이 낚시하러 가요. 학생들이 큰 물고기를 기다리지만, 아무 물고기도 물지 않아요. 2반은 하이킹을 하러 가요. 그 반은 큰 산에 올라가요. 학생들은 신선한 공기가 마음에 들어요. 하지만 그들은 매우 더워요. 둘째 날에는, 두 반이 모두 승마를 해요. 그들은 언덕으로 가서 안전에 관해 배워요. 그들은 모두 헬멧을 써요. 그들은 말을 타요. 그것은 매우 재밌어요! 여행은 어떻게 마무리되나요? 요리 대회가 있어요. 1반은 페퍼로니 피자를 만들어요. 2반은 토마토소스 파스타를 만들어요. 2반이 대회에서 이겨요. 학생들은 모두 행복해요.

7. What is the best title?
   (A) Final Exam
   (B) Hiking Lessons
   (C) Cook and Travel
   (D) School Field Trip

해석 가장 알맞은 제목은 무엇인가?
   (A) 기말고사
   (B) 하이킹 수업
   (C) 요리하고 여행하기
   (D) 학교 견학 여행

유형 전체 내용 파악

풀이 첫 두 문장 'What starts on June 26? It is Boram Elementary School's big field trip!'에서 학교 견학 여행이라는 중심 소재를 언급한 뒤, 여행 첫째 날과 둘째 날 1반과 2반이 무슨 활동을 하는지 열거하고 있는 글이다. 따라서 (D)가 정답이다.

8. When does the field trip end?

(A) June 26th
(B) June 27th
(C) July 26th
(D) July 27th

해석 견학 여행은 언제 끝나는가?

(A) 6월 26일
(B) 6월 27일
(C) 7월 26일
(D) 7월 27일

유형 세부 내용 파악 & 추론하기

풀이 'What starts on June 26? It is Boram School's big field trip! The trip is two days.'를 통해 견학 여행은 6월 26일에 시작해서 이틀 동안 진행된다는 사실을 알 수 있으므로 (B)가 정답이다.

9. What do Class 1 students do on the first day?

(A) go fishing
(B) ride horses
(C) catch a big fish
(D) climb a mountain

해석 첫째 날에 1반 학생들은 무엇을 하는가?

(A) 낚시하러 가기
(B) 말타기
(C) 큰 물고기 잡기
(D) 산 오르기

유형 세부 내용 파악

풀이 첫째 날에('On the first day')는 1반 학생들이 낚시를 하러 간다고 했으므로 (A)가 정답이다. (B)는 둘째 날에 하는 활동이므로 오답이다. (C)는 큰 물고기를 기다리지만 잡히지 않는다고 했으므로 오답이다. (D)는 첫째 날에 2반 학생들이 하는 활동이므로 오답이다.

10. What is true about the second day?

(A) Both classes go to a hill.
(B) Both classes make pasta.
(C) Class 1 and 2 do not meet.
(D) The cooking contest has no winner.

해석 둘째 날에 관해 옳은 설명은 무엇인가?

(A) 두 학급 모두 언덕으로 간다.
(B) 두 학급 모두 파스타를 만든다.
(C) 1반과 2반은 만나지 않는다.
(D) 요리 대회는 우승자가 없다.

유형 세부 내용 파악

풀이 둘째 날에('On day 2') 두 학급 모두 말을 타러 언덕으로 간다('go to a hill')고 했으므로 (A)가 정답이다. (B)는 1반이 페퍼로니 피자를 만든다고 했으므로 오답이다. (C)는 둘째 날에는 두 반이 함께 활동하므로 오답이다. (D)는 2반이 이겼으므로 오답이다.

Listening Practice

S1-3 p.32

What starts on June 26? It is Boram Elementary School's big field trip! The trip is two days. On the first day, Class 1 goes fishing. Students wait for a big fish, but no fish bites. Class 2 goes hiking. The class goes up a big mountain. The students like the fresh air. But they are very hot. On day 2, both classes ride on horses. They go to a hill and learn about safety. They all wear helmets. They ride the horses. It is so much fun! How does the trip end? There is a cooking contest. Class 1 makes a pepperoni pizza. Class 2 makes pasta with tomato sauce. Class 2 wins the contest. The students are all happy.

1. fresh
2. hill
3. safety
4. helmets

Writing Practice

p.33

1. fresh
2. hill
3. safety
4. helmet

Summary

Boram Elementary School has a big field trip. The students fish, hike, and ride on horses. There is a cooking contest.

보람 초등학교는 큰 견학 여행이 있어요. 학생들은 낚시, 등산, 승마를 해요. 요리대회가 있어요.

Word Puzzle p.34

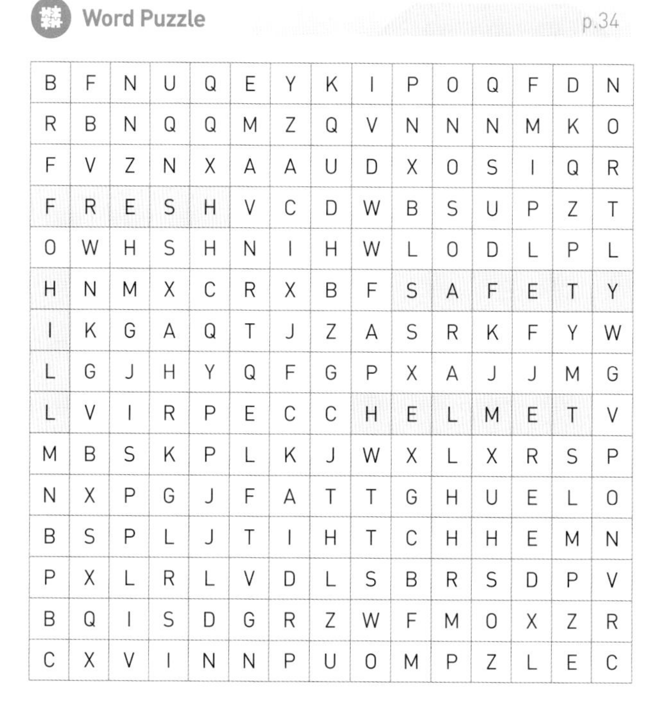

B	F	N	U	Q	E	Y	K	I	P	O	Q	F	D	N
R	B	N	Q	Q	M	Z	Q	V	N	N	N	M	K	O
F	V	Z	N	X	A	A	U	D	X	O	S	I	Q	R
F	R	E	S	H	V	C	D	W	B	S	U	P	Z	T
O	W	H	S	H	N	I	H	W	L	O	D	L	P	L
H	N	M	X	C	R	X	B	F	S	A	F	E	T	Y
I	K	G	A	Q	T	J	Z	A	S	R	K	F	Y	W
L	G	J	H	Y	Q	F	G	P	X	A	J	J	M	G
L	V	I	R	P	E	C	C	H	E	L	M	E	T	V
M	B	S	K	P	L	K	J	W	X	L	X	R	S	P
N	X	P	G	J	F	A	T	T	G	H	U	E	L	O
B	S	P	L	J	T	I	H	T	C	H	H	E	M	N
P	X	L	R	L	V	D	L	S	B	R	S	D	P	V
B	Q	I	S	D	G	R	Z	W	F	M	O	X	Z	R
C	X	V	I	N	N	P	U	O	M	P	Z	L	E	C

1. fresh
2. hill
3. safety
4. helmet

Unit 4 | Zoe's Busy Weekend p.35

Part A. Sentence Completion p.37

1 (A) 2 (D)

Part B. Situational Writing p.37

3 (A) 4 (D)

Part C. Practical Reading and Retelling p.38

5 (C) 6 (B)

Part D. General Reading and Retelling p.39

7 (B) 8 (C) 9 (B) 10 (D)

Listening Practice p.40

1 diary 2 movie
3 subway 4 amusement

Writing Practice p.41

1 diary 2 movie theater
3 subway 4 amusement park
Summary movie theater

Word Puzzle p.42

1 diary 2 movie theater
3 subway 4 amusement park

Pre-reading Questions p.35

Here are three weekend plans.
Which is the best for you?
1) watching a movie
2) playing outside
3) going to an amusement park

여기 주말 계획 세 가지가 있어요.
여러분은 어떤 것이 가장 좋나요?
1) 영화 보기
2) 밖에서 놀기
3) 놀이공원에 가기

 Reading Passage p.36

Zoe's Busy Weekend

Why is Zoe excited right now? Because it is the weekend! Zoe is planning her weekend now. She is writing her schedule in the diary. On Saturday, Zoe is going to the movie theater. She is watching an action movie. She likes to watch movies alone. Her favorite movie theater is downtown. After the movie, she is taking the subway downtown. Then, Zoe is going back home. There, she is having dinner with her family. On Sunday, Zoe is going to an amusement park with her sister. She likes the roller coaster. But on Sundays, the amusement park always has many people. Zoe and her sister have to wake up early on Sunday. The weekend is busy. But it is fun.

Zoe의 바쁜 주말

Zoe는 지금 왜 신날까요? 왜냐하면 주말이기 때문이에요! Zoe는 지금 주말을 계획해요. 그녀는 다이어리에 일정을 적어요. 토요일에, Zoe는 영화관에 갈 거예요. 그녀는 액션 영화를 볼 거예요. 그녀는 혼자서 영화 보는 것을 좋아해요. 그녀가 특히 좋아하는 영화관은 시내에 있어요. 영화가 끝나고, 그녀는 시내에서 지하철을 탈 거예요. 그런 다음, Zoe는 집으로 돌아올 거예요. 거기서, 그녀의 가족과 함께 저녁을 먹을 거예요. 일요일에, Zoe는 여동생과 함께 놀이공원에 갈 거예요. 그녀는 롤러코스터를 좋아해요. 하지만 일요일마다, 놀이공원에는 항상 사람들이 많이 있어요. Zoe와 여동생은 일요일에 일찍 일어나야 해요. 주말은 바빠요. 하지만 재밌어요.

어휘 plan 계획 | weekend 주말 | busy 바쁜 | diary 다이어리 | palm 손바닥 | email 이메일 | phone 전화 | boat 보트 | truck 트럭 | plane 비행기 | subway 지하철 | theater 극장 | excited 신이 난 | right now 지금 | afternoon 오후 | schedule 일정 | be going to ~할 것이다 | movie 영화 | alone 혼자 | downtown 시내 | go back (to) 돌아가다 | dinner 저녁 | amusement park 놀이동산 | ride 타다 | roller coaster 롤러코스터 | many 많은 | wake up 일어나다 | basketball 농구 | match 경기 | ticket 표 | baseball 야구 | sports player 운동선수 | stadium 경기장 | vacation 방학 | picnic 소풍 | homework 숙제

Comprehension Questions p.37

1. Is the weekend busy?
   (A) Is
   (B) Do
   (C) Can
   (D) Where

해석 주말에는 바쁘니?
(A) ~이다
(B) ~하다
(C) ~할 수 있다
(D) 어디

풀이 빈칸에는 보어 'busy'를 취할 수 있는 be 동사가 들어가야 한다. 따라서 3인칭 단수 주어 'the weekend'와 어울리는 (A)가 정답이다. 문장 구조 이해가 어렵다면 'The weekend is busy.'라는 평서문으로 먼저 생각해보도록 한다.

관련 문장 The weekend is busy.

2. She is planning her weekend.
   (A) plan
   (B) plans
   (C) planner
   (D) planning

해석 그녀는 주말을 계획하고 있다.
(A) 계획하다
(B) 계획하다
(C) 계획표
(D) 계획하는 (중인)

풀이 빈칸에는 목적어 'her weekend'를 취할 수 있는 타동사가 들어가야 한다. 동사 자리에 be 동사 'is'가 이미 나와 있는 것으로 보아 해당 문장은 'be 동사 + -ing' 형태를 갖는 진행형 문장이 될 수 있다. 따라서 (D)가 정답이다. (B)는 be 동사 'is'가 없어야 'She plans her weekend.'라는 알맞은 문장이 되므로 오답이다.

관련 문장 Zoe is planning her weekend now.

3. Zoe plans her weekend in her diary.
   (A) diary
   (B) palm
   (C) email
   (D) phone

해석 Zoe는 다이어리에 주말을 계획한다.
(A) 다이어리
(B) 손바닥
(C) 이메일
(D) 전화

풀이 날마다 일지를 기록하는 다이어리이므로 (A)가 정답이다.

관련 문장 She is writing her schedule in the diary.

4. They take the <u>subway</u> to get to the theater.

(A) boat
(B) truck
(C) plane
(D) subway

해석 그들은 극장에 가기 위해 <u>지하철</u>을 탄다.

(A) 배
(B) 트럭
(C) 비행기
(D) 지하철

풀이 사람들이 지하철을 기다리고 있으므로 (D)가 정답이다.

관련 문장 After the movie, she is taking the subway downtown.

[5-6]

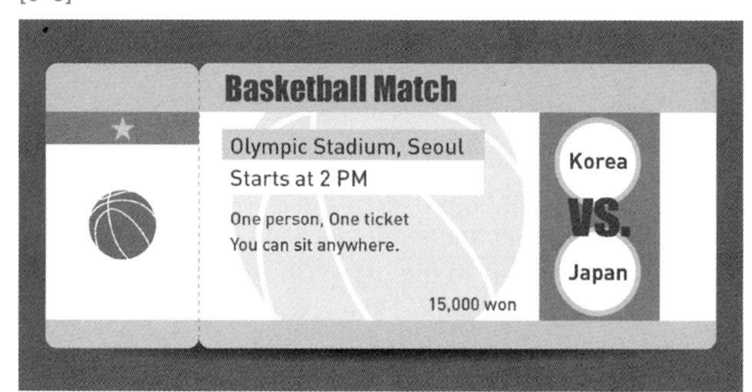

해석

농구 경기	
올림픽 경기장, 서울	한국
오후 2시 시작	대
1인, 1매	일본
어디에나 앉을 수 있음.	
15,000원	

5. What is this ticket for?

(A) a piano concert
(B) a baseball game
(C) a basketball match
(D) a party for sports players

해석 이 표는 무엇을 위한 것인가?

(A) 피아노 연주회
(B) 야구 경기
(C) 농구 경기
(D) 운동선수를 위한 파티

풀이 'Basketball Match'에서 농구 경기 표라는 사실을 알 수 있으므로 (C)가 정답이다.

6. What is true about this ticket?

(A) It is for two people.
(B) It costs 15,000 won.
(C) It is only for Koreans.
(D) It is for Seoul Stadium.

해석 이 표에 관해 옳은 설명은 무엇인가?

(A) 2인용이다.
(B) 15,000원이다.
(C) 한국인 전용이다.
(D) 서울 경기장용이다.

풀이 표 가격이 '15,000 won'이라 쓰여 있으므로 (B)가 정답이다. (A)는 'One person, One ticket'에서 1인당, 1매라고 했으므로 오답이다. (D)는 경기장의 이름이 'Seoul Stadium'이 아니라 'Olympic Stadium'이므로 오답이다.

[7-10]

Why is Zoe excited right now? Because it is the weekend! Zoe is planning her weekend now. She is writing her schedule in the diary. On Saturday, Zoe is going to the movie theater. She is watching an action movie. She likes to watch movies alone. Her favorite movie theater is downtown. After the movie, she is taking the subway downtown. Then, Zoe is going back home. There, she is having dinner with her family. On Sunday, Zoe is going to an amusement park with her sister. She likes the roller coaster. But on Sundays, the amusement park always has many people. Zoe and her sister have to wake up early on Sunday. The weekend is busy. But it is fun.

해석

Zoe는 지금 왜 신날까요? 왜냐하면 주말이기 때문이에요! Zoe는 지금 주말을 계획해요. 그녀는 다이어리에 일정을 적어요. 토요일에, Zoe는 영화관에 갈 거예요. 그녀는 액션 영화를 볼 거예요. 그녀는 혼자서 영화 보는 것을 좋아해요. 그녀가 특히 좋아하는 영화관은 시내에 있어요. 영화가 끝나고, 그녀는 시내에서 지하철을 탈 거예요. 그런 다음, Zoe는 집으로 돌아올 거예요. 거기서, 그녀의 가족과 함께 저녁을 먹을 거예요. 일요일에, Zoe는 여동생과 함께 놀이공원에 갈 거예요. 그녀는 롤러코스터를 좋아해요. 하지만 일요일마다, 놀이공원에는 항상 사람들이 많이 있어요. Zoe와 여동생은 일요일에 일찍 일어나야 해요. 주말은 바빠요. 하지만 재밌어요.

7. What is Zoe excited about?

(A) a big concert
(B) a busy weekend
(C) her summer vacation
(D) her grandparents' visit

해석 Zoe는 무엇에 관하여 신이 났는가?

(A) 큰 콘서트
(B) 바쁜 주말
(C) 여름 방학
(D) 조부모님의 방문

유형 추론하기

풀이 처음 부분의 'Why is Zoe excited right now? Because it is the weekend!'에서 Zoe가 주말이라 신났음을 알 수 있다. 마지막 부분 'The weekend is busy. But it is fun.'에서도 Zoe가 바쁜 주말 때문에 신이 났다는 사실을 뒷받침하고 있다. 따라서 (B)가 정답이다.

새겨 두기 해당 지문에서는 현재진행형 'be + ing'을 통해 Zoe의 주말 계획을 이야기하고 있다. 이처럼 'be + -ing' 형태는 확실하거나 가까운 미래의 사건을 나타낼 때 사용할 수 있다는 점에 유의한다.

8. What is Zoe doing now?

(A) taking the subway
(B) riding a roller coaster
(C) planning her weekend
(D) watching an action movie

해석 Zoe는 지금 무엇을 하고 있는가?

(A) 지하철 타기
(B) 롤러코스터 타기
(C) 주말 계획하기
(D) 액션 영화 보기

유형 세부 내용 파악

풀이 'Zoe is planning her weekend now.'에서 Zoe가 지금 주말 계획을 짜고 있다고 했으므로 (C)가 정답이다. 나머지 선택지는 Zoe가 주말에 하기로 계획한 것들이므로 오답이다.

9. On Saturday, what is Zoe doing with her family?

(A) watching TV
(B) eating dinner
(C) writing in her diary
(D) going to the theater

해석 토요일에, Zoe는 가족과 무엇을 하는가?

(A) TV 보기
(B) 저녁 먹기
(C) 다이어리에 적기
(D) 극장 가기

유형 세부 내용 파악

풀이 'On Saturday, [...] There, she is having dinner with her family.'를 통해 토요일에 Zoe가 집에서 가족과 함께 저녁을 먹을 것이라는 사실을 알 수 있으므로 (B)가 정답이다. (D)는 Zoe가 영화관에 가족과 함께 가는 것이 아니라 혼자서('alone') 갈 계획이라고 했으므로 오답이다.

10. What is Zoe doing on Sunday?

(A) having a picnic
(B) doing her homework
(C) watching an action movie
(D) going to an amusement park

해석 일요일에 Zoe는 무엇을 하는가?

(A) 소풍 가기
(B) 숙제하기
(C) 액션 영화 보기
(D) 놀이공원 가기

유형 세부 내용 파악

풀이 'On Sunday, Zoe is going to an amusement park with her sister.'에서 일요일에 Zoe는 여동생과 놀이공원에 간다고 했으므로 (D)가 정답이다. (C)는 토요일에 하기로 계획한 활동이므로 오답이다.

Why is Zoe excited right now? Because it is the weekend! Zoe is planning her weekend now. She is writing her schedule in the diary. On Saturday, Zoe is going to the movie theater. She is watching an action movie. She likes to watch movies alone. Her favorite movie theater is downtown. After the movie, she is taking the subway downtown. Then, Zoe is going back home. There, she is having dinner with her family. On Sunday, Zoe is going to an amusement park with her sister. She likes the roller coaster. But on Sundays, the amusement park always has many people. Zoe and her sister have to wake up early on Sunday. The weekend is busy. But it is fun.

1. diary
2. movie
3. subway
4. amusement

1. diary
2. movie theater
3. subway
4. amusement park

Summary

Zoe has a busy weekend. She is going to a movie theater and having a family dinner. On Sunday, she is going to an amusement park.

Zoe는 바쁜 주말을 보내요. 그녀는 영화관에 가고 가족과 저녁식사를 할 거예요. 일요일에, 그녀는 놀이공원에 갈 거예요.

Word Puzzle p.42

Q	K	R	A	F	D	N	H	Y	L	X	J	X	H	H
O	E	T	M	M	O	V	M	Q	S	K	G	G	E	P
H	A	H	F	O	D	V	O	M	Z	F	K	R	J	R
P	M	Y	X	V	K	L	H	U	I	N	D	P	R	O
W	U	M	X	I	Y	D	X	R	L	B	A	C	K	D
U	S	D	Z	E	U	I	Z	A	S	L	W	F	Z	B
Q	E	N	D	T	G	A	E	E	S	X	Y	O	U	B
C	M	U	G	H	W	R	Z	Y	E	J	M	M	N	U
F	E	U	B	E	W	Y	K	O	R	X	H	V	Y	X
S	N	K	Q	A	D	E	J	X	J	G	R	N	L	R
H	T	C	R	T	A	T	K	R	T	I	Q	F	Q	O
D	P	T	Y	E	H	Y	U	L	I	C	F	V	T	S
I	A	Z	P	R	B	J	J	E	N	X	Q	B	O	T
V	R	Q	X	B	F	E	F	I	W	B	A	V	T	F
M	K	X	S	U	B	W	A	Y	M	K	W	O	R	R

1. diary
2. movie theater
3. subway
4. amusement park

Chapter Review p.43

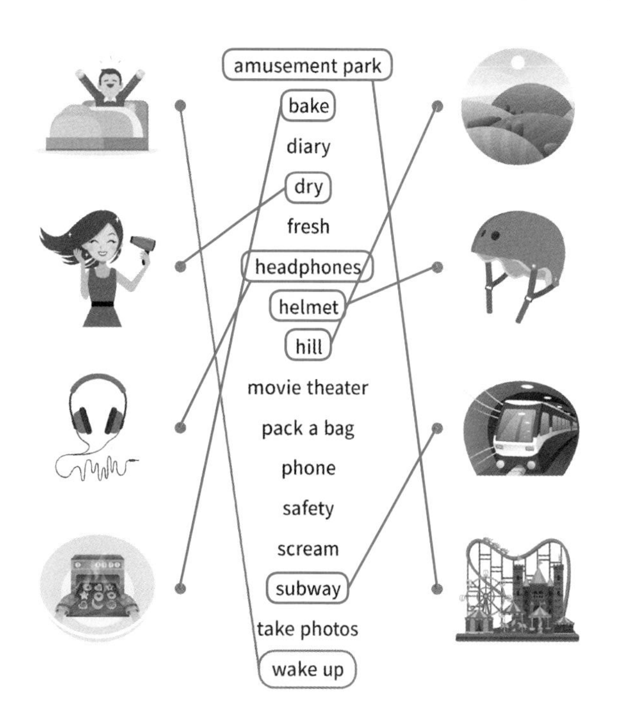

※ 학생의 생각에 따라 다양한 정답이 가능할 수 있습니다.

예)

helmet, safety, …

hill, fresh, …

Chapter 2. Find Out about Your Friends

Unit 5 | All about Pumpkins p.45

Part A. Sentence Completion p.47

1 (B) 2 (B)

Part B. Situational Writing p.47

3 (C) 4 (D)

Part C. Practical Reading and Retelling p.48

5 (B) 6 (D)

Part D. General Reading and Retelling p.49

7 (D) 8 (A) 9 (B) 10 (B)

Listening Practice p.50

1 pumpkins 2 vegetables
3 shells 4 holidays

Writing Practice p.51

1 pumpkin 2 shell
3 vegetable 4 holiday
Summary Pumpkins

Word Puzzle p.52

1 pumpkin 2 shell
3 vegetable 4 holiday

Pre-reading Questions p.45

Draw a face on the pumpkin.
Is the face funny, happy, or sad, or scary?

호박에 얼굴을 그려보세요.
그 얼굴은 웃긴가요, 행복한가요, 아니면 슬픈가요, 아니면 무섭나요?

Reading Passage p.46

All about Pumpkins

What are pumpkins? Are they vegetables? No, they are not. Pumpkins are fruit. Pumpkins are round, like a ball. And they have thick shells. What color are they? Many pumpkins are orange. But there are white pumpkins and even green ones! Pumpkins can have different sizes. Some are tiny. Many are around 6 kilograms. But some pumpkins become very, very big. Some pumpkins are over 800 kilograms! How do people eat pumpkins? Some people like pumpkin salad. Others like pumpkin soup. Pumpkins are also for holidays. Often on Halloween, some people cut pumpkins. They give the pumpkins faces. They put candles in the pumpkins. On Thanksgiving and Christmas, many people eat pumpkin pie.

호박에 관한 모든 것

호박은 무엇인가요? 그것들은 채소인가요? 아니요, 그렇지 않아요. 호박은 과일이에요. 호박은 둥글어요, 공처럼요. 그리고 그것들에는 두꺼운 껍질이 있어요. 그것들은 무슨 색깔인가요? 많은 호박이 주황색이에요. 하지만 하얀색 호박 심지어 초록색 호박들도 있어요! 호박은 크기가 다를 수 있어요. 몇몇은 작아요. 많은 호박은 6kg 정도예요. 하지만 어떤 호박은 아주, 아주 많이 커져요. 어떤 호박은 800kg이 넘어요! 사람들은 호박을 어떻게 먹나요? 어떤 사람들은 호박 샐러드를 좋아해요. 다른 사람들은 호박 수프를 좋아해요. 호박은 또한 휴일을 위한 것이기도 해요. 종종 핼러윈에는, 어떤 사람들은 호박을 잘라요. 그들은 호박에 얼굴을 (만들어) 줘요. 그들은 호박 안에 양초를 넣어요. 추수감사절과 크리스마스에, 많은 사람들이 호박파이를 먹어요.

어휘 pumpkin 호박 | soft 부드러운 | round 둥근 | square 정사각형의 | pie 파이 | shell 껍질 | knife 칼 | candle 양초 | vegetable 채소 | fruit 과일 | thick 두꺼운 | different 다른 | tiny 작은 | eat 먹다 | salad 샐러드 | soup 수프 | holiday 휴일 | Halloween 핼러윈 | cut 자르다 | Thanksgiving 추수감사절 | Christmas 크리스마스 | strawberry 딸기 | peach 복숭아 | watermelon 수박 | cherry tomato 방울토마토 | cucumber 오이 | animal 동물 | cake 케이크 | rectangle 직사각형 | New Year's Day 새해 첫날

Comprehension Questions p.47

1. How do people eat pumpkins?
   (A) Who
   (B) How
   (C) What
   (D) Which

해석 사람들은 호박을 어떻게 먹는가?
(A) 누구
(B) 어떻게
(C) 무엇
(D) 어떤

풀이 빈칸 뒤의 구문 'do people eat pumpkins?'가 목적어를 가진 3형식의 문장이기 때문에 'how'나 'why'와 같은 의문 부사가 들어가야 하므로 (B)가 정답이다. 나머지 선택지의 경우 (A)는 'Who eats pumpkins?'처럼 주어의 역할을 하는 의문 대명사, (C)와 (D)는 'What do people eat?', 'Which do people eat?' 처럼 목적어의 역할을 하는 의문 대명사로 쓰일 수 있으므로 오답이다.

관련 문장 How do people eat pumpkins?

2. Those pumpkins are orange.
   (A) is
   (B) are
   (C) does
   (D) doing

해석 저 호박들은 주황색이다.
(A) ~이다
(B) ~이다
(C) ~하다
(D) ~하기

풀이 'orange'를 보어로 취할 수 있는 동사가 들어가야 하므로 be 동사가 적절하다. 주어가 3인칭 복수인 'Those pumpkins' 이므로 (B)가 정답이다. (A)는 단수형이나 셀 수 없는 명사와 같이 쓰이므로 오답이다.

관련 문장 Many pumpkins are orange.

3. Watermelons are round, like a ball.
   (A) red
   (B) soft
   (C) round
   (D) square

해석 수박들은 공처럼 둥글다.
(A) 빨간
(B) 부드러운
(C) 둥근
(D) 정사각형의

풀이 둥근 모양의 수박이므로 (C)가 정답이다.

관련 문장 Pumpkins are round, like a ball.

4. Put a candle in the pumpkin!
   (A) pie
   (B) shell
   (C) knife
   (D) candle

해석 호박 안에 양초를 넣어라!
(A) 파이
(B) 껍질
(C) 칼
(D) 양초

풀이 호박 안에 불을 붙인 양초가 있으므로 (D)가 정답이다.

관련 문장 They put candles in the pumpkins.

[5-6]

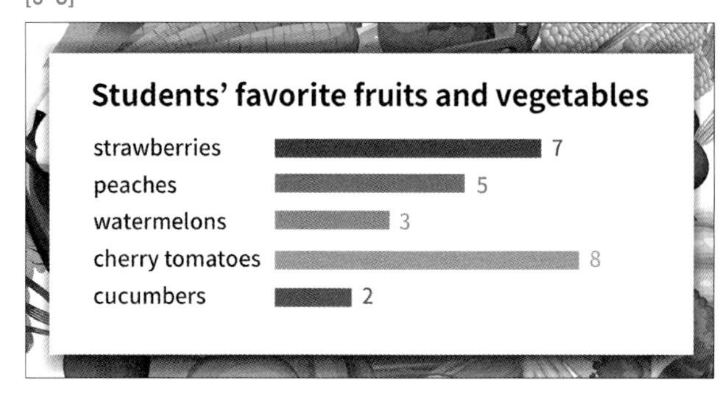

해석

학생들이 좋아하는 과일과 채소
딸기 7
복숭아 5
수박 3
방울토마토 8
오이 2

5. How many students like watermelons?
   (A) 2
   (B) 3
   (C) 7
   (D) 8

해석 몇 명의 학생이 수박을 좋아하는가?
(A) 2
(B) 3
(C) 7
(D) 8

풀이 수박을 좋아하는 학생은 3명이므로 (B)가 정답이다.

6. What is the most popular fruit or vegetable?

(A) peaches
(B) cucumbers
(C) strawberries
(D) cherry tomatoes

해석 가장 인기 있는 과일 혹은 채소는 무엇인가?

(A) 복숭아
(B) 오이
(C) 딸기
(D) 방울토마토

풀이 학생 8명이 좋아하는 방울토마토가 가장 인기가 있으므로 (D)가 정답이다.

[7-10]

What are pumpkins? Are they vegetables? No, they are not. Pumpkins are fruit. Pumpkins are round, like a ball. And they have thick shells. What color are they? Many pumpkins are orange. But there are white pumpkins and even green ones! Pumpkins can have different sizes. Some are tiny. Many are around 6 kilograms. But some pumpkins become very, very big. Some pumpkins are over 800 kilograms! How do people eat pumpkins? Some people like pumpkin salad. Others like pumpkin soup. Pumpkins are also for holidays. Often on Halloween, some people cut pumpkins. They give the pumpkins faces. They put candles in the pumpkins. On Thanksgiving and Christmas, many people eat pumpkin pie.

해석

호박은 무엇인가요? 그것들은 채소인가요? 아니요, 그렇지 않아요. 호박은 과일이에요. 호박은 둥글어요, 공처럼요. 그리고 그것들에는 두꺼운 껍질이 있어요. 그것들은 무슨 색깔인가요? 많은 호박이 주황색이에요. 하지만 하얀색 호박 심지어 초록색 호박들도 있어요! 호박은 크기가 다를 수 있어요. 몇몇은 작아요. 많은 호박은 6kg 정도예요. 하지만 어떤 호박은 아주, 아주 많이 커져요. 어떤 호박은 800kg이 넘어요! 사람들은 호박을 어떻게 먹나요? 어떤 사람들은 호박 샐러드를 좋아해요. 다른 사람들은 호박 수프를 좋아해요. 호박은 또한 휴일을 위한 것이기도 해요. 종종 핼러윈에는, 어떤 사람들은 호박을 잘라요. 그들은 호박에 얼굴을 (만들어) 줘요. 그들은 호박 안에 양초를 넣어요. 추수감사절과 크리스마스에, 많은 사람들이 호박파이를 먹어요.

7. What is the best title?

(A) Great Holidays
(B) Food for Animals
(C) Baking Fruit Cakes
(D) All about Pumpkins

해석 가장 알맞은 제목은 무엇인가?

(A) 훌륭한 휴일들
(B) 동물을 위한 음식
(C) 과일 케이크 굽기
(D) 호박에 관한 모든 것

유형 전체 내용 파악

풀이 첫 문장 'What are pumpkins?'부터 호박이라는 중심 소재를 언급하고, 색깔이나 크기, 외형, 먹는 방법 등 호박에 관한 전반적인 사실을 나열하고 있다. 따라서 (D)가 정답이다.

8. Which is NOT a pumpkin color?

(A) blue
(B) white
(C) green
(D) orange

해석 다음 중 호박 색깔이 아닌 것은 무엇인가?

(A) 파란색
(B) 하얀색
(C) 초록색
(D) 주황색

유형 세부 내용 파악

풀이 'Many pumpkins are orange. But there are white pumpkins and even green ones!'에서 호박 색깔로 파란색은 언급되지 않았으므로 (A)가 정답이다.

9. What is true about many pumpkins?

(A) They look like rectangles.
(B) They have different sizes.
(C) They have very thin shells.
(D) They are over 900 kilograms.

해석 많은 호박에 관해 옳은 설명은 무엇인가?

(A) 직사각형처럼 생겼다.
(B) 크기가 다르다.
(C) 매우 얇은 껍질을 갖고 있다.
(D) 900kg이 넘는다.

유형 세부 내용 파악

풀이 'Pumpkins can have different sizes.'에서 호박들의 크기가 다양하다고 했으므로 (B)가 정답이다. (A)는 'Pumpkins are round, like a ball'에서 호박은 둥글다고 했으므로 오답이다. (C)는 'And they have thick shells'에서 호박의 껍질이 두껍다고 했으므로 오답이다.

10. When do pumpkins often get faces?
    (A) on Christmas
    (B) on Halloween
    (C) on Thanksgiving
    (D) on New Year's Day

해석 언제 호박들이 종종 얼굴을 가지게 되는가?
(A) 크리스마스에
(B) 핼러윈에
(C) 추수감사절에
(D) 새해 첫날에

유형 세부 내용 파악

풀이 'Often on Halloween, some people cut pumpkins. They give the pumpkins faces.'에서 핼러윈 날에 사람들이 종종 호박에 얼굴을 (만들어) 준다고 했으므로 (B)가 정답이다.

Listening Practice

S1-5 p.50

What are <u>pumpkins</u>? Are they <u>vegetables</u>? No, they are not. Pumpkins are fruit. Pumpkins are round, like a ball. And they have thick <u>shells</u>. What color are they? Many pumpkins are orange. But there are white pumpkins and even green ones! Pumpkins can have different sizes. Some are tiny. Many are around 6 kilograms. But some pumpkins become very, very big. Some pumpkins are over 800 kilograms! How do people eat pumpkins? Some people like pumpkin salad. Others like pumpkin soup. Pumpkins are also for <u>holidays</u>. Often on Halloween, some people cut pumpkins. They give the pumpkins faces. They put candles in the pumpkins. On Thanksgiving and Christmas, many people eat pumpkin pie.

1. pumpkins
2. vegetables
3. shells
4. holidays

Writing Practice

p.51

1. pumpkin
2. shell
3. vegetable
4. holiday

Summary

<u>Pumpkins</u> are round, thick fruits. They have different sizes, and many of them are orange. People eat pumpkin soup and salad. Some people use pumpkins for holidays.

<u>호박</u>은 둥글고 두꺼운 과일이에요. 그것들은 크기가 다르고, 많은 호박이 주황색이에요. 사람들은 호박 수프와 샐러드를 먹어요. 어떤 사람들은 휴일에 호박을 사용해요.

Word Puzzle

p.52

R	N	S	H	E	L	L	X	Q	F	K	P	W	H	P
S	Q	T	J	Y	L	T	V	H	E	N	U	Q	V	Y
I	N	S	J	B	B	A	E	B	I	J	M	E	D	X
N	E	O	Y	S	Y	S	G	I	T	F	P	W	P	P
K	S	M	H	E	K	L	E	C	B	I	K	G	O	P
B	W	S	Z	S	J	V	T	H	D	Y	I	U	U	T
C	R	Y	X	F	C	E	A	C	B	S	N	J	R	Z
M	O	Z	D	C	Z	E	B	V	R	L	K	N	B	Y
P	N	O	Q	A	H	O	L	I	D	A	Y	H	H	J
E	T	N	V	T	I	A	E	L	X	W	I	R	U	G
V	Q	Y	P	F	D	B	E	T	E	N	C	H	Q	P
Y	O	D	Y	T	V	I	D	I	D	P	G	H	U	W
E	A	W	S	M	D	N	U	X	U	Z	F	U	Z	J
M	N	C	E	R	T	Z	Y	H	L	A	F	Y	F	B
Y	U	L	T	H	G	X	O	X	T	H	H	Y	W	C

1. pumpkin
2. shell
3. vegetable
4. holiday

Unit 6 | Chores at Home p.53

Part A. Sentence Completion p.55

1 (A) 2 (D)

Part B. Situational Writing p.55

3 (D) 4 (A)

Part C. Practical Reading and Retelling p.56

5 (C) 6 (D)

Part D. General Reading and Retelling p.57

7 (D) 8 (C) 9 (A) 10 (C)

Listening Practice p.58

1 feeds 2 sweeps
3 laundry 4 trash

Writing Practice p.59

1 feed 2 sweep
3 laundry 4 trash
Summary home

Word Puzzle p.60

1 feed 2 sweep
3 laundry 4 trash

Pre-reading Questions p.53

Which chores do you do at home?

집에서 어떤 집안일을 하나요?

Reading Passage p.54

Chores at Home

Eric's family does many things at home. Eric's father waters the plants. He has to wake up early. Why? He waters the plants each morning. What does Eric's mother do? She feeds the dog. She also walks the dog. They walk near the house. Then Eric's parents make breakfast together. Sometimes they make eggs and toast. Sometimes they make chicken and rice. Eric and his sister also have to cook something. That is the family rule. Today Eric and his sister make onion soup. After breakfast, Eric's sister washes the dishes. Eric sweeps the floor. Eric's father folds the laundry. And Eric's mother takes out the trash. They have to do so many things at home!

집안일

Eric의 가족은 집에서 많은 것들을 해요. Eric의 아버지는 식물에 물을 줘요. 그는 일찍 일어나야 해요. 왜일까요? 그는 매일 아침 식물에 물을 줘요. Eric의 어머니는 무엇을 하나요? 그녀는 개에게 먹이를 줘요. 그녀는 또한 개를 산책시켜요. 그들은 집 근처에서 걸어요. 그런 다음 Eric의 부모님은 함께 아침 식사를 만들어요. 때때로 그들은 달걀과 토스트를 요리해요. 때때로 치킨과 쌀을 요리해요. Eric과 여동생 또한 무언가를 요리해야 해요. 그것은 가족 규칙이에요. 오늘 Eric과 여동생은 양파 수프를 만들어요. 아침 식사 후에, Eric의 여동생은 설거지해요. Eric은 바닥을 쓸어요. Eric의 아버지는 세탁물을 개요. 그리고 Eric의 어머니는 쓰레기를 내다 버려요. 그들은 집에서 정말 많은 것을 해야 해요!

어휘 chore 일 | breakfast 아침 | feed 먹이를 주다 | plant 식물 | cut 자르다 | dry 말리다 | water 물주다 | onion 양파 | carrot 당근 | pumpkin 호박 | mushroom 버섯 | walk 산책시키다 | near 근처 | together 함께 | toast 토스트 | chicken 치킨 | rice 쌀 | rule 규칙 | wash the dishes 설거지를 하다 | sweep 쓸다 | laundry 세탁물 | trash 쓰레기 | late 늦은 | sandwich 샌드위치 | stove 스토브, 가스레인지 | XOXOX 포옹과 키스 ('hugs and kisses'를 뜻하는 기호이며 애정표현으로 편지 마지막에 자주 씀) | dinner 저녁 | letter 편지 | parent 부모님 | neighbor 이웃 | garden 정원 | living room 거실 | floor 바닥

Comprehension Questions

p.55

1. Who makes breakfast? My father makes breakfast.

   (A) Who
   (B) Why
   (C) What
   (D) Where

해석 누가 아침을 만들지? 우리 아버지가 아침을 만드신다.

(A) 누가
(B) 왜
(C) 무엇이
(D) 어디에

풀이 두 번째 문장의 답변으로 보아 앞 문장은 누가 아침을 만들었는지 물어보는 의문문임을 알 수 있다. 따라서 '누가'라는 뜻을 나타내는 의문사인 (A)가 정답이다. 빈칸 뒤 구문 'makes breakfast'가 주어가 없는 불완전한 절이라는 점에 유의한다.

관련 문장 Then Eric's parents make breakfast together.

2. What does his mother do? She feeds the dog.

   (A) is
   (B) are
   (C) do
   (D) does

해석 그의 어머니는 무엇을 하는가? 그녀는 개에게 먹이를 준다.

(A) ~이다
(B) ~이다
(C) ~하다
(D) ~하다

풀이 해당 문장의 동사는 'do'(~를 하다)라는 일반 동사이다. 일반 동사가 들어간 문장을 의문문으로 만들 때 do 조동사를 주어 앞에 위치시키며, do 조동사와 3인칭 단수 주어 'his mother'가 수일치해야 하므로 (D)가 정답이다. 문장 구조 이해가 어렵다면 해당 의문문을 (1) 'His mother does what?' → (2) 'What ____ his mother does?' → (3) 'What does his mother do?'의 단계로 이해하거나, 'What do you do?' 문장과 똑같은 구조를 띠고 있다고 생각하면 쉽다.

관련 문장 What does Eric's mother do? She feeds the dog.

3. Eric's father waters the plants in the garden.

   (A) cuts
   (B) eats
   (C) dries
   (D) waters

해석 Eric의 아버지는 정원에서 식물에 물을 준다.

(A) 자르다
(B) 먹다
(C) 말리다
(D) 물주다

풀이 남자가 식물에 물을 주고 있으므로 (D)가 정답이다.

관련 문장 He waters the plants each morning.

4. We need a large onion for the soup.

   (A) onion
   (B) carrot
   (C) pumpkin
   (D) mushroom

해석 우리는 수프에 넣을 큰 양파 하나가 필요하다.

(A) 양파
(B) 당근
(C) 호박
(D) 버섯

풀이 양파 그림이므로 (A)가 정답이다.

관련 문장 Today Eric and his sister make onion soup.

[5-6]

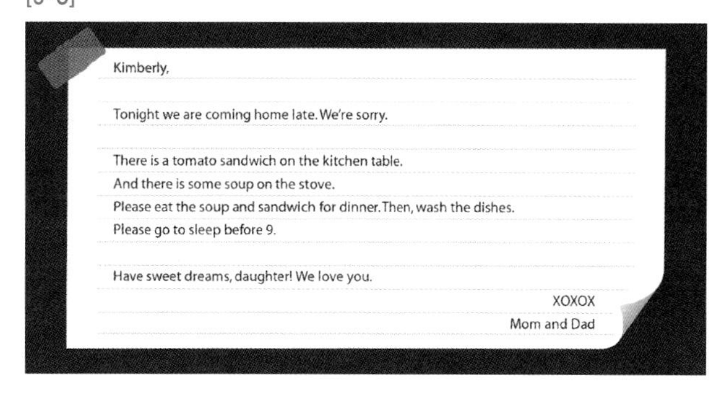
Kimberly,

Tonight we are coming home late. We're sorry.

There is a tomato sandwich on the kitchen table.
And there is some soup on the stove.
Please eat the soup and sandwich for dinner. Then, wash the dishes.
Please go to sleep before 9.

Have sweet dreams, daughter! We love you.

XOXOX
Mom and Dad

해석

Kimberly,

오늘 밤 우리는 집에 늦게 올 거야. 미안하구나.

부엌 식탁 위에 토마토 샌드위치가 있단다.
그리고 가스레인지 위에 수프가 좀 있어.
저녁으로 수프랑 샌드위치를 먹으렴. 그런 다음, 설거지 해두렴.
9시 전에 잠자리에 들렴.

달콤한 꿈 꾸길, 딸! 사랑한다.

포옹과 키스(XOXOX)
엄마와 아빠가

5. Who is the letter from?

   (A) Kimberly
   (B) Kimberly's friend
   (C) Kimberly's parents
   (D) Kimberly's neighbors

해석 이 편지는 누구로부터 왔는가?

(A) Kimberly
(B) Kimberly의 친구
(C) Kimberly의 부모님
(D) Kimberly의 이웃

풀이 마지막 부분에 'Mom and Dad'라고 쓰여 있으므로 Kimberly의 부모님이 편지를 썼다는 것을 알 수 있다. 따라서 (C)가 정답이다. Kimberly를 'daughter'라고 지칭하고 있다는 점에도 유의한다.

6. What does Kimberly NOT have to do?

(A) eat dinner
(B) wash the dishes
(C) go to sleep before 9
(D) make a tomato sandwich

해석 Kimberly가 하지 않아도 되는 것은 무엇인가?

(A) 저녁 먹기
(B) 설거지하기
(C) 9시 이전에 잠자기
(D) 토마토 샌드위치 만들기

풀이 'There is a tomato sandwich on the kitchen table.', 'Please eat the soup and sandwich for dinner.'를 통해 Kimberly가 부모님이 미리 준비해놓은 샌드위치를 저녁으로 먹으면 된다는 것을 알 수 있다. 따라서 Kimberly가 토마토 샌드위치를 새로 만들 필요는 없으므로 (D)가 정답이다.

[7-10]

Eric's family does many things at home. Eric's father waters the plants. He has to wake up early. Why? He waters the plants each morning. What does Eric's mother do? She feeds the dog. She also walks the dog. They walk near the house. Then Eric's parents make breakfast together. Sometimes they make eggs and toast. Sometimes they make chicken and rice. Eric and his sister also have to cook something. That is the family rule. Today Eric and his sister make onion soup. After breakfast, Eric's sister washes the dishes. Eric sweeps the floor. Eric's father folds the laundry. And Eric's mother takes out the trash. They have to do so many things at home!

해석

Eric의 가족은 집에서 많은 것들을 해요. Eric의 아버지는 식물에 물을 줘요. 그는 일찍 일어나야 해요. 왜일까요? 그는 매일 아침 식물에 물을 줘요. Eric의 어머니는 무엇을 하나요? 그녀는 개에게 먹이를 줘요. 그녀는 또한 개를 산책시켜요. 그들은 집 근처에서 걸어요. 그런 다음 Eric의 부모님은 함께 아침 식사를 만들어요. 때때로 그들은 달걀과 토스트를 요리해요. 때때로 치킨과 쌀을 요리해요. Eric과 여동생 또한 무언가를 요리해야 해요. 그것은 가족 규칙이에요. 오늘 Eric과 여동생은 양파 수프를 만들어요. 아침 식사 후에, Eric의 여동생은 설거지해요. Eric은 바닥을 쓸어요. Eric의 아버지는 세탁물을 개요. 그리고 Eric의 어머니는 쓰레기를 내다 버려요. 그들은 집에서 정말 많은 것을 해야 해요!

7. What is the best title?

(A) Eric's Big Vacation
(B) Sleeping in the Garden
(C) Sitting in the Living Room
(D) Many Things to Do at Home

해석 가장 알맞은 제목은 무엇인가?

(A) Eric의 성대한 방학
(B) 정원에서 잠자기
(C) 거실에서 앉아 있기
(D) 집에서 해야 할 많은 것들

유형 전체 내용 파악

풀이 첫 문장 'Eric's family does many things at home.'에서부터 Eric 가족의 집안일이라는 중심 소재가 드러나고 있다. Eric 가족 네 사람이 각각 어떤 집안일을 하는지 나열하고 있는 글이며, 마지막 문장 'They have to do so many things at home!'에서 집안일이 많다는 주제를 강조하고 있으므로 (D)가 정답이다.

8. What does Eric's father do?

(A) feed the dog
(B) walk the dog
(C) make breakfast
(D) wash the dishes

해석 Eric의 아버지는 무엇을 하는가?

(A) 개에게 먹이 주기
(B) 개 산책시키기
(C) 아침 식사 만들기
(D) 설거지하기

유형 세부 내용 파악 & 추론하기

풀이 'Then Eric's parents make breakfast together.'에서 Eric의 부모님이 함께 아침 식사를 차린다고 했으므로 (C)가 정답이다. (A)와 (B)는 Eric의 어머니가, (D)는 Eric의 여동생이 하는 일이므로 오답이다.

9. Who sweeps the floor?

(A) Eric
(B) Eric's sister
(C) Eric's father
(D) Eric's mother

해석 누가 바닥을 쓰는가?

(A) Eric
(B) Eric의 여동생
(C) Eric의 아버지
(D) Eric의 어머니

유형 세부 내용 파악

풀이 'Eric sweeps the floor.'에서 Eric이 바닥을 쓴다고 했으므로 (A)가 정답이다.

10. What does Eric's sister do today?
    (A) sweep the floor
    (B) water the plants
    (C) make onion soup
    (D) take out the trash

해석 Eric의 여동생은 오늘 무엇을 하는가?
    (A) 바닥 쓸기
    (B) 식물에 물주기
    (C) 양파 수프 만들기
    (D) 쓰레기 내다 버리기

유형 세부 내용 파악

풀이 'Today Eric and his sister make onion soup.'에서 Eric과 여동생이 양파 수프를 만든다고 했으므로 (C)가 정답이다. (A)는 Eric이, (B)는 Eric의 아버지가, (D)는 Eric의 어머니가 하는 일이므로 오답이다.

Listening Practice S1-6 p.58

Eric's family does many things at home. Eric's father waters the plants. He has to wake up early. Why? He waters the plants each morning. What does Eric's mother do? She <u>feeds</u> the dog. She also walks the dog. They walk near the house. Then Eric's parents make breakfast together. Sometimes they make eggs and toast. Sometimes they make chicken and rice. Eric and his sister also have to cook something. That is the family rule. Today Eric and his sister make onion soup. After breakfast, Eric's sister washes the dishes. Eric <u>sweeps</u> the floor. Eric's father folds the <u>laundry</u>. And Eric's mother takes out the <u>trash</u>. They have to do so many things at home!

1. feeds
2. sweeps
3. laundry
4. trash

Writing Practice p.59

1. feed
2. sweep
3. laundry
4. trash

Summary

Eric's family does many things at <u>home</u>. They water plants, take care of the dog, and make breakfast. They wash dishes, sweep the floor, fold laundry, and take out the trash.

Eric의 가족은 <u>집</u>에서 많은 것들을 해요. 그들은 식물에 물을 주고, 개를 돌보고, 아침 식사를 만들어요. 그들은 설거지를 하고, 바닥을 쓸고, 세탁물을 개고, 쓰레기를 내다 버려요.

Word Puzzle p.60

Z	W	H	Q	I	T	B	J	K	E	O	L	G	S	Z
K	Z	B	I	E	K	G	X	H	Q	P	Y	G	W	T
P	S	B	I	Y	R	U	X	S	Z	U	T	A	E	U
H	L	J	J	N	K	Q	K	X	U	X	K	Z	E	X
T	R	A	S	H	U	F	D	H	D	G	D	G	P	V
X	S	L	T	S	K	Q	H	K	N	F	H	D	A	H
N	K	Z	B	H	K	T	T	J	V	O	X	F	P	T
Q	B	P	C	G	F	O	U	W	X	A	P	E	N	M
K	G	A	Q	E	E	M	B	P	U	V	I	E	B	T
D	M	B	L	J	L	D	W	L	A	U	N	D	R	Y
T	C	V	L	I	W	U	H	A	P	Q	J	N	C	L
E	H	N	P	Y	D	K	L	Q	B	P	I	M	U	Y
Z	X	F	S	L	L	G	B	M	I	Q	Z	I	J	E
P	W	Q	X	Y	H	A	U	M	Z	C	P	B	Y	J
F	C	D	S	K	U	O	L	B	Y	V	O	T	C	X

1. feed
2. sweep
3. laundry
4. trash

Unit 7 | Having a Party p.61

Part A. Sentence Completion				p.63
1 (A)	2 (D)			

Part B. Situational Writing		p.63
3 (C)	4 (C)	

Part C. Practical Reading and Retelling		p.64
5 (A)	6 (D)	

Part D. General Reading and Retelling				p.65
7 (D)	8 (C)	9 (B)	10 (C)	

Listening Practice p.66

1 planning　2 fancy
3 put on　4 wait

Writing Practice p.67

1 plan　2 fancy
3 put on　4 wait for
Summary party

Word Puzzle p.68

1 plan　2 fancy
3 put on　4 wait for

Pre-reading Questions p.61

Think! It is your birthday. Who is at the party?
Is there food? If so, what kind?
Are there presents? If so, what are they?

생각해보세요! 여러분의 생일이에요. 파티에 누가 있나요?
음식이 있나요? 그렇다면, 어떤 음식인가요?
선물들이 있나요? 그렇다면, 그것들은 무엇인가요?

Reading Passage p.62

Having a Party

Today is a very special day. It is Nora's birthday. Nora's friends are planning a party. The birthday party is at Nora's house. Her friends do many things. First, they buy birthday gifts. They get a fancy pen and pencil for Nora. Nora likes to write. So she needs pens and pencils. Second, Nora's friends make special foods. They make cookies. Cookies are Nora's favorite dessert. What drinks are at the party? There are lemonade and orange juice. Also, Nora's friends make birthday cards. And they hang balloons. The balloons are many colors. There are red, yellow, green, and blue balloons. And Nora's friends put on party hats. Now, everything is ready. Nora's friends wait for Nora.

파티하기

오늘은 매우 특별한 날이에요. Nora의 생일이에요. Nora의 친구들은 파티를 계획하고 있어요. 생일 파티는 Nora의 집에서 해요. 그녀의 친구들은 많은 것을 해요. 먼저, 그들은 생일 선물을 사요. Nora에게 줄 화려한 펜과 연필을 사요. Nora는 쓰는 것을 좋아해요. 그래서 그녀는 펜과 연필이 필요해요. 둘째로, Nora의 친구들은 특별한 음식을 만들어요. 그들은 쿠키를 만들어요. 쿠키는 Nora가 특히 좋아하는 디저트예요. 파티에는 무슨 음료들이 있나요? 레모네이드와 오렌지 주스가 있어요. 또한, Nora의 친구들은 생일 카드를 만들어요. 그리고 풍선을 매달아요. 풍선들은 다양한 색깔들이에요. 빨간색, 노란색, 초록색, 그리고 파란색 풍선들이 있어요. 그리고 Nora의 친구들은 파티 모자를 써요. 이제, 모든 것이 준비됐어요. Nora의 친구들은 Nora를 기다려요.

어휘 birthday party 생일파티 | invite 초대하다 | gift 선물 | buy 사다 | milk 우유 | coffee 커피 | lemonade 레모네이드 | apple juice 사과 주스 | pencil 연필 | cookie 쿠키 | special 특별한 | friend 친구 | fancy 화려한 | pen 펜 | need 필요하다 | dessert 후식, 디저트 | birthday card 생일카드 | hang 매달다 | balloon 풍선 | hat 모자 | wait 기다리다 | road 거리 | age 나이 | prepare 준비하다 | wedding 결혼 | popcorn 팝콘 | shop 쇼핑하다 | draw 그리다 | write 쓰다 | color 색칠하다

Comprehension Questions p.63

1. They <u>buy</u> gifts.
   (A) buy
   (B) buys
   (C) is buy
   (D) is to buy

해석 그들은 선물을 <u>산다</u>.
(A) 사다
(B) 사다
(C) 어색한 표현
(D) 살 예정이다

풀이 빈칸은 문장의 동사 자리이며, 주어가 3인칭 복수 'They'이므로 동사 원형을 그대로 사용한 (A)가 정답이다. (B)는 동사가 3인칭 단수일 때 동사 원형에 '-s'를 붙여야 하므로 오답이다. (D)는 3인칭 복수 주어 'They'와 3인칭 단수 be 동사 'is는 연결될 수 없으므로 오답이다.

새겨 두기 'be to V'는 '~할 예정이다, ~하게 되어 있다' 등을 뜻하는 표현이다.

관련 문장 First, they buy birthday gifts.

2. It is <u>her</u> birthday.
   (A) I
   (B) he
   (C) we
   (D) her

해석 <u>그녀의</u> 생일이다.
(A) 나는
(B) 그는
(C) 우리는
(D) 그녀의

풀이 빈칸에는 명사 'birthday'를 꾸며줄 수 있도록 대명사의 소유격이 들어가야 하므로 (D)가 정답이다.

새겨 두기 'It's sunny.', 'It's 7 o'clock.', 'It's Friday.'와 같이 비인칭주어 'it'은 시각, 날씨, 날짜 등을 나타낼 때 쓰일 수 있다.

관련 문장 It is Nora's birthday.

3. Do you like <u>lemonade</u>?
   (A) milk
   (B) coffee
   (C) lemonade
   (D) apple juice

해석 <u>레모네이드</u> 좋아하니?
(A) 우유
(B) 커피
(C) 레모네이드
(D) 사과 주스

풀이 레몬즙으로 만든 레모네이드 그림이므로 (C)가 정답이다.

관련 문장 There are lemonade and orange juice.

4. Nora loves <u>cookies</u>.
   (A) robots
   (B) pencils
   (C) cookies
   (D) oranges

해석 Nora는 <u>쿠키</u>를 아주 좋아한다.
(A) 로봇
(B) 연필
(C) 쿠키
(D) 오렌지

풀이 초콜릿이 든 쿠키 그림이므로 (C)가 정답이다.

관련 문장 Cookies are Nora's favorite dessert.

[5-6]

7
Dear Tom,
Nick is turning 7!
Come and enjoy his birthday party.
Wednesday, March 24th
2 PM to 4 PM
Nick's house is on 3100 Abbey Road.

해석

Tom에게,
Nick이 7살이 된단다!
와서 그의 생일 파티를 즐기렴.
- 수요일, 3월 24일
- 오후 2시부터 오후 4시까지
- Nick의 집은 Abbey 거리 3100번지에 있음.

5. Who gets this card?
   (A) Tom
   (B) Nick
   (C) Abbey
   (D) March

해석 누가 이 카드를 받는가?
(A) Tom
(B) Nick
(C) Abbey
(D) 3월

풀이 'Dear Tom'에서 이 카드를 받는 사람이 Tom이라는 것을 알 수 있으므로 (A)가 정답이다.

6. What is NOT on the card?

(A) Nick's age
(B) Nick's road
(C) Nick's house number
(D) Nick's phone number

해석 카드에 있지 않은 것은 무엇인가?

(A) Nick의 나이
(B) Nick이 사는 거리
(C) Nick의 집 번호
(D) Nick의 전화번호

풀이 카드에서 Nick의 전화번호는 언급되지 않았으므로 (D)가 정답이다. (A)는 'Nick is turning 7!'에서, (B)와 (C)는 'Nick's house is on 3100 Abbey Road.'에서 확인할 수 있으므로 오답이다.

[7-10]

Today is a very special day. It is Nora's birthday. Nora's friends are planning a party. The birthday party is at Nora's house. Her friends do many things. First, they buy birthday gifts. They get a fancy pen and pencil for Nora. Nora likes to write. So she needs pens and pencils. Second, Nora's friends make special foods. They make cookies. Cookies are Nora's favorite dessert. What drinks are at the party? There are lemonade and orange juice. Also, Nora's friends make birthday cards. And they hang balloons. The balloons are many colors. There are red, yellow, green, and blue balloons. And Nora's friends put on party hats. Now, everything is ready. Nora's friends wait for Nora.

해석

오늘은 매우 특별한 날이에요. Nora의 생일이에요. Nora의 친구들은 파티를 계획하고 있어요. 생일 파티는 Nora의 집에서 해요. 그녀의 친구들은 많은 것을 해요. 먼저, 그들은 생일 선물을 사요. Nora에게 줄 화려한 펜과 연필을 사요. Nora는 쓰는 것을 좋아해요. 그래서 그녀는 펜과 연필이 필요해요. 둘째로, Nora의 친구들은 특별한 음식을 만들어요. 그들은 쿠키를 만들어요. 쿠키는 Nora가 특히 좋아하는 디저트예요. 파티에는 무슨 음료들이 있나요? 레모네이드와 오렌지 주스가 있어요. 또한, Nora의 친구들은 생일 카드를 만들어요. 그리고 풍선을 매달아요. 풍선들은 다양한 색깔들이에요. 빨간색, 노란색, 초록색, 그리고 파란색 풍선들이 있어요. 그리고 Nora의 친구들은 파티 모자를 써요. 이제, 모든 것이 준비됐어요. Nora의 친구들은 Nora를 기다려요.

7. What is the best title?

(A) After the Party
(B) Nora's Parents
(C) Balloons in the House
(D) Preparing for the Party

해석 가장 알맞은 제목은 무엇인가?

(A) 파티 후
(B) Nora의 부모님
(C) 집의 풍선들
(D) 파티 준비하기

유형 전체 내용 파악

풀이 첫 부분 'Today is a very special day. It is Nora's birthday. Nora's friends are planning a party.'에서 글의 중심 소재인 파티 준비가 언급되고 있다. 이어서 Nora에게 줄 생일 선물, 파티 음식, 파티 소품 등 Nora의 친구들이 어떻게 파티를 준비하는지 설명하고 있으므로 (D)가 정답이다.

8. What is the party for?

(A) Christmas
(B) Thanksgiving
(C) Nora's birthday
(D) Nora's wedding

해석 무엇을 위한 파티인가?

(A) 크리스마스
(B) 추수감사절
(C) Nora의 생일
(D) Nora의 결혼

유형 세부 내용 파악

풀이 'It is Nora's birthday. Nora's friends are planning a party.'에서 Nora의 친구들이 계획하고 있는 파티는 Nora의 생일파티라는 것을 알 수 있으므로 (C)가 정답이다.

9. What is NOT at the party?

(A) cookies
(B) popcorn
(C) balloons
(D) lemonade

해석 파티에 있지 않은 것은 무엇인가?

(A) 쿠키
(B) 팝콘
(C) 풍선
(D) 레모네이드

유형 세부 내용 파악

풀이 생일파티 음식 중에 팝콘은 언급되지 않았으므로 (B)가 정답이다. (A)는 'They make cookies.'에서, (C)는 'And they hang balloons.'에서, (D)는 'There are lemonade and orange juice.'에서 확인할 수 있으므로 오답이다.

10. What does Nora like to do?
    (A) shop
    (B) draw
    (C) write
    (D) color

해석 Nora는 무엇을 하기를 좋아하는가?
    (A) 쇼핑하기
    (B) 그리기
    (C) 쓰기
    (D) 색칠하기

유형 세부 내용 파악

풀이 'Nora likes to write.'에서 Nora가 쓰는 것을 좋아한다고 했으므로 (C)가 정답이다.

Listening Practice

S1-7 p.66

Today is a very special day. It is Nora's birthday. Nora's friends are <u>planning</u> a party. The birthday party is at Nora's house. Her friends do many things. First, they buy birthday gifts. They get a <u>fancy</u> pen and pencil for Nora. Nora likes to write. So she needs pens and pencils. Second, Nora's friends make special foods. They make cookies. Cookies are Nora's favorite dessert. What drinks are at the party? There are lemonade and orange juice. Also, Nora's friends make birthday cards. And they hang balloons. The balloons are many colors. There are red, yellow, green, and blue balloons. And Nora's friends <u>put on</u> party hats. Now, everything is ready. Nora's friends <u>wait</u> for Nora.

1. planning
2. fancy
3. put on
4. wait

Writing Practice

p.67

1. plan
2. fancy
3. put on
4. wait for

Summary

Today is Nora's birthday. Nora's friends are planning a <u>party</u> at Nora's house. Her friends buy gifts, bake cookies, and make birthday cards. They hang balloons and put on party hats.

오늘은 Nora의 생일이에요. Nora의 친구들이 Nora의 집에서 <u>파티</u>를 계획하고 있어요. 그녀의 친구들은 선물을 사고, 쿠키를 굽고, 생일 카드를 만들어요. 그들은 풍선들을 매달고 파티 모자를 써요.

Word Puzzle

p.68

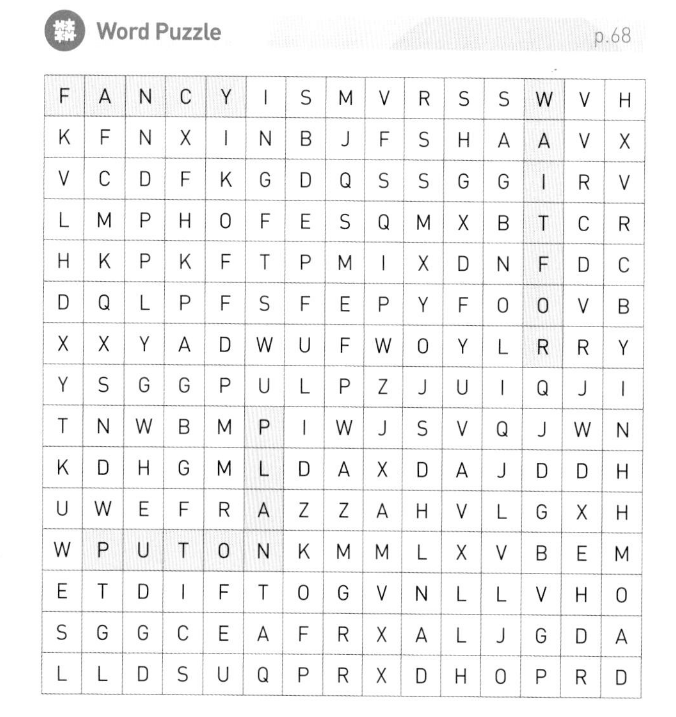

F	A	N	C	Y	I	S	M	V	R	S	S	W	V	H
K	F	N	X	I	N	B	J	F	S	H	A	A	V	X
V	C	D	F	K	G	D	Q	S	S	G	G	I	R	V
L	M	P	H	O	F	E	S	Q	M	X	B	T	C	R
H	K	P	K	F	T	P	M	I	X	D	N	F	D	C
D	Q	L	P	F	S	F	E	P	Y	F	O	O	V	B
X	X	Y	A	D	W	U	F	W	O	Y	L	R	R	Y
Y	S	G	G	P	U	L	P	Z	J	U	I	Q	J	I
T	N	W	B	M	P	I	W	J	S	V	Q	J	W	N
K	D	H	G	M	L	D	A	X	D	A	J	D	D	H
U	W	E	F	R	A	Z	Z	A	H	V	L	G	X	H
W	P	U	T	O	N	K	M	M	L	X	V	B	E	M
E	T	D	I	F	T	O	G	V	N	L	L	V	H	O
S	G	G	C	E	A	F	R	X	A	L	J	G	D	A
L	L	D	S	U	Q	P	R	X	D	H	O	P	R	D

1. plan
2. fancy
3. put on
4. wait for

Unit 8 | Kelly Learns Chinese Sounds p.69

Part A. Sentence Completion p.71

1 (A) 2 (B)

Part B. Situational Writing p.71

3 (B) 4 (D)

Part C. Practical Reading and Retelling p.72

5 (A) 6 (A)

Part D. General Reading and Retelling p.73

7 (C) 8 (C) 9 (B) 10 (A)

Listening Practice p.74

1 first 2 second
3 third 4 fourth

Writing Practice p.75

1 first 2 second
3 third 4 fourth
Summary sound

Word Puzzle p.76

1 first 2 second
3 third 4 fourth

Pre-reading Questions p.69

Can you speak Chinese?
Can you speak English?
Can you speak Spanish?

중국어를 할 줄 아나요?
영어를 할 줄 아나요?
스페인어를 할 줄 아나요?

Reading Passage p.70

Kelly Learns Chinese Sounds

Kelly is in Chinese class now. She is a new learner. The class is very hard. Why is it hard? There are special sounds. These sounds are called "tones." Kelly knows the first and second tone. What is today's class? It is about the third tone. The third tone has two parts. First it falls. Then it goes up again. Kelly cannot do the third tone well. She is sad. Why are there tones? The tones make new words. The teacher says "*ma*". He uses the first tone. It means "mother." Then he says "*ma*" in the third tone. It means "horse." Kelly practices the sounds all afternoon. Tomorrow, she is learning the last tone. It is the fourth tone!

Kelly가 중국어 소리를 배워요

Kelly는 지금 중국어 수업에 있어요. 그녀는 새로운 학습자예요. 수업은 몹시 어려워요. 왜 어렵나요? 특별한 소리들이 있어요. 이 소리들은 "성조"라고 불려요. Kelly는 첫 번째와 두 번째 성조를 알아요. 오늘의 수업은 무엇인가요? 세 번째 성조에 관한 것이에요. 세 번째 성조에는 두 부분이 있어요. 성조가 먼저 떨어져요. 그런 다음 다시 올라가요. Kelly는 세 번째 성조를 잘하지 못해요. 그녀는 슬퍼요. 성조가 왜 있나요? 성조는 새 단어들을 만들어요. 선생님이 "*ma*"라고 말해요. 그는 첫 번째 성조를 사용해요. 그것은 "엄마"를 뜻해요. 그런 다음 그는 세 번째 성조로 "*ma*"라고 말해요. 그것은 "말"이라는 뜻이에요. Kelly는 오후 내내 소리들을 연습해요. 내일, 그녀는 마지막 성조를 배워요. 그것은 네 번째 성조예요!

어휘 Chinese 중국어 | language 언어 | word 단어 | hard 어려운 | first 첫 번째 | second 두 번째 | third 세 번째 | fourth 네 번째 | class 수업 | learner 학습자 | sound 소리 | tone 성조 | know 알다 | about ~에 관한 | part 부분 | fall 떨어지다 | then 그런 다음 | again 다시 | well 잘 | practice 연습하다 | afternoon 오후 | last 마지막 | always 항상 | French 불어, 프랑스어 | German 독일어 | Japanese 일본어 | hate 싫어하다 | job 직업 | with ~와 함께

Comprehension Questions p.71

1. This word <u>is</u> very hard.

(A) is
(B) do
(C) are
(D) make

해석 이 단어는 매우 어렵<u>다</u>.

(A) ~이다
(B) 하다
(C) ~이다
(D) 만들다

풀이 'very hard'를 보어로 취하면서 3인칭 단수 주어 'This word'와 어울려 쓸 수 있는 be 동사가 들어가야 한다. 따라서 (A)가 정답이다.

관련 문장 The class is very hard.

2. It has two <u>parts</u>.

(A) part
(B) parts
(C) a part
(D) is a part

해석 그것은 두 <u>부분</u>이 있다.

(A) 부분
(B) 부분들
(C) 한 부분
(D) 한 부분이다

풀이 'two'는 복수의 의미를 가지므로 명사 또한 복수가 되어야 하므로 '-s'를 붙인 (B)가 정답이다. (A)는 'a part'나 'one part'과 같이 단수형이 적절하므로 오답이다.

관련 문장 The third tone has two parts.

3. The yellow car is <u>second</u>.

(A) first
(B) second
(C) third
(D) fourth

해석 노란색 차는 <u>두 번째</u>이다.

(A) 첫 번째
(B) 두 번째
(C) 세 번째
(D) 네 번째

풀이 노란색 자동차가 두 번째로 들어오고 있으므로 (B)가 정답이다.

관련 문장 Kelly knows the first and second tone.

4. My birthday is on August <u>fourth</u>.

(A) first
(B) second
(C) third
(D) fourth

해석 내 생일은 8월 <u>4일</u>에 있다.

(A) 1일
(B) 2일
(C) 3일
(D) 4일

풀이 8월 4일이므로 (D)가 정답이다.

새겨 두기 날짜를 나타낼 때는 'one, two, three, four, …'와 같은 기수가 아니라 'first, second, third, fourth, …'와 같은 서수로 나타낸다는 점에 유의한다.

관련 문장 It is the fourth tone!

[5-6]

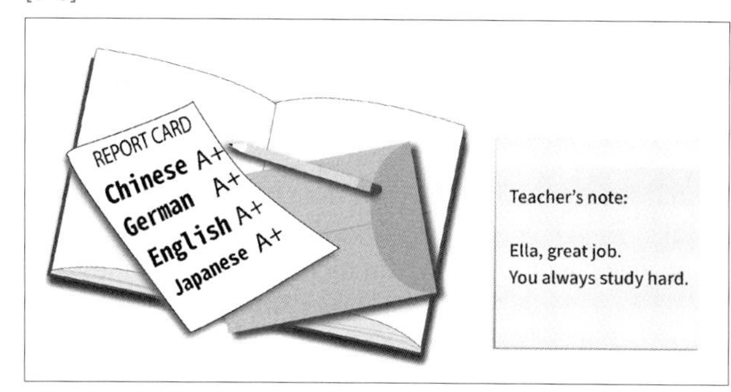

해석

성적표	선생님의 말씀:
중국어 A+	Ella, 잘했구나.
독일어 A+	너는 항상 공부를 열심히 하지.
영어 A+	
일본어 A+	

5. What does Ella NOT learn?

(A) French
(B) English
(C) German
(D) Japanese

해석 Ella가 배우지 않는 것은 무엇인가?

(A) 불어
(B) 영어
(C) 독일어
(D) 일본어

풀이 성적표에 불어는 언급되지 않았으므로 (A)가 정답이다.

6. What does Ella's teacher say?

(A) Ella studies hard.
(B) Ella is always late.
(C) Ella hates learning.
(D) Ella needs a new job.

해석 Ella의 선생님이 무엇을 말하는가?

(A) Ella는 열심히 공부한다.
(B) Ella는 항상 지각한다.
(C) Ella는 배우는 것을 싫어한다.
(D) Ella는 새 직업이 필요하다.

풀이 'You always study hard'에서 Ella가 항상 공부를 열심히 한다고 했으므로 (A)가 정답이다.

[7-10]

Kelly is in Chinese class now. She is a new learner. The class is very hard. Why is it hard? There are special sounds. These sounds are called "tones." Kelly knows the first and second tone. What is today's class? It is about the third tone. The third tone has two parts. First it falls. Then it goes up again. Kelly cannot do the third tone well. She is sad. Why are there tones? The tones make new words. The teacher says "*ma*". He uses the first tone. It means "mother." Then he says "*ma*" in the third tone. It means "horse." Kelly practices the sounds all afternoon. Tomorrow, she is learning the last tone. It is the fourth tone!

해석

Kelly는 지금 중국어 수업에 있어요. 그녀는 새로운 학습자예요. 수업은 몹시 어려워요. 왜 어렵나요? 특별한 소리들이 있어요. 이 소리들은 "성조"라고 불려요. Kelly는 첫 번째와 두 번째 성조를 알아요. 오늘의 수업은 무엇인가요? 세 번째 성조에 관한 것이에요. 세 번째 성조에는 두 부분이 있어요. 성조가 먼저 떨어져요. 그런 다음 다시 올라가요. Kelly는 세 번째 성조를 잘하지 못해요. 그녀는 슬퍼요. 성조가 왜 있나요? 성조는 새 단어들을 만들어요. 선생님이 "*ma*"라고 말해요. 그는 첫 번째 성조를 사용해요. 그것은 "엄마"를 뜻해요. 그런 다음 그는 세 번째 성조로 "*ma*"라고 말해요. 그것은 "말"이라는 뜻이에요. Kelly는 오후 내내 소리들을 연습해요. 내일, 그녀는 마지막 성조를 배워요. 그것은 네 번째 성조예요!

7. What is the best title?

(A) Chinese Horses
(B) Four Hard Words
(C) Kelly Learns Tones
(D) Kelly Teaches English

해석 가장 알맞은 제목은 무엇인가?

(A) 중국산 말들
(B) 네 개의 어려운 단어
(C) Kelly가 성조를 배우다
(D) Kelly가 영어를 가르치다

유형 전체 내용 파악

풀이 글의 중심 소재는 Kelly가 중국어 수업에서 배우는 성조이며, 세 번째 성조와 성조의 기능 등 Kelly가 수업에서 배우는 내용을 설명하고 있는 글이므로 (C)가 정답이다.

8. Which is the third tone?

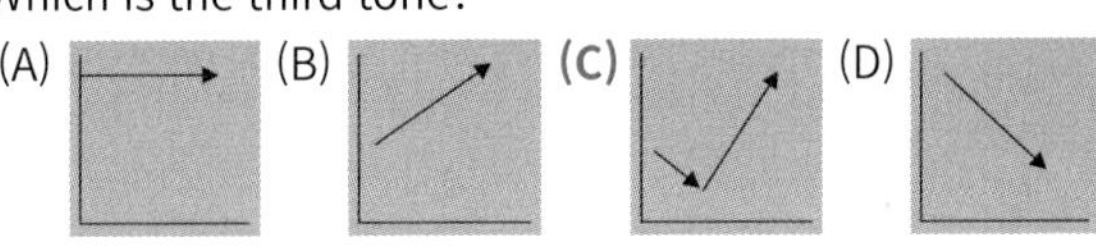

해석 어떤 것이 세 번째 성조인가?

유형 세부 내용 파악

풀이 'The third tone has two parts. First it falls. Then it goes up again.'에서 세 번째 성조는 떨어졌다가 다시 올라간다고 했으므로 (C)가 정답이다.

9. What does "*ma*" mean in the third tone?

(A) Kelly
(B) horse
(C) China
(D) mother

해석 세 번째 성조에서 "*ma*"는 무엇을 뜻하는가?

(A) Kelly
(B) 말
(C) 중국
(D) 어머니

유형 세부 내용 파악

풀이 'Then he says "*ma*" in the third tone. It means "horse."'를 통해 세 번째 성조에서 "*ma*"는 말을 뜻한다는 것을 알 수 있으므로 (B)가 정답이다. (D)는 첫 번째 성조에서 "*ma*"가 뜻하는 의미이므로 오답이다.

10. Which is true?

(A) Kelly knows three tones.
(B) Kelly is learning Japanese.
(C) Kelly knows the fourth tone.
(D) Kelly is in class with her mother.

해석 다음 중 옳은 설명은 무엇인가?

(A) Kelly는 성조 세 개를 안다.
(B) Kelly는 일본어를 배우고 있다.
(C) Kelly는 네 번째 성조를 안다.
(D) Kelly는 어머니와 함께 수업에 있다.

유형 세부 내용 파악 & 추론하기

풀이 Kelly는 첫 번째와 두 번째 성조를 이미 알고 있고, 오늘 수업에서 세 번째 성조를 배웠으므로 총 세 가지 성조를 안다고 할 수 있다. 따라서 (A)가 정답이다. (C)는 Kelly가 내일 네 번째 성조를 배운다고 했으므로 오답이다.

Listening Practice

S1-8 p.74

Kelly is in Chinese class now. She is a new learner. The class is very hard. Why is it hard? There are special sounds. These sounds are called "tones." Kelly knows the first and second tone. What is today's class? It is about the third tone. The third tone has two parts. First it falls. Then it goes up again. Kelly cannot do the third tone well. She is sad. Why are there tones? The tones make new words. The teacher says "*ma*". He uses the first tone. It means "mother." Then he says "*ma*" in the third tone. It means "horse." Kelly practices the sounds all afternoon. Tomorrow, she is learning the last tone. It is the fourth tone!

1. first
2. second
3. third
4. fourth

Writing Practice

p.75

1. first
2. second
3. third
4. fourth

Summary

Kelly is learning Chinese. It is hard for Kelly. There are special sounds called 'tones'. Kelly practices the tones.

Kelly는 중국어를 배우고 있어요. 그것은 Kelly한테 어려워요. '성조'라고 불리는 특별한 소리들이 있어요. Kelly는 성조를 연습해요.

Word Puzzle

p.76

A	W	D	O	G	G	W	S	B	G	B	T	I	R	U
N	B	O	W	L	K	F	S	P	D	A	V	N	Q	Z
N	Q	T	D	F	W	K	A	Z	S	F	U	X	L	O
V	M	M	F	N	L	B	F	X	E	B	Z	F	L	L
L	H	Y	I	T	K	A	T	K	C	F	P	A	N	O
A	R	L	R	B	T	T	E	M	O	X	C	S	A	Q
Q	E	G	S	V	C	H	O	R	N	R	Y	O	G	C
F	D	R	T	M	E	M	J	V	D	C	N	D	S	E
V	O	G	Z	C	B	R	V	C	B	Z	Y	B	W	U
I	C	B	I	T	G	F	L	R	Z	N	G	X	V	V
F	R	L	U	H	G	L	H	R	Y	J	Q	Q	O	G
V	T	V	M	I	S	N	J	A	B	V	X	W	M	L
L	F	O	U	R	T	H	O	L	U	C	B	Z	V	T
F	Q	O	M	D	T	J	M	C	F	C	W	A	J	Z
C	M	J	E	D	H	I	J	O	S	M	V	S	H	Y

1. first
2. second
3. third
4. fourth

Chapter Review

p.77

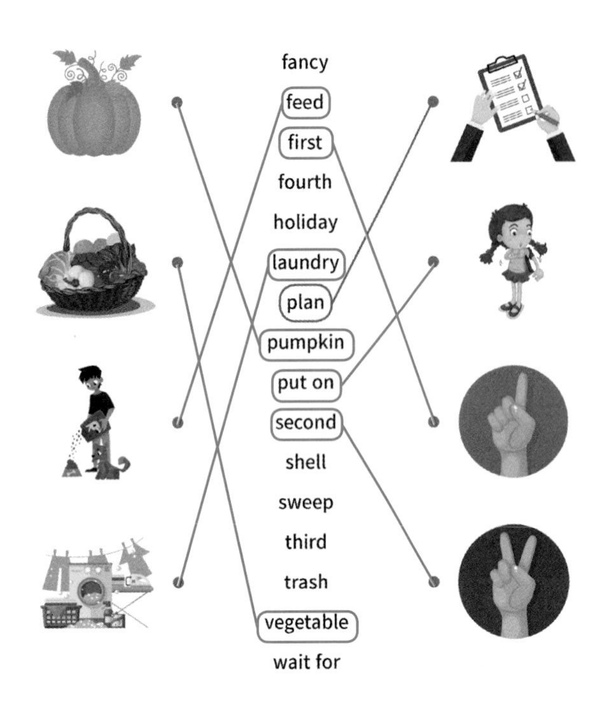

※ 학생의 생각에 따라 다양한 정답이 가능할 수 있습니다.

Chapter 3. Ask More Questions

Unit 9 | Andrea Loves Sports p.79

Part A. Sentence Completion p.81

1 (B) 2 (D)

Part B. Situational Writing p.81

3 (D) 4 (C)

Part C. Practical Reading and Retelling p.82

5 (B) 6 (D)

Part D. General Reading and Retelling p.83

7 (B) 8 (A) 9 (D) 10 (D)

Listening Practice p.84

1 badminton 2 glove
3 racket 4 goggles

Writing Practice p.85

1 glove 2 badminton
3 racket 4 goggles
Summary sports

Word Puzzle p.86

1 glove 2 badminton
3 racket 4 goggles

Pre-reading Questions p.79

What are your favorite sports?
How often do you play them?

여러분이 특히 좋아하는 스포츠는 무엇인가요?
그것들을 얼마나 자주 하나요?

Reading Passage p.80

Andrea Loves Sports

Andrea wants to be a sports player. Does she like only one sport? No, she loves many sports! She loves badminton, baseball, and swimming. She practices sports every day. She plays baseball three times a week. Every Monday, Wednesday, and Friday, she goes to the school playground. She carries a baseball glove and a ball. She is a baseball pitcher. She plays badminton twice a week. Where is she on Tuesdays and Thursdays? She is at the badminton court. She brings her racket. What about Saturday? Saturday is swimming day. She goes to the pool near her school. She always wears swimming goggles. Every Sunday Andrea relaxes. She stays home all day. She is working hard to be a sports player.

Andrea는 스포츠를 아주 좋아해요

Andrea는 스포츠 선수가 되고 싶어요. 그녀는 한 가지 스포츠만 좋아하나요? 아니요, 그녀는 다양한 스포츠를 아주 좋아해요! 그녀는 배드민턴, 야구, 그리고 수영을 아주 좋아해요. 그녀는 매일 스포츠를 연습해요. 일주일에 세 번 야구를 해요. 매주 월요일, 수요일, 그리고 금요일, 그녀는 학교 운동장에 가요. (그녀는) 야구 장갑과 공을 가져가요. (그녀는) 야구 투수예요. (그녀는) 일주일에 두 번 배드민턴을 해요. 화요일과 목요일에 그녀는 어디에 있나요? 배드민턴 코트에 있어요. (그녀는) 자신의 라켓을 가져와요. 토요일은 어떠한가요? 토요일은 수영하는 날이에요. 그녀는 학교 근처에 있는 수영장으로 가요. 항상 수영 고글을 껴요. 매주 일요일 Andrea는 휴식해요. 그녀는 종일 집에 있어요. 그녀는 스포츠 선수가 되기 위해 열심히 노력해요.

어휘 play (게임, 놀이 등을) 하다; 놀다 | week 일주일 | badminton 배드민턴 | pool 수영장 | near ~ 근처에 | court 코트 | bat 방망이 | ball 공 | ticket 표 | racket 라켓 | driver 운전기사 | golfer 골프선수 | pitcher 투수 | swimmer 수영선수 | practice 연습하다 | playground 운동장 | glove 장갑 (한 짝) | goggles 고글 | relax 휴식하다 | work hard 열심히 (공부, 일 등을) 하다 | stay ~에 있다 | lose 잃어버리다 | beach 해변

Comprehension Questions p.81

1. Andrea plays badminton.
   (A) play
   (B) plays
   (C) is play
   (D) playing

해석 Andrea는 배드민턴을 한다.
(A) (경기 등을) 하다
(B) (경기 등을) 하다
(C) 어색한 표현
(D) (경기 등을) 하는 (중인)

풀이 'badminton'을 목적어로 취하면서 3인칭 단수 주어 'Andrea'와 어울려 쓸 수 있는 형태가 들어가야 하므로 (B)가 정답이다. (C)와 (D)는 'is playing'과 같은 진행형 구조가 되어야 적합하므로 오답이다.

관련 문장 She plays badminton twice a week.

2. Where is the pool? It is near my school.
   (A) Who
   (B) Why
   (C) What
   (D) Where

해석 수영장은 어디 있지? 그것은 내 학교 근처에 있다.
(A) 누가
(B) 왜
(C) 무엇
(D) 어디

풀이 두 번째 문장의 답변으로 보아 앞 문장은 수영장이 어디인지 장소를 물어보는 의문문임을 알 수 있다. 따라서 '어디'라는 뜻을 나타내는 의문사인 (D)가 정답이다.

새겨 두기 문장 구조 이해가 어렵다면 해당 의문문을 (1) 'The pool is ______?' → (2) '______ is the pool?' → (3) 'Where is the pool?'의 단계로 이해하도록 하자

관련 문장 She goes to the pool near her school.

3. She takes a racket to the court.
   (A) bat
   (B) ball
   (C) ticket
   (D) racket

해석 그녀는 코트에 라켓을 가져간다.
(A) 방망이
(B) 공
(C) 표
(D) 라켓

풀이 배드민턴에서 셔틀콕을 칠 때 쓰는 라켓이므로 (D)가 정답이다.

관련 문장 She is at the badminton court. She brings her racket.

4. He is a pitcher.
   (A) driver
   (B) golfer
   (C) pitcher
   (D) swimmer

해석 그는 투수이다.
(A) 운전기사
(B) 골프선수
(C) 투수
(D) 수영선수

풀이 야구공을 던지고 있는 투수의 모습이므로 (C)가 정답이다.

관련 문장 She is a baseball pitcher.

[5-6]

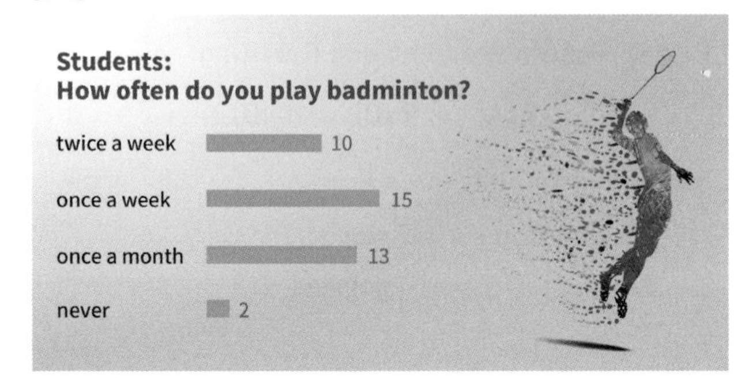

해석

학생들:	
얼마나 자주 배드민턴을 치나요?	
일주일에 두 번	10
일주일에 한 번	15
한 달에 한 번	13
하지 않음	2

5. How many students play badminton twice a week?
   (A) 2
   (B) 10
   (C) 13
   (D) 15

해석 몇 명의 학생들이 일주일에 두 번 배드민턴을 치는가?
(A) 2
(B) 10
(C) 13
(D) 15

풀이 10명의 학생이 일주일에 두 번('twice a week') 배드민턴을 친다고 표시되어 있으므로 (B)가 정답이다.

6. How many students do NOT play badminton twice a week?

(A) 2
(B) 15
(C) 28
(D) 30

해석 몇 명의 학생들이 일주일에 두 번 배드민턴을 치지 않는가?

(A) 2
(B) 15
(C) 28
(D) 30

풀이 일주일에 두 번 배드민턴을 치지 않는 학생에는 배드민턴을 전혀 치지 않는 학생('never'), 1주일에 한 번만 치는 학생('once a week'), 한달에 한 번만 치는 학생('once a month')이 포함된다. 이들을 합하면 30명(2+15+13)이므로 (D)가 정답이다.

[7-10]

Andrea wants to be a sports player. Does she like only one sport? No, she loves many sports! She loves badminton, baseball, and swimming. She practices sports every day. She plays baseball three times a week. Every Monday, Wednesday, and Friday, she goes to the school playground. She carries a baseball glove and a ball. She is a baseball pitcher. She plays badminton twice a week. Where is she on Tuesdays and Thursdays? She is at the badminton court. She brings her racket. What about Saturday? Saturday is swimming day. She goes to the pool near her school. She always wears swimming goggles. Every Sunday Andrea relaxes. She stays home all day. She is working hard to be a sports player.

해석

Andrea는 스포츠 선수가 되고 싶어요. 그녀는 한 가지 스포츠만 좋아하나요? 아니요, 그녀는 다양한 스포츠를 아주 좋아해요! 그녀는 배드민턴, 야구, 그리고 수영을 아주 좋아해요. 그녀는 매일 스포츠를 연습해요. 일주일에 세 번 야구를 해요. 매주 월요일, 수요일, 그리고 금요일, 그녀는 학교 운동장에 가요. (그녀는) 야구 장갑과 공을 가져가요. (그녀는) 야구 투수예요. (그녀는) 일주일에 두 번 배드민턴을 해요. 화요일과 목요일에 그녀는 어디에 있나요? 배드민턴 코트에 있어요. (그녀는) 자신의 라켓을 가져와요. 토요일은 어떠한가요? 토요일은 수영하는 날이에요. 그녀는 학교 근처에 있는 수영장으로 가요. 항상 수영 고글을 껴요. 매주 일요일 Andrea는 휴식해요. 그녀는 종일 집에 있어요. 그녀는 스포츠 선수가 되기 위해 열심히 노력해요.

7. What is the best title?

(A) Andrea Stays Home
(B) Andrea Loves Sports
(C) Andrea Wants Water
(D) Andrea Loses Her Glove

해석 가장 알맞은 제목은 무엇인가?

(A) Andrea가 집에 머무르다
(B) Andrea가 스포츠를 매우 좋아하다
(C) Andrea가 물을 원하다
(D) Andrea가 장갑을 잃어버리다

유형 전체 내용 파악

풀이 첫 부분에서 Andrea가 다양한 스포츠를 좋아한다는 중심 소재가 드러나고 있고, Andrea가 요일별로 어떤 스포츠를 하는지에 대해 나열하고 있는 글이므로 (B)가 정답이다.

8. Which sport does Andrea NOT do?

(A) skating
(B) baseball
(C) swimming
(D) badminton

해석 Andrea가 하지 않는 스포츠는 무엇인가?

(A) 스케이팅
(B) 야구
(C) 수영
(D) 배드민턴

유형 세부 내용 파악

풀이 Andrea가 월요일, 수요일, 금요일에는 야구를, 화요일과 목요일에는 배드민턴을, 토요일에는 수영을, 마지막으로 일요일에는 집에서 쉰다고 했으므로 여기에 포함되지 않은 (A)가 정답이다.

9. Where is Andrea on Fridays?

(A) at a pool
(B) on a beach
(C) on a badminton court
(D) at her school's playground

해석 금요일에 Andrea는 어디에 있는가?

(A) 수영장에
(B) 해변에
(C) 배드민턴 코트에
(D) 그녀의 학교 운동장에

유형 세부 내용 파악

풀이 'Every Monday, Wednesday, and Friday, she goes to the school playground.'에서 Andrea가 매주 금요일에 학교 운동장에 있다는 것을 알 수 있으므로 (D)가 정답이다. (A)는 토요일에, (C)는 화요일과 목요일에 Andrea가 있을 장소이므로 오답이다.

10. What does Andrea wear on Saturdays?

(A) a baseball glove
(B) a bicycle helmet
(C) basketball shorts
(D) swimming goggles

해석 토요일에 Andrea는 무엇을 착용하는가?

(A) 야구 장갑
(B) 자전거 헬멧
(C) 농구 반바지
(D) 수영 고글

유형 세부 내용 파악

풀이 'What about Saturday? [...] She always wears swimming goggles.'에서 Andrea가 토요일에 수영 고글을 낀다는 것을 알 수 있으므로 (D)가 정답이다. (A)는 야구를 하는 월요일, 수요일, 금요일에 착용할 것이므로 오답이다.

Listening Practice

S1-9 p.84

Andrea wants to be a sports player. Does she like only one sport? No, she loves many sports! She loves <u>badminton</u>, baseball, and swimming. She practices sports every day. She plays baseball three times a week. Every Monday, Wednesday, and Friday, she goes to the school playground. She carries a baseball <u>glove</u> and a ball. She is a baseball pitcher. She plays badminton twice a week. Where is she on Tuesdays and Thursdays? She is at the badminton court. She brings her <u>racket</u>. What about Saturday? Saturday is swimming day. She goes to the pool near her school. She always wears swimming <u>goggles</u>. Every Sunday Andrea relaxes. She stays home all day. She is working hard to be a sports player.

1. badminton
2. glove
3. racket
4. goggles

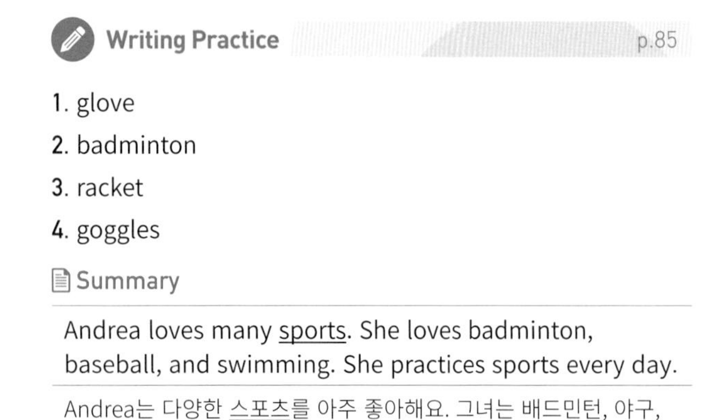

Writing Practice

p.85

1. glove
2. badminton
3. racket
4. goggles

Summary

Andrea loves many <u>sports</u>. She loves badminton, baseball, and swimming. She practices sports every day.

Andrea는 다양한 <u>스포츠</u>를 아주 좋아해요. 그녀는 배드민턴, 야구, 그리고 수영을 아주 좋아해요. 그녀는 매일 스포츠를 연습해요.

Word Puzzle

p.86

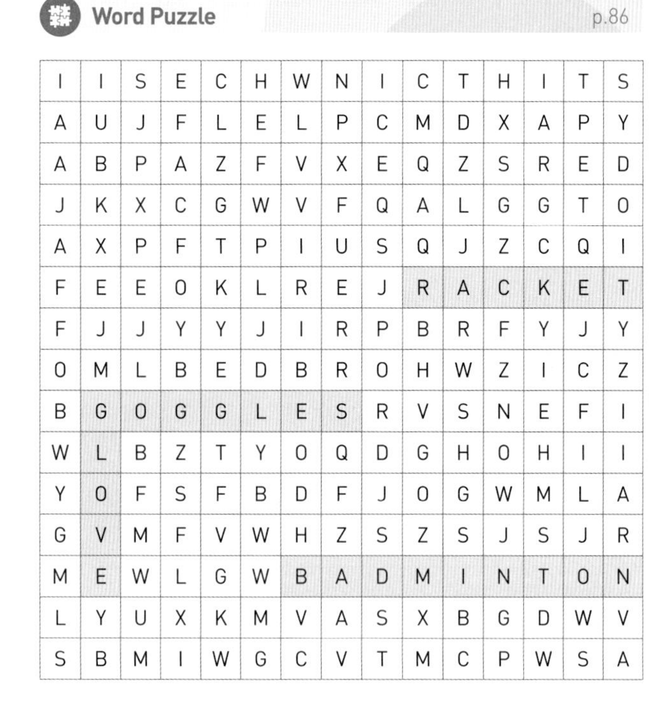

I	I	S	E	C	H	W	N	I	C	T	H	I	T	S
A	U	J	F	L	E	L	P	C	M	D	X	A	P	Y
A	B	P	A	Z	F	V	X	E	Q	Z	S	R	E	D
J	K	X	C	G	W	V	F	Q	A	L	G	G	T	O
A	X	P	F	T	P	I	U	S	Q	J	Z	C	Q	I
F	E	E	O	K	L	R	E	J	R	A	C	K	E	T
F	J	J	Y	Y	J	I	R	P	B	R	F	Y	J	Y
O	M	L	B	E	D	B	R	O	H	W	Z	I	C	Z
B	G	O	G	G	L	E	S	R	V	S	N	E	F	I
W	L	B	Z	T	Y	O	Q	D	G	H	O	H	I	I
Y	O	F	S	F	B	D	F	J	O	G	W	M	L	A
G	V	M	F	V	W	H	Z	S	Z	S	J	S	J	R
M	E	W	L	G	W	B	A	D	M	I	N	T	O	N
L	Y	U	X	K	M	V	A	S	X	B	G	D	W	V
S	B	M	I	W	G	C	V	T	M	C	P	W	S	A

1. glove
2. badminton
3. racket
4. goggles

Unit 10 | Alec Gets Sick in Winter p.87

Part A. Sentence Completion p.89

1 (C) 2 (C)

Part B. Situational Writing p.89

3 (C) 4 (D)

Part C. Practical Reading and Retelling p.90

5 (D) 6 (C)

Part D. General Reading and Retelling p.91

7 (C) 8 (B) 9 (C) 10 (C)

Listening Practice p.92

1 fever 2 coughs
3 sore throat 4 sneeze

Writing Practice p.93

1 fever 2 cough
3 sneeze 4 sore throat
Summary sick

Word Puzzle p.94

1 fever 2 cough
3 sneeze 4 sore throat

Pre-reading Questions p.87

Think! Your friend has a cold.

You say: "Wear __________. Eat __________. Drink __________."

생각해보세요! 여러분의 친구가 감기에 걸렸어요.

여러분은 말해요: "________을 입어. ________을 먹어. ________을 마셔."

Reading Passage p.88

Alec Gets Sick in Winter

Winter is coming soon. It is cold outside. Does Alec wear warm clothes? No, he wears thin clothes. And he has no hat on his head. So Alec gets sick. He has a fever. He sneezes and coughs. He has a sore throat. Today is Thursday. But Alec cannot go to school. He goes to the doctor. The doctor asks, "How do you feel?" Alec says, "I have a fever. I sneeze and cough. I feel very sick." The doctor says, "You have to wear warm clothes. It's cold outside. Take this medicine twice a day. Eat hot soup. Stay in bed." Alec goes home. He takes the medicine. He gets into bed. He stays under a thick blanket. Poor Alec!

Alec이 겨울에 아파요.

곧 겨울이 와요. 밖은 추워요. Alec은 따뜻한 옷을 입나요? 아니요, 그는 얇은 옷을 입어요. 그리고 머리 위에 모자가 없어요. 그래서 Alec은 병에 걸려요. 그는 열이 있어요. 그는 재채기하고 기침해요. 그는 목이 아파요. 오늘은 목요일이에요. 하지만 Alec은 학교에 갈 수 없어요. 그는 의사 선생님께 가요. 의사 선생님이 물어요, "(몸은) 어떠니?" Alec이 말해요, "열이 나요. 재채기하고 기침해요. 많이 아파요." 의사 선생님이 말해요, "따뜻한 옷을 입어야 한다. 밖이 춥잖니. 이 약을 하루에 두 번 먹으렴. 따뜻한 수프를 먹고, 침대에 누워 있으렴." Alec은 집으로 가요. 그는 약을 먹어요. 그는 침대로 들어가요. 그는 두꺼운 담요 밑에 있어요. 가엾은 Alec!

어휘 feel (기분이) 들다 | baker 제빵사 | driver 운전기사 | doctor 의사 | banker 은행원 | clothes 옷 | wet 젖은 | thin 얇은 | warm 따뜻한 | winter 겨울 | outside 밖 | get sick 아프다, 병에 걸리다 | fever 열 | sneeze 재채기하다 | cough 기침하다; 기침 | sore 아픈 | throat 목 | have to ~해야 한다 | medicine 약 | blanket 담요 | poor 불쌍한; 가난한 | before ~ 전에 | after ~ 후에 | headache 두통, 머리가 아픔 | hurt 다치다 | tooth 치아 | break 부서지다 | leg 다리 | dirty 더러운 | dentist 치과의사 | salad 샐러드

Comprehension Questions p.89

1. Does he wear a hat?
   (A) Is
   (B) Who
   (C) Does
   (D) What

해석 그는 모자를 쓰니?
(A) ~이다
(B) 누가
(C) 조동사 does
(D) 무엇

풀이 빈칸 뒤 구문 'he wear a hat'으로 보아 해당 문장은 일반 동사가 들어간 평서문을 의문문으로 바꾼 문장임을 알 수 있다. 일반 동사가 들어간 문장을 의문문으로 바꿀 때 쓰이면서 3인칭 단수 주어 'he'와도 일치해야 하므로 (C)가 정답이다.

관련 문장 Does Alec wear warm clothes?

2. He cannot go <u>to</u> school today. He is sick.

(A) at
(B) in
(C) to
(D) for

해석 그는 오늘 학교<u>에</u> 갈 수 없다. 그는 아프다.

(A) ~에
(B) ~ 안에
(C) ~로
(D) ~를 위한

풀이 '학교에 가다'라는 의미를 나타낼 때 전치사 'to'(~로)를 사용해 'go to school'이라 표현하므로 (C)가 정답이다.

관련 문장 But Alec cannot go to school.

3. My mother is a <u>doctor</u>.

(A) baker
(B) driver
(C) doctor
(D) banker

해석 우리 어머니는 <u>의사</u>이다.

(A) 제빵사
(B) 운전기사
(C) 의사
(D) 은행원

풀이 청진기를 목에 걸고 가운을 입고 있는 의사의 모습이므로 (C)가 정답이다.

관련 문장 He goes to the doctor.

4. Wear <u>warm</u> clothes.

(A) wet
(B) red
(C) thin
(D) warm

해석 <u>따뜻한</u> 옷을 입어라.

(A) 젖은
(B) 빨간
(C) 얇은
(D) 따뜻한

풀이 털모자, 목도리, 장갑, 두꺼운 외투, 털부츠 등 추위에 대비하기 위해 입는 따뜻한 옷가지들이므로 (D)가 정답이다.

관련 문장 You have to wear warm clothes.

[5-6]

Medicine	When	Why
	before lunch	fever
	after dinner	cough
	at night	headache
	in the morning	sore throat

해석

약	언제	무엇 때문에
	점심 식사 전	열
	저녁 식사 후	기침
	밤에	두통
	아침에	아픈 목

5. Which medicine is for a sore throat?

(A) (B) (C) **(D)**

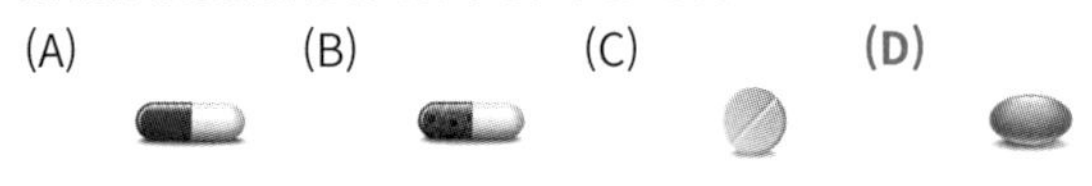

해석 어떤 약이 아픈 목을 위한 것인가?

풀이 목이 아플 때('sore throat') 네 번째에 있는 노란색 알약을 먹으라고 표시되어 있으므로 (D)가 정답이다.

6. Jason takes medicine at night. What is his problem?

(A) a fever
(B) a cough
(C) a headache
(D) a sore throat

해석 Jason은 밤에 약을 먹는다. 그의 문제는 무엇인가?

(A) 열
(B) 기침
(C) 두통
(D) 아픈 목

풀이 밤에('at night') 복용하는 약은 두통('headache') 때문에 먹는 세 번째 알약이므로 (C)가 정답이다.

[7-10]

Winter is coming soon. It is cold outside. Does Alec wear warm clothes? No, he wears thin clothes. And he has no hat on his head. So Alec gets sick. He has a fever. He sneezes and coughs. He has a sore throat. Today is Thursday. But Alec cannot go to school. He goes to the doctor. The doctor asks, "How do you feel?" Alec says, "I have a fever. I sneeze and cough. I feel very sick." The doctor says, "You have to wear warm clothes. It's cold outside. Take this medicine twice a day. Eat hot soup. Stay in bed." Alec goes home. He takes the medicine. He gets into bed. He stays under a thick blanket. Poor Alec!

해석

곧 겨울이 와요. 밖은 추워요. Alec은 따뜻한 옷을 입나요? 아니요, 그는 얇은 옷을 입어요. 그리고 머리 위에 모자가 없어요. 그래서 Alec은 병에 걸려요. 그는 열이 있어요. 그는 재채기하고 기침해요. 그는 목이 아파요. 오늘은 목요일이에요. 하지만 Alec은 학교에 갈 수 없어요. 그는 의사 선생님께 가요. 의사 선생님이 물어요, "(몸은) 어떠니?" Alec이 말해요, "열이 나요. 재채기하고 기침해요. 많이 아파요." 의사 선생님이 말해요, "따뜻한 옷을 입어야 한다. 밖이 춥잖니. 이 약을 하루에 두 번 먹으렴. 따뜻한 수프를 먹고, 침대에 누워 있으렴." Alec은 집으로 가요. 그는 약을 먹어요. 그는 침대로 들어가요. 그는 두꺼운 담요 밑에 있어요. 가엾은 Alec!

7. What is Alec's problem?

(A) a hurt ear
(B) a bad tooth
(C) a sore throat
(D) a broken leg

해석 Alec의 문제는 무엇인가?

(A) 다친 귀
(B) 충치
(C) 아픈 목
(D) 부러진 다리

유형 세부 내용 파악

풀이 'He has a fever. He sneezes and coughs. He has a sore throat.'에서 Alec이 열이 나고 기침과 재채기를 하며 목이 아프다고 했으므로 (C)가 정답이다.

8. Why is Alec sick?

(A) dirty hands
(B) thin clothes
(C) a late bedtime
(D) too much ice cream

해석 Alec은 왜 아픈가?

(A) 더러운 손
(B) 얇은 옷
(C) 늦은 취침 시간
(D) 너무 많은 아이스크림

유형 세부 내용 파악

풀이 'It is cold outside. Does Alec wear warm clothes? No, he wears thin clothes. [...] So Alec gets sick.'에서 Alec이 추운 날씨에 따뜻한 옷이 아니라 얇은 옷을 입고 병이 났다는 사실을 알 수 있으므로 (B)가 정답이다. 원인과 결과를 나타낼 때 쓰는 접속사 'so'(그래서)의 쓰임새에 유의하자.

9. Where does Alec go on Thursday?

(A) to school
(B) to a market
(C) to the doctor
(D) to the dentist

해석 목요일에 Alec은 어디로 가는가?

(A) 학교로
(B) 시장으로
(C) 의사에게
(D) 치과 의사에게

유형 세부 내용 파악

풀이 'Today is Thursday. But Alec cannot go to school. He goes to the doctor.'에서 Alec이 목요일에 의사 선생님을 보러 간다는 것을 알 수 있으므로 (C)가 정답이다. (A)는 아파서 학교에 가지 못한다고 했으므로 오답이다.

10. What does Alec's doctor say?

(A) Go to school.
(B) Eat more salad.
(C) Wear warm clothes.
(D) Take medicine once a week.

해석 Alec의 의사는 무엇이라 말하는가?

(A) 학교에 가라.
(B) 샐러드를 더 먹어라.
(C) 따뜻한 옷을 입어라.
(D) 일주일에 한 번 약을 먹어라.

유형 세부 내용 파악

풀이 'The doctor says, "You have to wear warm clothes. It's cold outside. Take this medicine twice a day. Eat hot soup. Stay in bed."'에서 의사 선생님이 Alec에게 따뜻한 옷을 입으라고 했으므로 (C)가 정답이다. (D)는 하루에 두 번 약을 먹으라고 했으므로 오답이다.

Listening Practice ▶S1-10 p.92

Winter is coming soon. It is cold outside. Does Alec wear warm clothes? No, he wears thin clothes. And he has no hat on his head. So Alec gets sick. He has a fever. He sneezes and coughs. He has a sore throat. Today is Thursday. But Alec cannot go to school. He goes to the doctor. The doctor asks, "How do you feel?" Alec says, "I have a fever. I sneeze and cough. I feel very sick." The doctor says, "You have to wear warm clothes. It's cold outside. Take this medicine twice a day. Eat hot soup. Stay in bed." Alec goes home. He takes the medicine. He gets into bed. He stays under a thick blanket. Poor Alec!

1. fever
2. coughs
3. sore throat
4. sneeze

Writing Practice p.93

1. fever
2. cough
3. sneeze
4. sore throat

Summary

It is winter. Alec does not wear warm clothes. He gets sick. He sees a doctor. Alec takes medicine and goes to bed.

겨울이에요. Alec은 따뜻한 옷을 입지 않아요. 그는 병에 걸려요. 의사 선생님을 만나요. Alec은 약을 먹고 잠자리에 들어요.

Word Puzzle p.94

Q	H	F	N	Q	Z	C	E	U	Z	Q	A	U	Y	C
M	U	B	C	O	O	O	A	S	N	E	E	Z	E	S
O	G	U	U	S	M	U	B	N	A	A	O	S	C	I
N	A	Y	X	A	Z	G	X	H	O	Z	R	R	B	A
L	Q	U	H	A	V	H	F	Z	V	C	Q	N	T	E
F	P	I	I	C	J	G	J	P	C	Y	V	B	X	P
O	Y	Q	D	A	S	O	R	E	T	H	R	O	A	T
Y	I	A	M	J	S	H	W	J	I	Q	Z	M	I	Z
C	R	D	K	Z	Q	F	U	P	L	I	D	V	R	V
V	T	P	U	L	P	E	C	U	U	Q	F	B	H	O
A	U	X	B	E	Q	V	D	C	K	O	G	Q	Y	W
Z	L	Z	V	T	O	E	J	P	Y	I	M	T	U	Y
V	A	T	J	Y	T	R	I	S	B	S	D	R	I	R
Z	V	D	J	Z	D	L	V	P	W	K	P	S	U	E
I	B	N	P	N	J	Q	E	F	J	F	G	H	W	C

1. fever
2. cough
3. sneeze
4. sore throat

Unit 11 | Mr. Wind and Mr. Sun p.95

Part A. Sentence Completion p.97

1 (B) 2 (B)

Part B. Situational Writing p.97

3 (D) 4 (D)

Part C. Practical Reading and Retelling p.98

5 (C) 6 (B)

Part D. General Reading and Retelling p.99

7 (D) 8 (B) 9 (A) 10 (B)

Listening Practice p.100

1 fight 2 stronger
3 jacket 4 takes off

Writing Practice p.101

1 fight 2 jacket
3 strong 4 take off
Summary fight

Word Puzzle p.102

1 fight 2 jacket
3 strong 4 take off

Pre-reading Questions p.95

Who is stronger? Is it the sun? Or is it the wind?

누가 더 강한가요? 해인가요? 아니면 바람인가요?

Reading Passage p.96

Mr. Wind and Mr. Sun

Mr. Wind and Mr. Sun fight. Mr. Wind says, "I am stronger!" Mr. Sun says, "No! I am stronger!" They see a man. Mr. Wind says, "That man has a red jacket. Let's take off his jacket. Can I do it? Then I am the strongest. Can you do it? Then you are the strongest." Mr. Sun says, "Okay!" Mr. Wind tries first. He blows hard. But the man gets colder. He keeps his jacket on. Mr. Wind tries again. He blows harder. But the man keeps his jacket on. Mr. Wind gets angry. Now Mr. Sun tries. He starts to shine. The day gets warmer. Finally, the man takes off the jacket. Mr. Sun says, "You see? I am stronger than you."

바람 씨와 해 씨

바람 씨와 해 씨가 다투고 있어요. 바람 씨가 말해요, "내가 더 강해!" 해 씨가 말해요, "아니! 내가 더 강해!" 그들은 한 남자를 보아요. 바람 씨가 말해요, "저 남자는 빨간 재킷을 입고 있어. 그의 재킷을 벗기자. 내가 그걸 할 수 있을까? 그렇다면 내가 가장 강한 거야. 네가 그걸 할 수 있을까? 그러면 네가 가장 강한 거야." 해 씨가 말해요, "좋아!" 바람 씨가 먼저 시도해요. 그는 강하게 불어요. 하지만 남자는 더 추워져요. 그는 재킷을 계속 입고 있어요. 바람 씨가 다시 시도해요. 그는 더 강하게 불어요. 하지만 그는 재킷을 계속 입고 있어요. 바람 씨는 화가 나요. 이제 해 씨가 시도해요. 그는 (햇빛을) 비추기 시작해요. 날이 더 따뜻해져요. 마침내, 남자가 재킷을 벗어요. 해 씨가 말해요, "봤지? 내가 너보다 더 강해."

어휘 strong 강한, 힘센, 튼튼한 | stronger (비교급) 더 강한 | strongest (최상급) 가장 강한 | sun 해 | wind 바람 | try 시도하다 | again 다시 | socks 양말 | shoes 신발 | buy 사다 | slide 미끄러뜨리다 | put on 입다 | take off 벗다 | jacket 재킷 | blow (입으로/바람이) 불다 | cold 추운 | keep 유지하다 | angry 화난 | start 시작하다 | central 중앙의 | club 동아리 | library 도서관 | sticker 스티커 | pencil 연필 | free 공짜의, 무료의 | thick 두꺼운 | gym 체육관 | shop 가게 | store 가게 | fast 빠른 | big 큰 | kind 친절한 | coat 코트 | scarf 스카프 | jump 점프하다 | shine 비추다 | contest 대회, 경쟁

Comprehension Questions p.97

1. This is my plan.
   (A) I
   (B) my
   (C) me
   (D) mine

해석 이것이 나의 계획이다.
(A) 나는
(B) 나의
(C) 나를
(D) 나의 것

풀이 명사 'plan'을 수식하는 소유격이 들어가야 하므로 (B)가 정답이다.

2. He tries again.

(A) try
(B) tries
(C) to try
(D) trying

해석 그는 다시 시도해요.

(A) 시도하다
(B) 시도하다
(C) 시도하기
(D) 시도하기

풀이 문장을 완성할 수 있는 자동사이면서 3인칭 단수 주어 'He'와도 일치해야 하므로, 동사 원형에 '-(i)es'를 붙인 (B)가 정답이다.

새겨 두기 동사가 '-y'로 끝나는 경우 보통 's'가 아니라 'y'를 떼고 'ies'를 붙인다는 점에 유의한다.

관련 문장 Mr. Wind tries again.

3. He takes off his socks and shoes.

(A) buys
(B) slides
(C) puts on
(D) takes off

해석 그는 양말과 신발을 벗는다.

(A) 사다
(B) 미끄러뜨리다
(C) 입다
(D) 벗다

풀이 소년이 냄새 나는 신발과 양말을 벗고 있으므로 (D)가 정답이다.

관련 문장 Finally, the man takes off the jacket.

4. Our dad is strong.

(A) cold
(B) weak
(C) angry
(D) strong

해석 우리 아빠는 힘이 세다.

(A) 추운
(B) 약한
(C) 화난
(D) 힘센

풀이 두 팔로 아이 둘을 번쩍 들어 올리는 힘이 센 남성의 모습이므로 (D)가 정답이다.

관련 문장 I am stronger than you.

[5-6]

해석

더 튼튼한 생각을 지니세요!
무엇을: 중앙 독서 동아리
어디에서: 중앙 도서관
어떻게: 책 한 권을 읽어요.
도서관에서 스티커 한 장을 줘요.
스티커 20장을 받으세요. 그러고 나서 공짜 연필 한 자루를 받으세요!

5. What can you get in the club?

(A) 20 free pencils
(B) a thicker jacket
(C) a stronger mind
(D) 10 sticker books

해석 동아리에서 무엇을 얻을 수 있는가?

(A) 공짜 연필 20자루
(B) 더 두꺼운 재킷
(C) 더 튼튼한 생각
(D) 스티커 책 10권

풀이 'Get a stronger mind!'라는 문구를 통해 독서 동아리에서 책을 읽으며 더 튼튼한 생각을 기를 수 있다고 홍보하고 있으므로 (C)가 정답이다. (A)는 'Get 20 stickers. Then get one free pencil!'에서 스티커 20장을 모아야 공짜 연필 한 자루를 받을 수 있다고 했으므로 오답이다.

6. Where is the club?

(A) at a gym
(B) at a library
(C) at a sticker shop
(D) at a pencil store

해석 동아리는 어디에 있는가?

(A) 체육관에
(B) 도서관에
(C) 스티커 가게에
(D) 연필 가게에

풀이 'Where: Central Library'에서 동아리가 도서관에 있다는 것을 알 수 있으므로 (B)가 정답이다.

[7-10]

Mr. Wind and Mr. Sun fight. Mr. Wind says, "I am stronger!" Mr. Sun says, "No! I am stronger!" They see a man. Mr. Wind says, "That man has a red jacket. Let's take off his jacket. Can I do it? Then I am the strongest. Can you do it? Then you are the strongest." Mr. Sun says, "Okay!" Mr. Wind tries first. He blows hard. But the man gets colder. He keeps his jacket on. Mr. Wind tries again. He blows harder. But the man keeps his jacket on. Mr. Wind gets angry. Now Mr. Sun tries. He starts to shine. The day gets warmer. Finally, the man takes off the jacket. Mr. Sun says, "You see? I am stronger than you."

해석

바람 씨와 해 씨가 다투고 있어요. 바람 씨가 말해요, "내가 더 강해!" 해 씨가 말해요, "아니! 내가 더 강해!" 그들은 한 남자를 보아요. 바람 씨가 말해요, "저 남자는 빨간 재킷을 입고 있어. 그의 재킷을 벗기자. 내가 그걸 할 수 있을까? 그렇다면 내가 가장 강한 거야. 네가 그걸 할 수 있을까? 그러면 네가 가장 강한 거야." 해 씨가 말해요, "좋아!" 바람 씨가 먼저 시도해요. 그는 강하게 불어요. 하지만 남자는 더 추워져요. 그는 재킷을 계속 입고 있어요. 바람 씨가 다시 시도해요. 그는 더 강하게 불어요. 하지만 그는 재킷을 계속 입고 있어요. 바람 씨는 화가 나요. 이제 해 씨가 시도해요. 그는 (햇빛을) 비추기 시작해요. 날이 더 따뜻해져요. 마침내, 남자가 재킷을 벗어요. 해 씨가 말해요, "봤지? 내가 너보다 더 강해."

7. What is Mr. Wind's question?

(A) Who is faster?
(B) Who is bigger?
(C) Who is kinder?
(D) Who is stronger?

해석 바람 씨의 질문은 무엇인가?

(A) 누가 더 빠른가?
(B) 누가 더 큰가?
(C) 누가 더 친절한가?
(D) 누가 더 강한가?

유형 세부 내용 파악 & 추론하기

풀이 'Mr. Wind says, "That man has a red jacket. Let's take off his jacket. Can I do it? Then I am the strongest. [...]"'에서 바람 씨가 남자의 재킷을 벗기는 내기를 통해 누가 더 강한지 알아보자고 제안하고 있으므로 (D)가 정답이다.

새겨 두기 형용사에 '-er'를 붙여 '~보다 더 ~한'이라는 비교의 뜻을 나타낼 수 있다.

8. What is the man wearing?

(A) a blue hat
(B) a red jacket
(C) a green coat
(D) a purple scarf

해석 남자는 무엇을 입고 있는가?

(A) 파란색 모자
(B) 빨간색 재킷
(C) 초록색 코트
(D) 보라색 스카프

유형 세부 내용 파악

풀이 'That man has a red jacket.'에서 남자가 빨간색 재킷을 입고 있다는 사실을 알 수 있으므로 (B)가 정답이다.

9. What does Mr. Wind do?

(A) blow out air
(B) put on a hat
(C) take a jacket
(D) carry the man

해석 바람 씨는 무엇을 하는가?

(A) 바람 내뿜기
(B) 모자 쓰기
(C) 재킷 가져가기
(D) 남자 옮기기

유형 세부 내용 파악

풀이 'Mr. Wind tries first. He blows hard.'에서 바람 씨가 남자의 재킷을 벗기려고 바람을 강하게 분다는 것을 알 수 있으므로 (A)가 정답이다.

10. How does Mr. Sun win?

(A) He jumps.
(B) He shines.
(C) He gets cold.
(D) He blows hard.

해석 해 씨는 어떻게 이기는가?

(A) 그는 점프한다.
(B) 그는 (햇빛을) 비춘다.
(C) 그는 추워진다.
(D) 그는 세게 분다.

유형 세부 내용 파악

풀이 'Now Mr. Sun tries. He starts to shine. The day gets warmer. Finally, the man takes off the jacket.'에서 해 씨가 햇빛을 비추어 남자의 재킷을 벗기는 데 성공하여 내기에서 이겼음을 알 수 있다. 따라서 (B)가 정답이다.

Listening Practice

S1-11 p.100

Mr. Wind and Mr. Sun fight. Mr. Wind says, "I am stronger!" Mr. Sun says, "No! I am stronger!" They see a man. Mr. Wind says, "That man has a red jacket. Let's take off his jacket. Can I do it? Then I am the strongest. Can you do it? Then you are the strongest." Mr. Sun says, "Okay!" Mr. Wind tries first. He blows hard. But the man gets colder. He keeps his jacket on. Mr. Wind tries again. He blows harder. But the man keeps his jacket on. Mr. Wind gets angry. Now Mr. Sun tries. He starts to shine. The day gets warmer. Finally, the man takes off the jacket. Mr. Sun says, "You see? I am stronger than you."

1. fight
2. stronger
3. jacket
4. takes off

Writing Practice

p.101

1. fight
2. jacket
3. strong
4. take off

Summary

Mr. Wind and Mr. Sun fight. Who is stronger? They have a contest. Mr. Sun wins.

바람 씨와 해 씨가 다퉈요. 누가 더 강한가요? 그들은 대결을 해요. 해 씨가 이겨요.

Word Puzzle

p.102

C	A	P	T	B	B	G	A	P	M	N	L	T	K	E
P	G	Y	V	N	K	P	M	H	F	Z	F	X	Q	G
Z	O	M	A	X	V	G	P	V	U	Y	I	Y	V	M
U	W	A	U	I	Y	S	U	E	A	D	G	A	J	Z
P	W	K	B	D	J	T	U	Y	J	E	H	R	A	I
L	S	F	Y	Q	X	C	L	S	Q	X	T	Z	C	U
Z	T	O	O	W	H	P	X	B	P	N	R	Y	K	G
N	R	R	Y	I	O	T	D	D	E	O	L	C	E	E
R	O	O	V	P	I	B	P	Y	B	V	T	M	T	K
N	N	E	O	E	V	S	O	S	Y	X	A	S	M	I
R	G	V	W	K	P	D	T	E	U	O	K	Y	V	W
P	Q	H	G	K	X	J	W	G	L	G	E	I	P	L
V	P	N	Z	G	Y	O	G	J	Y	U	O	V	C	L
M	G	N	S	C	H	B	Y	E	X	M	F	Z	M	B
L	Q	Q	B	I	W	G	Y	E	H	K	F	S	P	Z

1. fight
2. jacket
3. strong
4. take off

Unit 12 | At the Theme Park p.103

Part A. Sentence Completion p.105

1 (B)　2 (B)

Part B. Situational Writing p.105

3 (A)　4 (B)

Part C. Practical Reading and Retelling p.106

5 (B)　6 (D)

Part D. General Reading and Retelling p.107

7 (C)　8 (D)　9 (A)　10 (A)

Listening Practice p.108

1 rides	2 scary
3 brave	4 front

Writing Practice p.109

1 ride	2 scary
3 front	4 brave

Summary theme park

Word Puzzle p.110

1 ride	2 scary
3 front	4 brave

Pre-reading Questions p.103

Do you like theme parks? Look at the picture.
Which rides are fun? Which rides are scary?

테마 파크를 좋아하나요? 그림을 보세요.
어떤 놀이 기구들이 재밌나요? 어떤 놀이 기구들이 무섭나요?

Reading Passage p.104

At the Theme Park

Why are Lucy and Mona excited? Today they have a school field trip! All the students are going to a theme park. It is the biggest one in Korea. There are many great rides. There are also some scary rides. But Lucy and Mona are brave. They are trying every ride. They run to the water ride. But the line is long. The friends wait for an hour. They get to the front of the line. But there is a problem. They cannot get on the ride. Why not? They are too short. The friends are sad. Where can they go? They can go on the teddy bear ride. It is not the water ride. It is not scary. But it is a long ride. And the teddy bear cars are cute. Lucy and Mona have fun.

테마 파크에서

Lucy와 Mona는 왜 신나있나요? 오늘 그들은 학교 현장 학습을 하러 가요! 모든 학생은 테마 파크로 가요. 그곳은 한국에서 가장 커다란 곳이에요. 그곳에는 많은 대단한 놀이 기구들이 있어요. 또한 몇몇 무서운 놀이 기구들도 있어요. 하지만 Lucy와 Mona는 용감해요. 그들은 모든 놀이 기구를 타 보아요. 그들은 물놀이 기구로 달려가요. 하지만 줄이 길어요. 두 친구는 한 시간 동안 기다려요. 그들은 줄 앞으로 가요. 하지만 문제가 하나 있어요. 그들은 그 놀이 기구를 탈 수 없어요. 왜 안 되나요? 그들은 키가 너무 작아요. 두 친구는 슬퍼요. 그들은 어디로 갈 수 있나요? 그들은 테디 베어 놀이 기구를 탈 수 있어요. 그것은 물놀이 기구가 아니에요. 그것은 무섭지 않아요. 하지만 긴 놀이 기구예요. 그리고 테디 베어 자동차들은 귀여워요. Lucy와 Mona는 재밌는 시간을 보내요.

어휘 theme 주제, 테마 | theme park 테마 파크 | scary 무서운 | ride 놀이 기구; 타다 | brave 용감한 | field trip 현장 학습, 견학 여행 | family 가족 | bicycle 자전거 | business 사업 | back 뒤 | front 앞 | bottom 아래 | middle 중간 | excited 신이 난 | every 모든 | run 달리다 | but 하지만, 그러나 | wait 기다리다 | hour 한 시간 | line 줄 | problem 문제 | short 키가 작은 | cute 귀여운 | robot 로봇 | modern 현대적인 | rainbow 무지개 | very 매우, 아주 | fight 싸움 | how to ~하는 법 | to ~로 | only 오직, ~만 | about ~에 관한 | long 긴 | close 닫다

Comprehension Questions

p.105

1. They are brave.
   (A) is
   (B) are
   (C) can
   (D) being

해석 그들은 용감하다.
(A) ~이다
(B) ~이다
(C) ~할 수 있다
(D) ~인 것

풀이 'brave'를 보어로 취하면서 3인칭 복수 주어 'They'와 어울려 쓸 수 있는 be 동사가 필요하다. 따라서 (B)가 정답이다.

관련 문장 But Lucy and Mona are brave.

2. There are many great rides.
   (A) ride
   (B) rides
   (C) a ride
   (D) our ride

해석 많은 훌륭한 놀이 기구들이 있다.
(A) 놀이 기구
(B) 놀이 기구들
(C) 놀이 기구 하나
(D) 우리의 놀이 기구

풀이 한정사 'many'가 수식할 수 있는 복수 명사가 들어가야 하므로 (B)가 정답이다. 여기서 'ride'가 '타다'라는 뜻의 동사가 아니라 '놀이 기구'라는 뜻의 명사로 쓰였다는 점에 유의한다.

관련 문장 There are many great rides.

3. The students are on a field trip.
   (A) field
   (B) family
   (C) bicycle
   (D) business

해석 학생들은 현장 학습 중이다.
(A) 현장
(B) 가족
(C) 자전거
(D) 사업

풀이 학생들이 줄지어 안내에 따라 현장 학습을 하러 가는 모습이므로 (A)가 정답이다.

관련 문장 Today they have a school field trip!

4. Ken's shirt is green. Ken is at the front of the line.
   (A) back
   (B) front
   (C) bottom
   (D) middle

해석 Ken의 셔츠는 초록색이다. Ken은 줄의 앞에 있다.
(A) 뒤
(B) 앞
(C) 아래
(D) 중간

풀이 초록색 셔츠를 입은 아이는 줄 앞에 있으므로 (B)가 정답이다.

관련 문장 They get to the front of the line.

[5-6]

Favorite Rides

Student	Ride	Why
Ben	Robot Ride	Modern!
Ara	Water Ride	Scary! I like scary rides.
Junho	Teddy Bear Ride	Cute!
Martin	Rainbow Ride	Many colors!

해석

좋아하는 놀이 기구

학생	놀이 기구	이유
Ben	로봇 기구	현대적이어서!
Ara	물놀이 기구	무서워서! 나는 무서운 놀이 기구가 좋다.
Junho	테디 베어 기구	귀여워서!
Martin	무지개 기구	색깔이 많아서!

5. Who likes scary rides?
   (A) Ben
   (B) Ara
   (C) Junho
   (D) Martin

해석 누가 무서운 놀이 기구들을 좋아하는가?
(A) Ben
(B) Ara
(C) Junho
(D) Martin

풀이 'Scary! I like scary rides'에서 Ara가 무서운 놀이 기구를 좋아한다는 것을 알 수 있으므로 (B)가 정답이다.

6. Why does Martin like the Rainbow Ride?

(A) It is very cute.
(B) It is very scary.
(C) It is very modern.
(D) It has many colors.

해석 Martin은 왜 무지개 기구를 좋아하는가?

(A) 매우 귀엽다.
(B) 매우 무섭다.
(C) 매우 현대적이다.
(D) 색깔이 많다.

풀이 'Many colors!'에서 Martin이 무지개 기구를 좋아하는 이유가 색깔이 많기 때문이라는 것을 알 수 있으므로 (D)가 정답이다.

[7-10]

Why are Lucy and Mona excited? Today they have a school field trip! All the students are going to a theme park. It is the biggest one in Korea. There are many great rides. There are also some scary rides. But Lucy and Mona are brave. They are trying every ride. They run to the water ride. But the line is long. The friends wait for an hour. They get to the front of the line. But there is a problem. They cannot get on the ride. Why not? They are too short. The friends are sad. Where can they go? They can go on the teddy bear ride. It is not the water ride. It is not scary. But it is a long ride. And the teddy bear cars are cute. Lucy and Mona have fun.

해석

Lucy와 Mona는 왜 신나있나요? 오늘 그들은 학교 현장 학습을 하러 가요! 모든 학생은 테마 파크로 가요. 그곳은 한국에서 가장 커다란 곳이에요. 그곳에는 많은 대단한 놀이 기구들이 있어요. 또한 몇몇 무서운 놀이 기구들도 있어요. 하지만 Lucy와 Mona는 용감해요. 그들은 모든 놀이 기구를 타 보아요. 그들은 물놀이 기구로 달려가요. 하지만 줄이 길어요. 두 친구는 한 시간 동안 기다려요. 그들은 줄 앞으로 가요. 하지만 문제가 하나 있어요. 그들은 그 놀이 기구를 탈 수 없어요. 왜 안 되나요? 그들은 키가 너무 작아요. 두 친구는 슬퍼요. 그들은 어디로 갈 수 있나요? 그들은 테디 베어 놀이 기구를 탈 수 있어요. 그것은 물놀이 기구가 아니에요. 그것은 무섭지 않아요. 하지만 긴 놀이 기구예요. 그리고 테디 베어 자동차들은 귀여워요. Lucy와 Mona는 재밌는 시간을 보내요.

7. What is the best title?

(A) Lucy's Big Fight
(B) How to Ride a Bike
(C) At the Theme Park
(D) Lucy and Mona in Class

해석 가장 알맞은 제목은 무엇인가?

(A) Lucy의 큰 싸움
(B) 자전거를 타는 법
(C) 테마 파크에서
(D) 수업 시간의 Lucy와 Mona

유형 전체 내용 파악

풀이 학교 현장 학습으로 테마 파크에 갔다는 중심 소재를 드러낸 뒤, Lucy와 Mona가 테마 파크에서 무엇을 했는지 설명하고 있다. 따라서 (C)가 정답이다.

8. Where are Lucy and Mona going today?

(A) to school
(B) to a museum
(C) to a water park
(D) to a theme park

해석 오늘 Lucy와 Mona는 어디로 가는가?

(A) 학교로
(B) 박물관으로
(C) 워터 파크로
(D) 테마 파크로

유형 세부 내용 파악

풀이 'Today they have a school field trip! All the students are going to a theme park.'에서 Lucy와 Mona를 비롯해 학생들이 현장 학습으로 테마 파크에 간다는 사실을 알 수 있으므로 (D)가 정답이다.

9. Who goes on the water ride?

(A) no one
(B) only Lucy
(C) Lucy and Mona
(D) Lucy, Mona, and their teacher

해석 누가 물 놀이 기구를 타는가?

(A) 아무도 (타지 않음)
(B) Lucy만
(C) Lucy와 Mona
(D) Lucy, Mona, 그리고 그들의 선생님

유형 세부 내용 파악

풀이 'They run to the water ride. [...] But there is a problem. They cannot get on the ride. Why not? They are too short.'에서 Lucy와 Mona 모두 키가 너무 작아서 물놀이 기구를 타지 못한다고 했으므로 (A)가 정답이다.

10. What is true about the teddy bear ride?

(A) It is long.
(B) It is short.
(C) It is scary.
(D) It is closed.

해석 테디 베어 놀이 기구에 관해 옳은 설명은 무엇인가?

(A) 길다.
(B) 짧다.
(C) 무섭다.
(D) 닫았다.

유형 세부 내용 파악

풀이 'They can go on the teddy bear ride. [...] It is not scary. But it is a long ride. And the teddy bear cars are cute.'에서 테디 베어 놀이 기구가 길이가 긴 놀이 기구라고 했으므로 (A)가 정답이다. (C)는 무섭지 않다고 했으므로 오답이다. (D)는 Lucy와 Mona가 테디 베어 놀이 기구를 탄다는 것은 기구를 닫지 않고 운행한다는 의미이므로 오답이다.

Listening Practice

S1-12 p.108

Why are Lucy and Mona excited? Today they have a school field trip! All the students are going to a theme park. It is the biggest one in Korea. There are many great rides. There are also some scary rides. But Lucy and Mona are brave. They are trying every ride. They run to the water ride. But the line is long. The friends wait for an hour. They get to the front of the line. But there is a problem. They cannot get on the ride. Why not? They are too short. The friends are sad. Where can they go? They can go on the teddy bear ride. It is not the water ride. It is not scary. But it is a long ride. And the teddy bear cars are cute. Lucy and Mona have fun.

1. rides
2. scary
3. brave
4. front

Writing Practice

p.109

1. ride
2. scary
3. front
4. brave

Summary

Lucy and Mona go to a theme park. They cannot get on the water ride. But they can go on the teddy bear ride. They have fun.

Lucy와 Mona는 테마 파크에 가요. 그들은 물놀이 기구를 탈 수 없어요. 하지만 그들은 테디 베어 기구를 탈 수 있어요. 그들은 즐거운 시간을 보내요.

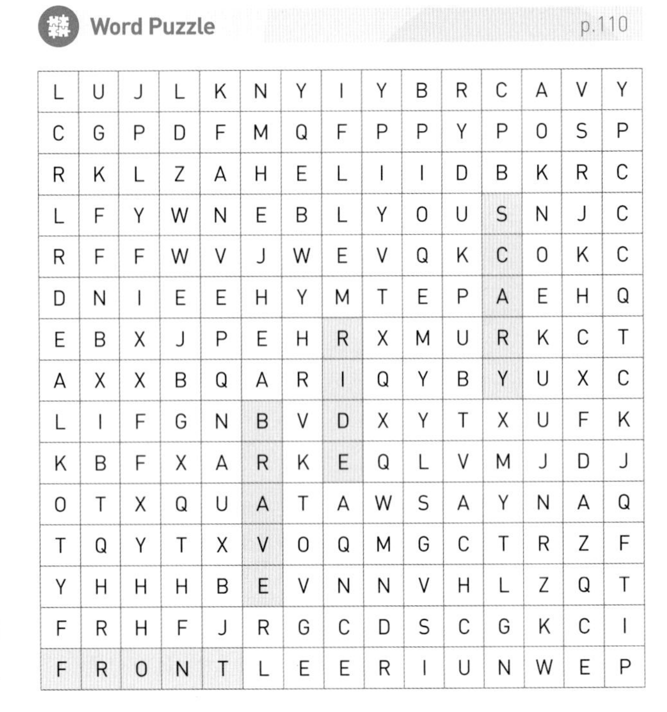

Word Puzzle

p.110

L	U	J	L	K	N	Y	I	Y	B	R	C	A	V	Y
C	G	P	D	F	M	Q	F	P	P	Y	P	O	S	P
R	K	L	Z	A	H	E	L	I	I	D	B	K	R	C
L	F	Y	W	N	E	B	L	Y	O	U	S	N	J	C
R	F	F	W	V	J	W	E	V	Q	K	C	O	K	C
D	N	I	E	E	H	Y	M	T	E	P	A	E	H	Q
E	B	X	J	P	E	H	R	X	M	U	R	K	C	T
A	X	X	B	Q	A	R	I	Q	Y	B	Y	U	X	C
L	I	F	G	N	B	V	D	X	Y	T	X	U	F	K
K	B	F	X	A	R	K	E	Q	L	V	M	J	D	J
O	T	X	Q	U	A	T	A	W	S	A	Y	N	A	Q
T	Q	Y	T	X	V	O	Q	M	G	C	T	R	Z	F
Y	H	H	H	B	E	V	N	N	V	H	L	Z	Q	T
F	R	H	F	J	R	G	C	D	S	C	G	K	C	I
F	R	O	N	T	L	E	E	R	I	U	N	W	E	P

1. ride
2. scary
3. front
4. brave

Chapter Review

p.111

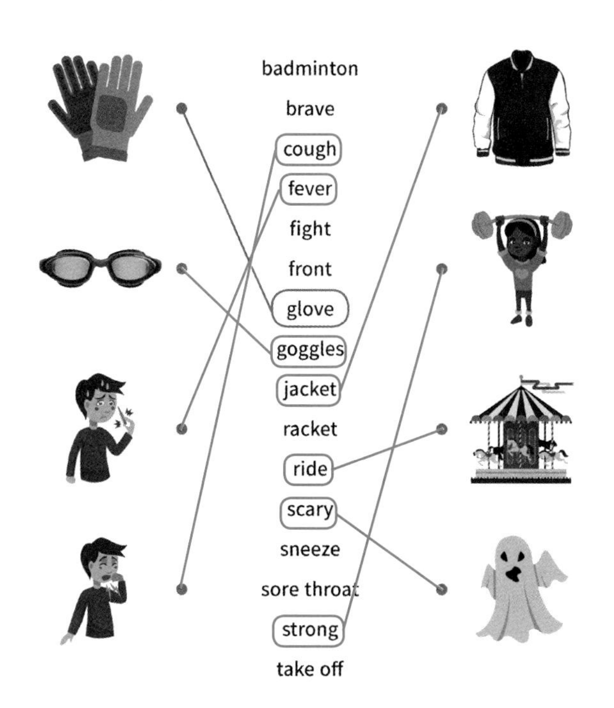

※ 학생의 생각에 따라 다양한 정답이 가능할 수 있습니다.

MEMO

MEMO

MEMO

TOSEL® Reading
Starter Book 2

Starter Book 2

ANSWERS

CHAPTER 1 | Daily Life

p.10

Unit										
UNIT 1	1 (D)	2 (C)	3 (D)	4 (A)	5 (B)	6 (D)	7 (D)	8 (C)	9 (A)	10 (B)
S2-1	1 downtown		2 action		3 leave		4 arrive			
p.11	1 downtown		2 action movie		3 leave		4 arrive		movie theater	
	1 downtown		2 action movie		3 leave		4 arrive			
UNIT 2	1 (B)	2 (B)	3 (C)	4 (D)	5 (A)	6 (C)	7 (A)	8 (A)	9 (A)	10 (D)
S2-2	1 makes		2 washes		3 dressed		4 snack			
p.19	1 make the bed		2 wash your face		3 get dressed		4 make a snack		Every day	
	1 make the bed		2 wash your face		3 get dressed		4 make a snack			
UNIT 3	1 (A)	2 (A)	3 (D)	4 (A)	5 (C)	6 (D)	7 (D)	8 (A)	9 (D)	10 (B)
S2-3	1 fresh		2 closet		3 bookshelf		4 mops			
p.27	1 fresh		2 closet		3 bookshelf		4 mop		closet	
	1 fresh		2 closet		3 bookshelf		4 mop			
UNIT 4	1 (A)	2 (A)	3 (C)	4 (C)	5 (D)	6 (B)	7 (A)	8 (D)	9 (A)	10 (B)
S2-4	1 pack		2 arrives		3 chimney		4 great			
p.35	1 pack		2 arrive at		3 chimney		4 have a great time		trip	
	1 pack		2 arrive at		3 chimney		4 have a great time			

CHAPTER 2 | House

p.44

Unit										
UNIT 5	1 (D)	2 (D)	3 (C)	4 (A)	5 (A)	6 (B)	7 (B)	8 (D)	9 (C)	10 (C)
S2-5	1 country		2 yard		3 windows		4 carpet			
p.45	1 country		2 yard		3 carpet		4 window		dream	
	1 country		2 yard		3 carpet		4 window			
UNIT 6	1 (A)	2 (C)	3 (D)	4 (C)	5 (A)	6 (C)	7 (B)	8 (A)	9 (C)	10 (B)
S2-6	1 chairs		2 bookshelf		3 across		4 stove			
p.53	1 chair		2 bookshelf		3 across from		4 stove		chairs	
	1 chair		2 bookshelf		3 across from		4 stove			
UNIT 7	1 (D)	2 (B)	3 (C)	4 (C)	5 (A)	6 (C)	7 (B)	8 (C)	9 (B)	10 (A)
S2-7	1 special		2 earphones		3 picture		4 diary			
p.61	1 earphones		2 special		3 picture		4 diary		special	
	1 earphones		2 special		3 picture		4 diary			
UNIT 8	1 (D)	2 (D)	3 (D)	4 (B)	5 (B)	6 (A)	7 (D)	8 (D)	9 (B)	10 (C)
S2-8	1 beach		2 forest		3 water		4 inside			
p.69	1 beach		2 forest		3 water park		4 inside		summer vacation	
	1 beach		2 forest		3 water park		4 inside			

CHAPTER 3 | Family Occasion

p.78

Unit										
UNIT 9	1 (A)	2 (A)	3 (B)	4 (C)	5 (A)	6 (B)	7 (B)	8 (A)	9 (C)	10 (C)
S2-9	1 carrot		2 candles		3 flames		4 delicious			
p.79	1 carrot		2 candle		3 flame		4 delicious		candles	
	1 carrot		2 candle		3 flame		4 delicious			
UNIT 10	1 (A)	2 (C)	3 (C)	4 (D)	5 (D)	6 (B)	7 (D)	8 (C)	9 (B)	10 (B)
S2-10	1 Noddles		2 eat out		3 healthy		4 order			
p.87	1 noodle		2 eat out		3 healthy		4 order		eat out	
	1 noodle		2 eat out		3 healthy		4 order			
UNIT 11	1 (A)	2 (C)	3 (B)	4 (D)	5 (A)	6 (C)	7 (B)	8 (C)	9 (C)	10 (A)
S2-11	1 village		2 floors		3 cousins		4 noisy			
p.95	1 village		2 floor		3 cousin		4 noisy		floor	
	1 village		2 floor		3 cousin		4 noisy			
UNIT 12	1 (C)	2 (C)	3 (B)	4 (C)	5 (C)	6 (D)	7 (B)	8 (D)	9 (A)	10 (D)
S2-12	1 wedding		2 suits		3 shiny		4 clap			
p.103	1 wedding		2 suit		3 shiny		4 clap		wedding	
	1 wedding		2 suit		3 shiny		4 clap			

Chapter 1. **Daily Life**

Unit 1 | Going to the Movies				p.11
Part A. Sentence Completion				p.13
1 (D)	2 (C)			
Part B. Situational Writing				p.13
3 (D)	4 (A)			
Part C. Practical Reading and Retelling				p.14
5 (B)	6 (D)			
Part D. General Reading and Retelling				p.15
7 (D)	8 (C)	9 (A)	10 (B)	
Listening Practice				p.16
1 downtown	2 action			
3 leave	4 arrive			
Writing Practice				p.17
1 downtown	2 action movie			
3 leave	4 arrive			
Summary movie theater				
Word Puzzle				p.18
1 downtown	2 action movie			
3 leave	4 arrive			

Pre-reading Questions p.11

What is your favorite movie?
When do you watch movies?

특히 좋아하는 영화는 무엇인가요?
언제 영화를 보나요?

Reading Passage p.12

Going to the Movies

What do Ben and Riku like to do? They like to watch movies. What are they doing tonight? They want to go to a new movie theater. It is in the downtown area. The movie is an action movie. They love action movies. What time does the movie start? It starts at 7:45. So Ben and Riku have to be there by 7:30. But the theater is far. Ben and Riku need one hour to get there. They are taking the subway. First, Riku has to leave his house. He has to leave at 6:00. He has to arrive at Ben's house at 6:30. Then, they can go to the movie theater together.

영화 보러 가기

Ben과 Riku는 무얼 하기를 좋아하나요? 그들은 영화 보는 것을 좋아해요. 그들은 오늘 밤 무엇을 하나요? 그들은 새 영화관에 가고 싶어요. 그곳은 시내에 있어요. 영화는 액션 영화예요. 그들은 액션 영화를 아주 좋아해요. 영화는 몇 시에 시작하나요? 7시 45분에 시작해요. 그래서 Ben과 Riku는 거기에 7시 30분까지 가야 해요. 하지만 극장은 멀어요. Ben과 Riku는 거기에 가려면 한 시간이 필요해요. 그들은 지하철을 타요. 먼저, Riku는 그의 집을 나서야 해요. 그는 6시에 나서야 해요. 그는 Ben의 집에 6시 30분에 도착해야 해요. 그런 다음, 그들은 영화관에 함께 갈 수 있어요.

어휘 what 무엇 | favorite 특히 (매우, 아주) 좋아하는 | when 언제 | watch 보다 | can ~할 수 있다 | far 멀리 | theater 극장 | of ~의 | into ~ 안으로 | from ~로부터 | away 떨어져 | downtown 시내에 | forest 숲 | beach 해변 | village 마을 | leave (사람, 장소 등에서) 떠나다[출발하다] | paint 칠하다 | build 짓다 | clean 청소하다 | tonight 오늘 밤 | by ~까지는; ~ 옆에 | need 필요하다 | subway 지하철 | arrive (at) (~에) 도착하다 | together 함께 | plan 계획 | soccer 축구 | scary 무서운

Comprehension Questions p.13

1. When does the movie start?
   (A) Is
   (B) Can
   (C) Who
   (D) When

해석 영화는 언제 시작하니?
(A) ~이다
(B) ~할 수 있다
(C) 누가
(D) 언제

풀이 빈칸에는 의문사가 들어갈 수 있다. 빈칸 뒤 'does the movie start?'가 완전한 문장이기 때문에 'when'이나 'how'와 같은 의문 부사가 들어갈 수 있다. 따라서 (D)가 정답이다. (C)는 'Who loves the movie?' 등과 같이 의문사 뒤 구문이 불완전한 문장일 때 사용하는 의문대명사이므로 오답이다.

관련 문장 What time does the movie start?

2. My home is far from the theater.

(A) of
(B) into
(C) from
(D) away

해석 내 집은 극장으로부터 멀다.

(A) ~의
(B) ~ 안으로
(C) ~로부터
(D) 떨어져

풀이 빈칸에는 명사 'the theater' 앞에 올 수 있는 전치사가 들어갈 수 있다. '~에서'를 뜻하는 전치사 'from'은 'far'와 함께 'far from'(~에서 멀리 떨어진)이라는 표현으로 자주 쓰이므로 (C)가 정답이다. (D)는 'away'가 명사 바로 앞에서 쓰이면 어색하므로 오답이다. 'far away from'과 같은 표현이 되어야만 올바른 문장이 될 수 있다는 점에 유의한다.

관련 문장 But the theater is far.

3. There is a theater in the downtown area.

(A) in a forest
(B) at the beach
(C) in my village
(D) in the downtown area

해석 시내에 극장이 하나 있다.

(A) 숲속에
(B) 해변에
(C) 나의 마을에
(D) 시내에

풀이 높은 건물들이 빽빽이 들어서 있는 도심지의 모습이다. 따라서 (D)가 정답이다.

관련 문장 It is in the downtown area.

4. He is leaving his house.

(A) leaving
(B) painting
(C) building
(D) cleaning

해석 그는 그의 집을 나서고 있다.

(A) 나서는
(B) 칠하는
(C) 짓는
(D) 청소하는

풀이 소년이 집에서 나와 길을 나서고 있는 모습이므로 '(~을) 나서는, (~에서) 떠나는 (중인)'을 뜻하는 (A)가 정답이다.

관련 문장 First, Riku has to leave his house.

[5-6]

Field Trip Plan

8:30 AM	We leave the school.
9:00 AM	We arrive at the beach.
9:00 - 10:00 AM	We walk on the beach.
10:00 AM	We leave the beach.
10:30 AM	We arrive back at the school.

해석

현장 학습 계획	
오전 8시 30분	우리는 학교를 떠난다.
오전 9시	우리는 해변에 도착한다.
오전 9시 - 10시	우리는 해변을 걷는다.
오전 10시	우리는 해변을 떠난다.
오전 10시 30분	우리는 다시 학교에 도착한다.

5. When do we arrive at the beach?

(A) 8:30 AM
(B) 9:00 AM
(C) 9:30 AM
(D) 10:00 AM

해석 우리는 언제 해변에 도착하는가?

(A) 오전 8시 30분
(B) 오전 9시
(C) 오전 9시 30분
(D) 오전 10시

풀이 오전 9시에 해변에 도착한다고('We arrive at the beach.') 나와 있으므로 (B)가 정답이다.

6. How long are we at the beach?

(A) 30 minutes
(B) 40 minutes
(C) 50 minutes
(D) 60 minutes

해석 우리는 해변에 얼마나 오래 있는가?

(A) 30분
(B) 40분
(C) 50분
(D) 60분

풀이 오전 9시에 해변에 도착해서 오전 10시에 해변을 떠나므로 (D)가 정답이다.

[7-10]

What do Ben and Riku like to do? They like to watch movies. What are they doing tonight? They want to go to a new movie theater. It is in the downtown area. The movie is an action movie. They love action movies. What time does the movie start? It starts at 7:45. So Ben and Riku have to be there by 7:30. But the theater is far. Ben and Riku need one hour to get there. They are taking the subway. First, Riku has to leave his house. He has to leave at 6:00. He has to arrive at Ben's house at 6:30. Then, they can go to the movie theater together.

해석

Ben과 Riku는 무얼 하기를 좋아하나요? 그들은 영화 보는 것을 좋아해요. 그들은 오늘 밤 무엇을 하나요? 그들은 새 영화관에 가고 싶어요. 그곳은 시내에 있어요. 영화는 액션 영화예요. 그들은 액션 영화를 아주 좋아해요. 영화는 몇 시에 시작하나요? 7시 45분에 시작해요. 그래서 Ben과 Riku는 거기에 7시 30분까지 가야 해요. 하지만 극장은 멀어요. Ben과 Riku는 거기에 가려면 한 시간이 필요해요. 그들은 지하철을 타요. 먼저, Riku는 그의 집을 나서야 해요. 그는 6시에 나서야 해요. 그는 Ben의 집에 6시 30분에 도착해야 해요. 그런 다음, 그들은 영화관에 함께 갈 수 있어요.

7. What is the best title?

(A) Ben's Party
(B) Ben Plays Soccer
(C) Ben and Riku Shop
(D) Ben and Riku Go to the Movies

해석 가장 알맞은 제목은 무엇인가?

(A) Ben의 파티
(B) Ben이 축구를 하다
(C) Ben과 Riku가 쇼핑하다
(D) Ben과 Riku가 영화 보러 가다

유형 전체 내용 파악

풀이 액션 영화를 좋아하는 Ben과 Riku가 영화를 보러 극장에 가는 과정을 서술하는 글이므로 (D)가 정답이다.

8. What kind of movies do Ben and Riku like?

(A) sad movies
(B) scary movies
(C) action movies
(D) music movies

해석 Ben과 Riku는 어떤 종류의 영화를 좋아하는가?

(A) 슬픈 영화
(B) 무서운 영화
(C) 액션 영화
(D) 음악 영화

유형 세부 내용 파악

풀이 'They love action movies.'에서 두 사람이 액션 영화를 좋아한다고 했으므로 (C)가 정답이다.

9. What time does Riku leave his house?

(A) 6:00
(B) 6:30
(C) 7:00
(D) 7:45

해석 Riku는 몇 시에 자기 집을 나서는가?

(A) 6시
(B) 6시 30분
(C) 7시
(D) 7시 45분

유형 세부 내용 파악

풀이 'First, Riku has to leave his house. He has to leave at 6:00.'에서 Riku가 6시에 자기 집을 나서야 한다고 했으므로 (A)가 정답이다.

10. What happens first?

(A) The movie starts.
(B) Riku arrives at Ben's house.
(C) Ben and Riku leave Ben's house.
(D) Ben and Riku arrive at the theater.

해석 무엇이 먼저 일어나는가?

(A) 영화가 시작한다.
(B) Riku가 Ben의 집에 도착한다.
(C) Ben과 Riku가 Ben의 집을 나선다.
(D) Ben과 Riku가 극장에 도착한다.

유형 세부 내용 파악 & 추론하기

풀이 본문에 따라 선택지를 시간순으로 나열하면 (B) → (C) → (D) → (A)가 된다. 따라서 (B)가 정답이다.

Listening Practice

S2-1 p.16

What do Ben and Riku like to do? They like to watch movies. What are they doing tonight? They want to go to a new movie theater. It is in the downtown area. The movie is an action movie. They love action movies. What time does the movie start? It starts at 7:45. So Ben and Riku have to be there by 7:30. But the theater is far. Ben and Riku need one hour to get there. They are taking the subway. First, Riku has to leave his house. He has to leave at 6:00. He has to arrive at Ben's house at 6:30. Then, they can go to the movie theater together.

1. downtown
2. action
3. leave
4. arrive

Writing Practice p.17

1. downtown
2. action movie
3. leave
4. arrive

Summary

Ben and Riku are going to a new <u>movie theater</u> in the downtown area. They are going to watch an action movie. The theater is far. They are taking the subway.

Ben과 Riku는 시내에 있는 새로운 <u>영화관</u>에 갈 거예요. 그들은 액션 영화를 볼 거예요. 극장은 멀어요. 그들은 지하철을 타요.

Word Puzzle p.18

Y	Z	D	U	B	O	I	K	P	I	I	D	I	G	I
R	D	D	A	G	X	F	M	A	Y	T	R	W	G	P
Y	M	X	X	F	V	O	D	O	W	N	T	O	W	N
U	X	O	A	B	U	B	E	I	X	C	H	W	Z	T
Y	B	L	R	G	W	O	R	W	A	R	Z	G	U	J
X	U	O	R	D	C	D	D	B	C	Q	L	W	Y	B
X	L	P	I	J	V	F	J	A	T	Q	Y	W	Y	G
A	Q	S	V	U	G	Y	F	F	I	T	R	Q	I	I
Y	F	V	E	O	M	U	Q	L	O	X	D	M	T	C
V	E	A	E	B	F	I	O	W	N	M	G	H	J	L
S	Z	G	K	D	S	N	Y	S	M	Z	L	H	F	P
G	G	K	C	N	Q	P	E	K	O	S	E	Y	N	J
D	J	H	Z	A	D	N	D	F	V	H	A	P	W	C
Y	I	M	Q	K	K	S	D	W	I	L	V	V	T	E
T	S	Z	E	P	N	J	P	K	E	S	E	Q	Z	R

1. downtown
2. action movie
3. leave
4. arrive

Unit 2 | Tina's Day p.19

Part A. Sentence Completion p.21

1 (B) 2 (B)

Part B. Situational Writing p.21

3 (C) 4 (D)

Part C. Practical Reading and Retelling p.22

5 (A) 6 (C)

Part D. General Reading and Retelling p.23

7 (A) 8 (A) 9 (A) 10 (D)

Listening Practice p.24

1 makes 2 washes
3 dressed 4 snack

Writing Practice p.25

1 make the bed 2 wash your face
3 get dressed 4 make a snack
Summary Every day

Word Puzzle p.26

1 make the bed 2 wash your face
3 get dressed 4 make a snack

Pre-reading Questions p.19

What time do you go to school? Draw the time.
What time do you get home from school?
Draw the time.

언제 학교에 가나요? 시간을 그려보세요.
학교에서 집으로 몇 시에 오나요?
시간을 그려보세요.

 Reading Passage p.20

Tina's Day

What does Tina do every day? First, she wakes up. Then she makes her bed. After that, she goes into the bathroom. In the bathroom, she washes her face and hands. Her parents are waiting in the kitchen. Tina goes to the kitchen. She has breakfast. Then, she gets dressed and goes to school. At school, she studies many subjects. Then it is time for lunch. After lunch, she takes a short nap. Then she studies some more. Finally, she walks home. At home, her dad is in the kitchen. Tina says, "I am hungry!" Tina and her dad make a snack. Then it is time to read.

Tina의 하루

Tina는 매일 무엇을 하나요? 먼저, 그녀는 일어나요. 그리고 잠자리를 정리해요. 그 후에, 그녀는 화장실로 들어가요. 화장실에서, 그녀는 얼굴과 손을 씻어요. 그녀의 부모님은 부엌에서 기다리고 있어요. Tina는 부엌으로 가요. 그녀는 아침을 먹어요. 그런 다음, 그녀는 옷을 갈아입고 학교로 가요. 학교에서, 그녀는 많은 과목을 공부해요. 그러고 나면 점심시간이에요. 점심 식사 후에, 그녀는 짧은 낮잠을 자요. 그런 다음 그녀는 좀 더 공부해요. 마침내, 그녀는 집으로 가요. 집에서, 그녀의 아빠는 부엌에 있어요. Tina가 말해요, "저 배고파요!" Tina와 그녀의 아버지는 간식을 만들어요. 그 다음엔 읽기 시간이에요.

어휘 what 무엇 | draw 그리다 | wake up 일어나다 | early 일찍 | cook 요리하다 | brush 닦다 | brush teeth 양치질하다, 이를 닦다 | kitchen 부엌, 주방 | bedroom 침실 | bathroom 화장실 | dining room 식당 | nap 낮잠 | rest 휴식 | party 파티 | snack 간식 | first 먼저; 첫째의 | wash 씻다 | parent 부모 | wait 기다리다 | breakfast 아침 | dress 옷을 입다; 드레스 | study 공부하다 | many 많은 | subject 과목 | lunch 점심 | short 짧은 | read 읽다 | exercise 운동하다 | meet 만나다 | living room 거실 | gym 체육관 | get ready for ~할 준비를 하다

Comprehension Questions p.21

1. She wakes up early.
   (A) wake
   (B) wakes
   (C) is wake
   (D) waking

해석 그녀는 일찍 일어난다.
(A) 일어나다
(B) 일어나다
(C) 어색한 표현
(D) 일어나는 (중인)

풀이 빈칸에는 문장을 완성할 수 있는 자동사가 들어가야 하며, 주어가 3인칭 단수 'She'이므로 동사 원형 'wake'에 '-s'를 붙인 (B)가 정답이다.

관련 문장 First, she wakes up.

2. She cooks with her dad.
   (A) he
   (B) her
   (C) him
   (D) she

해석 그녀는 그녀의 아빠와 함께 요리한다.
(A) 그는
(B) 그녀의
(C) 그를
(D) 그녀는

풀이 빈칸에는 명사 'dad'를 꾸며줄 수 있는 (인칭 대명사의) 소유격이 들어갈 수 있으므로 (B)가 정답이다.

관련 문장 Tina and her dad make a snack.

3. You should brush your teeth in the bathroom.
   (A) kitchen
   (B) bedroom
   (C) bathroom
   (D) dining room

해석 너는 화장실에서 양치질을 해야 한다.
(A) 주방
(B) 침실
(C) 화장실
(D) 식당

풀이 세면대, 욕조, 변기 등이 있는 화장실의 모습이므로 (C)가 정답이다.

관련 문장 In the bathroom, she washes her face and hands.

4. He is having a snack.
   (A) nap
   (B) rest
   (C) party
   (D) snack

해석 그는 간식을 먹고 있다.
(A) 낮잠
(B) 휴식
(C) 파티
(D) 간식

풀이 감자튀김을 먹고 있는 남자의 모습이다. 감자튀김은 간식이므로 (D)가 정답이다.

관련 문장 Tina and her dad make a snack.

[5-6]

해석

Marco의 여름 방학	
오전 8시 - 오전 9시	운동하기
오전 9시 - 오전 10시	아침 먹기
오전 10시 - 오후 12시	책 읽기
오후 12시 - 오후 1시	낮잠 자기
오후 1시 - 오후 2시	점심 먹기
오후 2시 - 오후 6시	밖에서 놀기

5. What does Marco do before breakfast?

(A) exercise
(B) take a nap
(C) read books
(D) meet friends

해석 Marco는 아침 식사 전에 무엇을 하는가?

(A) 운동하기
(B) 낮잠 자기
(C) 책 읽기
(D) 친구 만나기

풀이 아침을 먹기 전에 운동한다고 나와 있으므로 (A)가 정답이다. (B)와 (C)는 아침을 먹고 난 뒤 하는 일과이므로 오답이다.

6. When does Marco have lunch?

(A) noon
(B) 12:30 PM
(C) 1:00 PM
(D) 2:30 PM

해석 Marco는 언제 점심을 먹는가?

(A) 정오
(B) 오후 12시 30분
(C) 오후 1시
(D) 오후 2시 30분

풀이 오후 1시부터 오후 2시까지 점심을 먹는다('Have lunch')고 나와 있으므로 (C)가 정답이다.

[7-10]

What does Tina do every day? First, she wakes up. Then she makes her bed. After that, she goes into the bathroom. In the bathroom, she washes her face and hands. Her parents are waiting in the kitchen. Tina goes to the kitchen. She has breakfast. Then, she gets dressed and goes to school. At school, she studies many subjects. Then it is time for lunch. After lunch, she takes a short nap. Then she studies some more. Finally, she walks home. At home, her dad is in the kitchen. Tina says, "I am hungry!" Tina and her dad make a snack. Then it is time to read.

해석

Tina는 매일 무엇을 하나요? 먼저, 그녀는 일어나요. 그리고 잠자리를 정리해요. 그 후에, 그녀는 화장실로 들어가요. 화장실에서, 그녀는 얼굴과 손을 씻어요. 그녀의 부모님은 부엌에서 기다리고 있어요. Tina는 부엌으로 가요. 그녀는 아침을 먹어요. 그런 다음, 그녀는 옷을 갈아입고 학교로 가요. 학교에서, 그녀는 많은 과목을 공부해요. 그러고 나면 점심시간이에요. 점심 식사 후에, 그녀는 짧은 낮잠을 자요. 그런 다음 그녀는 좀 더 공부해요. 마침내, 그녀는 집으로 가요. 집에서, 그녀의 아빠는 부엌에 있어요. Tina가 말해요, "저 배고파요!" Tina와 그녀의 아버지는 간식을 만들어요. 그러면 읽기 시간이에요.

7. What is the best title?

(A) Tina's Day
(B) Tina's Toys
(C) Tina's School
(D) Tina's Parents

해석 가장 알맞은 제목은 무엇인가?

(A) Tina의 하루
(B) Tina의 장난감들
(C) Tina의 학교
(D) Tina의 부모님

유형 전체 내용 파악

풀이 첫 문장 'What does Tina do every day?'에서부터 Tina의 일상이라는 중심 소재가 드러나고 있다. 이어서 Tina가 아침에, 학교에서, 그리고 집에 돌아와서 무엇을 하는지 시간순으로 설명하고 있는 글이므로 (A)가 정답이다. (C)와 (D)는 전체 내용이 아니라 글의 일부만을 반영하는 제목이므로 오답이다.

8. What does Tina NOT do every day?

(A) ride a bike
(B) walk home
(C) wash her face
(D) make a snack

해석 Tina가 매일 하지 않는 것은 무엇인가?

(A) 자전거 타기
(B) 집에 걸어가기
(C) 얼굴 씻기
(D) 간식 만들기

유형 세부 내용 파악

풀이 Tina가 매일 자전거를 탄다는 것은 언급되지 않았으므로 (A)가 정답이다. (B)는 'Finally, she walks home', (C)는 'In the bathroom, she washes her face and hands.', (D)는 'Tina and her dad make a snack.'에서 확인할 수 있으므로 오답이다.

9. Where are Tina's parents in the morning?

(A) in the kitchen
(B) in the bathroom
(C) in the living room
(D) in the dining room

해석 Tina의 부모님은 아침에 어디에 있는가?

(A) 주방에
(B) 욕실에
(C) 거실에
(D) 식당에

유형 세부 내용 파악

풀이 'Her parents are waiting in the kitchen.'에서 Tina의 부모님이 아침에 주방에 있다는 것을 알 수 있으므로 (A)가 정답이다.

10. What does Tina do at school?

(A) eat snacks
(B) run in the gym
(C) help the teacher
(D) study many subjects

해석 Tina는 학교에서 무엇을 하는가?

(A) 간식 먹기
(B) 체육관에서 달리기
(C) 선생님 돕기
(D) 많은 과목 공부하기

유형 세부 내용 파악

풀이 'At school, she studies many subjects.'에서 Tina가 학교에서 여러 과목을 공부한다고 했으므로 (D)가 정답이다.

Listening Practice  S2-2 p.24

What does Tina do every day? First, she wakes up. Then she <u>makes</u> her bed. After that, she goes into the bathroom. In the bathroom, she <u>washes</u> her face and hands. Her parents are waiting in the kitchen. Tina goes to the kitchen. She has breakfast. Then, she gets <u>dressed</u> and goes to school. At school, she studies many subjects. Then it is time for lunch. After lunch, she takes a short nap. Then she studies some more. Finally, she walks home. At home, her dad is in the kitchen. Tina says, "I am hungry!" Tina and her dad make a <u>snack</u>. Then it is time to read.

1. makes
2. washes
3. dressed
4. snack

 Writing Practice p.25

1. make the bed
2. wash your face
3. get dressed
4. make a snack

Summary

<u>Every day</u>, Tina wakes up, gets ready for school, and has breakfast. At school, she studies and has lunch. She walks home. Her dad makes a snack.

<u>매일</u>, Tina는 일어나서, 학교 갈 준비를 하고, 아침을 먹어요. 학교에서, 그녀는 공부하고 점심을 먹어요. 그녀는 걸어서 집에 와요. 그녀의 아버지가 간식을 만들어요.

Word Puzzle p.26

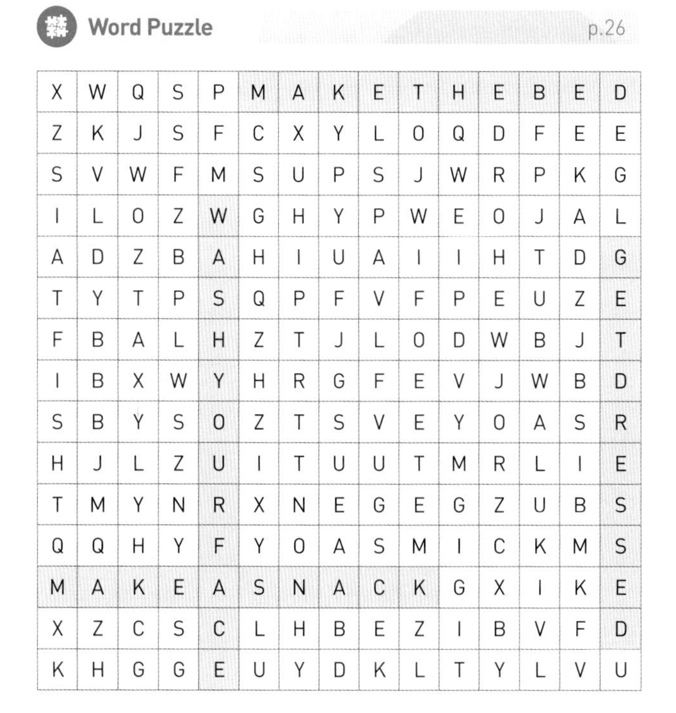

X	W	Q	S	P	M	A	K	E	T	H	E	B	E	D
Z	K	J	S	F	C	X	Y	L	O	Q	D	F	E	E
S	V	W	F	M	S	U	P	S	J	W	R	P	K	G
I	L	O	Z	W	G	H	Y	P	W	E	O	J	A	L
A	D	Z	B	A	H	I	U	A	I	I	H	T	D	G
T	Y	T	P	S	Q	P	F	V	F	P	E	U	Z	E
F	B	A	L	H	Z	T	J	L	O	D	W	B	J	T
I	B	X	W	Y	H	R	G	F	E	V	J	W	B	D
S	B	Y	S	O	Z	T	S	V	E	Y	O	A	S	R
H	J	L	Z	U	I	T	U	U	T	M	R	L	I	E
T	M	Y	N	R	X	N	E	G	E	G	Z	U	B	S
Q	Q	H	Y	F	Y	O	A	S	M	I	C	K	M	S
M	A	K	E	A	S	N	A	C	K	G	X	I	K	E
X	Z	C	S	C	L	H	B	E	Z	I	B	V	F	D
K	H	G	G	E	U	Y	D	K	L	T	Y	L	V	U

1. make the bed
2. wash your face
3. get dressed
4. make a snack

Unit 3 | Jisoo Cleans Her Room p.27

Part A. Sentence Completion p.29

1 (A) 2 (A)

Part B. Situational Writing p.29

3 (D) 4 (A)

Part C. Practical Reading and Retelling p.30

5 (C) 6 (D)

Part D. General Reading and Retelling p.31

7 (D) 8 (A) 9 (D) 10 (B)

Listening Practice p.32

1 fresh 2 closet
3 bookshelf 4 mops

Writing Practice p.33

1 fresh 2 closet
3 bookshelf 4 mop
Summary closet

Word Puzzle p.34

1 fresh 2 closet
3 bookshelf 4 mop

Pre-reading Questions p.27

Think! Is your room messy?
Who cleans your room?

생각해보세요! 여러분의 방은 지저분한가요?
누가 여러분의 방을 치우나요?

Reading Passage p.28

Jisoo Cleans Her Room

It is Sunday morning. Jisoo has no school. What does she want to do? She wants to read comic books. Jisoo sits down. She opens her comic book. But then she looks at her room. Oh no! Her room is very messy! Now Jisoo wants to clean the room. She stands up. She opens the window. The air is fresh. Then she looks at the floor. Her clothes are on the floor. She hangs her clothes in her closet. What does Jisoo do next? She cleans her desk. She puts her books on her bookshelf. Finally, she mops the floor. Now, Jisoo's room is clean. She feels great. It is a perfect Sunday morning. Now she can read her comic book.

Jisoo가 자기 방을 치워요

일요일 아침이에요. Jisoo는 학교에 가지 않아요. 그녀는 무엇을 하고 싶나요? 그녀는 만화책을 읽고 싶어요. Jisoo는 앉아요. 그녀는 만화책을 펴요. 그런데 그러자 그녀는 자기 방을 봐요. 이런! 그녀의 방이 정말 지저분해요! 이제 Jisoo는 방을 치우고 싶어요. 그녀는 일어나요. 그녀는 창문을 열어요. 공기가 신선해요. 그런 다음 그녀는 바닥을 봐요. 그녀의 옷들이 바닥에 있어요. 그녀는 옷장에 옷을 걸어요. Jisoo는 다음에 무엇을 하나요? 그녀는 책상을 치워요. 그녀는 책장에 책들을 놓아요. 마지막으로, 그녀는 바닥을 닦아요. 이제, Jisoo의 방은 깨끗해요. 그녀는 기분이 좋아요. 완벽한 일요일 아침이에요. 이제 그녀는 만화책을 읽을 수 있어요.

어휘 messy 지저분한 | who 누가, 누구 | clean 청소하다 | room 방 | floor 바닥 | clothes 옷 | closet 옷장 | for ~를 위해 | out (of) ~의 밖으로 | in front (of) ~의 앞쪽에 | desk 책상 | bookshelf 책장 | mop (대걸레 등으로) 닦다 | color 색칠하다 | paint 칠하다 | draw 그리다 | comic book 만화책 | window 창문 | fresh 신선한 | want 원하다 | hang 걸다, 매달다 | perfect 완벽한 | feed 먹이를 주다 | walk 산책시키다; 걷다 | take ~ out ~를 버리다[제거하다] | do the laundry 빨래하다 | wash the dishes 설거지를 하다 | dirty 더러운

Comprehension Questions p.29

1. What is on the floor?
   (A) is
   (B) be
   (C) can
   (D) make

해석 바닥에 무엇이 있는가?
(A) ~이 있다; 이다
(B) ~이 있다; 이다
(C) ~할 수 있다
(D) 만들다

풀이 'what'이 의문대명사와 주어의 역할을 함께 하고, 'on the floor'가 수식어 역할을 하고 있으므로 빈 칸에는 이 둘을 연결해 줄 수 있는 be동사가 들어가는 것이 가장 적절하다. 이때, 'what'이 3인칭을 내포하고 있으므로 3인칭 단수와 어울려 쓸 수 있는 (A)가 정답이다. 'The book is on the floor', 'The toys are on the floor' 등의 평서문을 함께 생각하면 이해하기 쉽다.

관련 문장 Her clothes are on the floor.

2. Put your clothes in your closet.
   (A) in
   (B) for
   (C) out
   (D) in front

해석 네 옷을 옷장에 넣어라.
(A) ~ 안에
(B) ~를 위해
(C) 밖으로
(D) 앞쪽에

풀이 'A에 B를 넣다'를 표현할 때 'put A in B'라는 표현을 사용할 수 있으므로 (A)가 정답이다. 'put'은 '~를 놓다[두다]'라는 의미를 나타낼 때 위치를 나타내는 전치사나 부사가 필요하다는 점에 유의한다. (C)와 (D)는 각각 'out of (~의 밖으로)', 'in front of (~의 앞에)'의 형태가 되어야 적절하므로 오답이다.

관련 문장 She hangs her clothes in her closet.

3. There are so many books on the bookshelf.
   (A) floor
   (B) desk
   (C) closet
   (D) bookshelf

해석 책장에 아주 많은 책이 있다.
(A) 바닥
(B) 책상
(C) 옷장
(D) 책장

풀이 책을 꽂아서 보관해두는 책장의 모습이므로 (D)가 정답이다.

관련 문장 She puts her books on her bookshelf.

4. He <u>mops</u> the floor.

(A) mops
(B) colors
(C) paints
(D) draws

해석 그는 바닥을 <u>닦는다</u>.

(A) (대걸레 등으로) 닦다
(B) 색칠하다
(C) 칠하다
(D) 그리다

풀이 대걸레로 바닥을 닦고 있는 남자의 모습이므로 (A)가 정답이다.

관련 문장 Finally, she mops the floor.

[5-6]

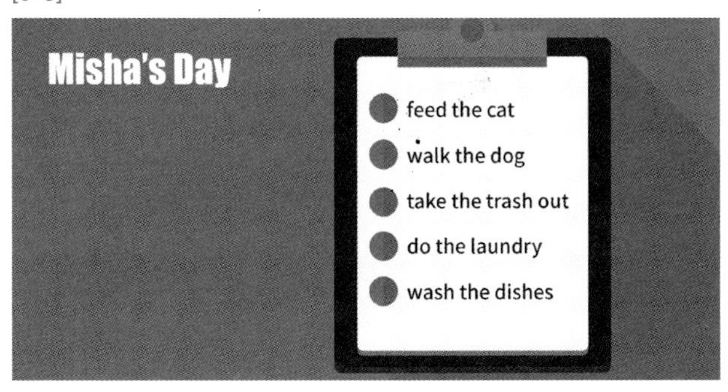

해석

Misha의 하루	• 고양이 먹이 주기 • 강아지 산책시키기 • 쓰레기 내다 버리기 • 빨래하기 • 설거지하기

5. What is Misha doing today?

(A) washing the car
(B) feeding the fish
(C) doing the laundry
(D) mopping the floor

해석 오늘 Misha는 무엇을 하는가?

(A) 세차하기
(B) 물고기 먹이 주기
(C) 빨래하기
(D) 바닥 닦기

풀이 Misha의 할 일 목록 중에 'do the laundry'(빨래하기)가 있으므로 (C)가 정답이다. (B)는 물고기가 아니라 고양이에게 먹이를 주는 것이므로 오답이다.

6. What is Misha NOT doing today?

(A) walking the dog
(B) washing the dishes
(C) taking the trash out
(D) cleaning the kitchen

해석 오늘 Misha는 무엇을 하지 않는가?

(A) 강아지 산책시키기
(B) 설거지하기
(C) 쓰레기 내다 버리기
(D) 부엌 청소하기

풀이 Misha가 할 일 중에 부엌 청소는 없으므로 (D)가 정답이다.

[7-10]

It is Sunday morning. Jisoo has no school. What does she want to do? She wants to read comic books. Jisoo sits down. She opens her comic book. But then she looks at her room. Oh no! Her room is very messy! Now Jisoo wants to clean the room. She stands up. She opens the window. The air is fresh. Then she looks at the floor. Her clothes are on the floor. She hangs her clothes in her closet. What does Jisoo do next? She cleans her desk. She puts her books on her bookshelf. Finally, she mops the floor. Now, Jisoo's room is clean. She feels great. It is a perfect Sunday morning. Now she can read her comic book.

해석

일요일 아침이에요. Jisoo는 학교에 가지 않아요. 그녀는 무엇을 하고 싶나요? 그녀는 만화책을 읽고 싶어요. Jisoo는 앉아요. 그녀는 만화책을 펴요. 그런데 그러자 그녀는 자기 방을 봐요. 이런! 그녀의 방이 정말 지저분해요! 이제 Jisoo는 방을 치우고 싶어요. 그녀는 일어나요. 그녀는 창문을 열어요. 공기가 신선해요. 그런 다음 그녀는 바닥을 봐요. 그녀의 옷들이 바닥에 있어요. 그녀는 옷장에 옷을 걸어요. Jisoo는 다음에 무엇을 하나요? 그녀는 책상을 치워요. 그녀는 책장에 책들을 놓아요. 마지막으로, 그녀는 바닥을 닦아요. 이제, Jisoo의 방은 깨끗해요. 그녀는 기분이 좋아요. 완벽한 일요일 아침이에요. 이제 그녀는 만화책을 읽을 수 있어요.

7. What is the best title?

(A) Jisoo's New Dog
(B) Jisoo's Fun Saturday
(C) Jisoo Goes to the Park
(D) Jisoo Cleans Her Room

해석 가장 알맞은 제목은 무엇인가?

(A) Jisoo의 새로운 개
(B) Jisoo의 재밌는 토요일
(C) Jisoo가 공원에 가다
(D) Jisoo가 자신의 방을 치우다

유형 전체 내용 파악

풀이 일요일 아침 Jisoo가 방 청소하는 과정을 설명하는 글이므로 (D)가 정답이다.

8. What does Jisoo NOT do today?

(A) go to school
(B) clean her desk
(C) open a window
(D) open a comic book

해석 Jisoo가 오늘 하지 않는 것은 무엇인가?

(A) 학교 가기
(B) 책상 치우기
(C) 창문 열기
(D) 만화책 펴기

유형 세부 내용 파악

풀이 'It is Sunday morning. Jisoo has no school.'에서 Jisoo가 오늘 학교에 가지 않는다는 것을 알 수 있으므로 (A)가 정답이다. (B)는 'She cleans her desk.', (C)는 'She opens the window.', (D)는 'She opens her comic book.'에서 확인할 수 있는 내용이므로 오답이다.

9. How does Jisoo's room change?

(A) big → small
(B) small → big
(C) clean → dirty
(D) messy → clean

해석 Jisoo의 방은 어떻게 변하는가?

(A) 큰 → 작은
(B) 작은 → 큰
(C) 깨끗한 → 더러운
(D) 지저분한 → 깨끗한

유형 세부 내용 파악

풀이 'Oh no! Her room is very messy!'를 통해 Jisoo의 방이 처음에는 지저분하다는 것을 알 수 있고, Jisoo가 청소한 뒤 'Now, Jisoo's room is clean.'이라며 방이 깨끗해졌다고 했으므로 (D)가 정답이다.

10. Where does Jisoo put her clothes?

(A) on the floor
(B) in her closet
(C) on her bookshelf
(D) out of the window

해석 Jisoo는 어디에 자신의 옷을 놓는가?

(A) 바닥에
(B) 옷장 안에
(C) 책장에
(D) 창밖에

유형 세부 내용 파악

풀이 'She hangs her clothes in her closet.'에서 Jisoo가 옷장 안에 옷을 건다고 했으므로 (B)가 정답이다.

Listening Practice

S2-3 p.32

It is Sunday morning. Jisoo has no school. What does she want to do? She wants to read comic books. Jisoo sits down. She opens her comic book. But then she looks at her room. Oh no! Her room is very messy! Now Jisoo wants to clean the room. She stands up. She opens the window. The air is <u>fresh</u>. Then she looks at the floor. Her clothes are on the floor. She hangs her clothes in her <u>closet</u>. What does Jisoo do next? She cleans her desk. She puts her books on her <u>bookshelf</u>. Finally, she <u>mops</u> the floor. Now, Jisoo's room is clean. She feels great. It is a perfect Sunday morning. Now she can read her comic book.

1. fresh
2. closet
3. bookshelf
4. mops

Writing Practice

p.33

1. fresh
2. closet
3. bookshelf
4. mop

Summary

Jisoo wants to read a comic book. But her room is messy. She opens the window and hangs her clothes in her <u>closet</u>. She cleans her desk, puts her books on the bookshelf, and mops the floor.

Jisoo는 만화책을 읽고 싶어요. 하지만 그녀의 방은 지저분해요. 그녀는 창문을 열고 <u>옷장</u>에 옷을 걸어요. 그녀는 책상을 치우고, 책장에 책을 넣고, 바닥을 닦아요.

Word Puzzle p.34

G	K	R	J	X	G	C	I	H	W	D	M	O	T	P
S	M	O	P	H	H	L	M	Z	C	L	O	S	E	T
Y	G	L	P	O	X	Z	P	P	Q	P	O	I	Z	N
M	K	P	W	A	B	O	O	K	S	H	E	L	F	W
Q	S	N	N	R	I	O	A	W	Z	V	M	I	Y	Q
I	J	B	R	J	Y	F	Q	L	W	I	C	A	F	O
I	R	U	B	G	A	F	G	T	N	W	N	J	O	L
F	U	K	C	K	S	R	T	T	A	W	J	T	B	A
W	T	Y	U	I	R	E	P	G	G	H	D	H	Y	E
O	P	H	A	R	C	S	N	U	Q	C	N	J	P	D
F	O	Q	K	T	P	H	W	T	S	Y	N	G	X	G
H	M	Q	B	O	I	K	C	U	V	A	E	V	Q	P
T	N	S	E	K	O	T	A	J	A	Z	V	Y	L	N
V	U	Y	J	U	O	W	K	S	M	D	P	W	I	W
K	K	R	H	U	L	L	Y	S	L	P	L	Q	F	G

1. fresh
2. closet
3. bookshelf
4. mop

Unit 4 | At Blue Mountain p.35

Part A. Sentence Completion p.37

1 (A) 2 (A)

Part B. Situational Writing p.37

3 (C) 4 (C)

Part C. Practical Reading and Retelling p.38

5 (D) 6 (B)

Part D. General Reading and Retelling p.39

7 (A) 8 (D) 9 (A) 10 (B)

Listening Practice p.40

1 pack 2 arrives
3 chimney 4 great

Writing Practice p.41

1 pack 2 arrive at
3 chimney 4 have a great time
Summary trip

Word Puzzle p.42

1 pack 2 arrive at
3 chimney 4 have a great time

Pre-reading Questions p.35

Do you like to go to the mountains?
Which mountain do you like best?

산에 가는 걸 좋아하나요?
어느 산을 가장 좋아하나요?

Reading Passage p.36

At Blue Mountain

Every February is special for Nolan's family. They go to Blue Mountain. They stay there one night. They pack food and drinks. It is cold at the mountain. They wear warm jackets. Nolan's family arrives at a small house. They unpack their bags. Nolan's father cooks dinner. And Nolan helps his father. They cook mushroom soup. Nolan's mother goes out and gets wood. She makes a fire. The fire is in the chimney. It gets warm inside the house. Nolan's sister walks around the forest. She takes some photos. After dinner, Nolan's family plays a board game. They have a great time at Blue Mountain.

Blue Mountain에서

매년 2월은 Nolan의 가족에게 특별해요. 그들은 Blue Mountain으로 가요. 그들은 거기서 하룻밤 머물러요. 그들은 음식과 음료를 챙겨요. 산에서는 추워요. 그들은 따뜻한 재킷을 입어요. Nolan의 가족은 작은 집에 도착해요. 그들은 가방 짐을 풀어요. Nolan의 아버지는 저녁을 요리해요. 그리고 Nolan은 그의 아버지를 도와요. 그들은 버섯 수프를 요리해요. Nolan의 어머니는 밖으로 나가서 나무를 구해와요. 그녀는 불을 피워요. 불은 굴뚝 안에 있어요. 집 안이 따뜻해져요. Nolan의 여동생은 숲속을 거닐어요. 그녀는 사진을 몇 장 찍어요. 저녁 식사 후에, Nolan의 가족은 보드게임을 해요. 그들은 Blue Mountain에서 즐거운 시간을 보내요.

어휘 mountain 산 | best 최고의 | stay 머무르다 | salt 소금 | sand 모래 | wood 나무 | soccer 축구 | basketball 농구 | board game 보드게임 | special 특별한 | for ~에게 | pack (짐을) 챙기다, 싸다 | drink 음료; 마시다 | unpack (짐을) 풀다 | cook 요리하다 | dinner 저녁 | help 도와주다 | mushroom 버섯 | get 구하다, 받다 | fire 불 | chimney 굴뚝 | warm 따뜻한 | around ~속; 둘레 | take photos 사진을 찍다 | weekend 주말 | singer 가수 | badminton 배드민턴 | visit 방문하다 | grandparent 조부모 | strawberry 딸기 | farm 농장 | jam 잼 | band (음악) 밴드; 띠 | trip 여행 | uncle 삼촌 | pool 수영장

Comprehension Questions p.37

1. They stay there one <u>night</u>.

   (A) night
   (B) nights
   (C) a night
   (D) my night

해석 그들은 거기서 하룻<u>밤</u> 머무른다.

(A) 밤
(B) 밤들
(C) 하룻밤
(D) 나의 밤

풀이 빈칸에는 'one'이라는 한정사가 꾸밀 수 있는 단수 명사가 들어가야 하므로 (A)가 정답이다. (B)는 복수 명사이므로 오답이다. (C)는 한정사 'one'과 'a' 모두 '하나'라는 의미를 가지고 있어 중복되므로 오답이다. (D)는 한정사 'one' 뒤에 소유격이 바로 나오면 어색하므로 오답이다.

관련 문장 They stay there one night.

2. It is cold <u>in</u> winter.

   (A) in
   (B) at
   (C) under
   (D) above

해석 겨울<u>에</u>(는) 춥다.

(A) ~에
(B) ~에
(C) ~ 아래에
(D) ~ 위에

풀이 계절 앞에서 전치사 'in'을 사용하여 '~에'라는 뜻을 나타내므로 (A)가 정답이다.

새겨 두기 날씨, 날짜, 시각 등을 나타낼 때 비인칭주어 'it'을 사용한다.

관련 문장 It is cold at the mountain.

3. We need some <u>wood</u>.

   (A) salt
   (B) sand
   (C) wood
   (D) water

해석 우리는 <u>나무</u>가 좀 필요하다.

(A) 소금
(B) 모래
(C) 나무
(D) 물

풀이 불을 지필 때 쓰는 나무 장작의 모습이므로 (C)가 정답이다.

관련 문장 Nolan's mother goes out and gets wood.

4. They are playing a board game together.

(A) soccer
(B) basketball
(C) a board game
(D) a computer game

해석 그들은 함께 보드게임을 하고 있다.

(A) 축구
(B) 농구
(C) 보드게임
(D) 컴퓨터 게임

풀이 가족이 모여서 종이 판과 놀이 도구 등을 이용하는 보드게임을 하고 있으므로 (C)가 정답이다.

관련 문장 After dinner, Nolan's family plays a board game.

[5-6]

What Do They Do on the Weekend?
Austin
I like music a lot. Every weekend, I go to Satton Hall. Rachel Gugu always plays concerts there. She is my favorite singer.
Kelly
I never stay at home. My sister likes badminton. So we play badminton in the park.
Myra
I visit my grandparents. They have a strawberry farm. I pick strawberries there. And I make a strawberry jam.

해석

그들은 주말에 무엇을 하나요?

Austin
저는 음악을 많이 좋아해요. 매주 주말, 저는 Satton 홀에 가요. Rachel Gugu가 거기서 항상 콘서트를 해요. 그녀는 제가 특히 좋아하는 가수예요.

Kelly
저는 절대로 집에 있지 않아요. 제 여동생은 배드민턴을 좋아해요. 그래서 우리는 공원에서 배드민턴을 쳐요.

Myra
저는 조부모님 댁에 방문해요. 그들은 딸기 농장을 갖고 계세요. 저는 거기서 딸기를 따요. 그리고 딸기잼을 만들어요.

5. Who stays home all weekend?

(A) Austin
(B) Kelly
(C) Myra
(D) no one

해석 누가 주말 내내 집에 있는가?

(A) Austin
(B) Kelly
(C) Myra
(D) 아무도 없음

풀이 세 사람 모두 주말에 집에 있지 않고 밖에 나가 활동하므로 (D)가 정답이다.

6. What is true?

(A) Myra picks apples.
(B) Kelly plays badminton.
(C) Austin plays in a band.
(D) Myra makes strawberry pies.

해석 옳은 설명은 무엇인가?

(A) Myra는 사과를 딴다.
(B) Kelly는 배드민턴을 친다.
(C) Austin은 밴드에서 연주한다.
(D) Myra는 딸기 파이를 만든다.

풀이 'So we play badminton in the park'에서 Kelly가 배드민턴을 친다고 했으므로 (B)가 정답이다. (A)는 Myra가 사과가 아니라 딸기를 딴다고 했으므로 오답이다. (D)는 딸기 파이가 아니라 딸기잼을 만든다고 했으므로 오답이다.

[7-10]

Every February is special for Nolan's family. They go to Blue Mountain. They stay there one night. They pack food and drinks. It is cold at the mountain. They wear warm jackets. Nolan's family arrives at a small house. They unpack their bags. Nolan's father cooks dinner. And Nolan helps his father. They cook mushroom soup. Nolan's mother goes out and gets wood. She makes a fire. The fire is in the chimney. It gets warm inside the house. Nolan's sister walks around the forest. She takes some photos. After dinner, Nolan's family plays a board game. They have a great time at Blue Mountain.

해석

매년 2월은 Nolan의 가족에게 특별해요. 그들은 Blue Mountain으로 가요. 그들은 거기서 하룻밤 머물러요. 그들은 음식과 음료를 챙겨요. 산에서는 추워요. 그들은 따뜻한 재킷을 입어요. Nolan의 가족은 작은 집에 도착해요. 그들은 가방 짐을 풀어요. Nolan의 아버지는 저녁을 요리해요. 그리고 Nolan은 그의 아버지를 도와요. 그들은 버섯 수프를 요리해요. Nolan의 어머니는 밖으로 나가서 나무를 구해와요. 그녀는 불을 피워요. 불은 굴뚝 안에 있어요. 집 안이 따뜻해져요. Nolan의 여동생은 숲속을 거닐어요. 그녀는 사진을 몇 장 찍어요. 저녁 식사 후에, Nolan의 가족은 보드게임을 해요. 그들은 Blue Mountain에서 즐거운 시간을 보내요.

7. What is the best title?

(A) A Family Trip
(B) A Cooking Class
(C) A Fun Day at School
(D) Summer at the Beach

해석 가장 알맞은 제목은 무엇인가?

(A) 가족 여행
(B) 요리 교실
(C) 학교에서의 재밌는 하루
(D) 해변에서의 여름

유형 전체 내용 파악

풀이 본문은 매년 2월에 Nolan의 가족이 Blue Mountain에서 가족 여행을 즐기는 내용을 다루고 있다. 가족 네 사람이 각각 무엇을 하는지, 가족이 저녁 식사 후에 함께 모여서 무엇을 하는지 서술하고 있으므로 (A)가 정답이다.

8. Who makes soup?

(A) Nolan's uncle
(B) Nolan's sister
(C) Nolan's mother
(D) Nolan and his father

해석 누가 수프를 만드는가?

(A) Nolan의 삼촌
(B) Nolan의 여동생
(C) Nolan의 어머니
(D) Nolan과 그의 아버지

유형 세부 내용 파악

풀이 'Nolan's father cooks dinner. And Nolan helps his father. They cook mushroom soup.'을 통해 Nolan과 Nolan의 아버지가 함께 수프를 만든다는 것을 알 수 있으므로 (D)가 정답이다.

9. What does Nolan's mother do?

(A) get wood
(B) take photos
(C) make a house
(D) find mushrooms

해석 Nolan의 어머니는 무엇을 하는가?

(A) 나무 구하기
(B) 사진 찍기
(C) 집 만들기
(D) 버섯 찾기

유형 세부 내용 파악

풀이 'Nolan's mother goes out and gets some wood.'에서 Nolan의 어머니가 밖에서 나무를 구해 온다고 했으므로 (A)가 정답이다. (B)는 Nolan의 여동생이 하는 행동이므로 오답이다.

10. What does Blue Mountain have?

(A) a big pool
(B) cold weather
(C) large houses
(D) a flower garden

해석 Blue Mountain에는 무엇이 있는가?

(A) 큰 수영장
(B) 추운 날씨
(C) 큰 집들
(D) 꽃 정원

유형 세부 내용 파악

풀이 'They go to Blue Mountain. [...] It is cold at the mountain.'을 통해 Blue Mountain의 날씨가 춥다는 것을 알 수 있으므로 (B)가 정답이다.

Listening Practice

S2-4 p.40

Every February is special for Nolan's family. They go to Blue Mountain. They stay there one night. They pack food and drinks. It is cold at the mountain. They wear warm jackets. Nolan's family arrives at a small house. They unpack their bags. Nolan's father cooks dinner. And Nolan helps his father. They cook mushroom soup. Nolan's mother goes out and gets wood. She makes a fire. The fire is in the chimney. It gets warm inside the house. Nolan's sister walks around the forest. She takes some photos. After dinner, Nolan's family plays a board game. They have a great time at Blue Mountain.

1. pack
2. arrives
3. chimney
4. great

Writing Practice

p.41

1. pack
2. arrive at
3. chimney
4. have a great time

Summary

Every February, Nolan's family goes on a trip to Blue Mountain. They cook dinner, make a fire, take some photos, and play a board game. They have a great time.

매년 2월에, Nolan 가족은 Blue Mountain으로 여행을 가요. 그들은 저녁을 요리하고, 불을 피우고, 사진을 몇 장 찍고, 보드게임을 해요. 그들은 즐거운 시간을 보내요.

Word Puzzle

p.42

A	N	H	K	Y	N	W	V	U	P	Y	W	M	U	Y
G	A	A	D	G	P	U	S	S	U	H	L	W	F	Q
I	I	V	E	U	N	C	E	J	B	E	B	W	D	A
C	F	E	A	H	R	D	R	X	L	C	X	A	D	S
D	E	A	X	Z	H	N	Q	T	V	H	Q	R	R	X
T	D	G	D	C	N	Q	F	O	T	I	S	R	I	M
V	U	R	Q	Y	T	S	J	Y	Y	M	N	I	D	Q
W	J	E	Z	E	J	E	O	A	D	N	O	V	E	E
U	I	A	S	O	P	Z	C	V	P	E	Z	E	T	F
T	M	T	K	X	R	H	X	X	I	Y	A	A	K	U
E	P	T	Z	P	A	C	K	Q	A	U	T	T	D	M
L	D	I	I	M	Y	N	I	U	C	X	T	B	R	C
M	S	M	C	U	Q	I	B	G	K	S	K	E	V	Y
U	X	E	X	X	C	M	Q	R	G	E	V	A	L	M
A	G	O	A	M	L	A	A	J	M	U	H	X	W	M

1. pack
2. arrive at
3. chimney
4. have a great time

Chapter Review

p.43

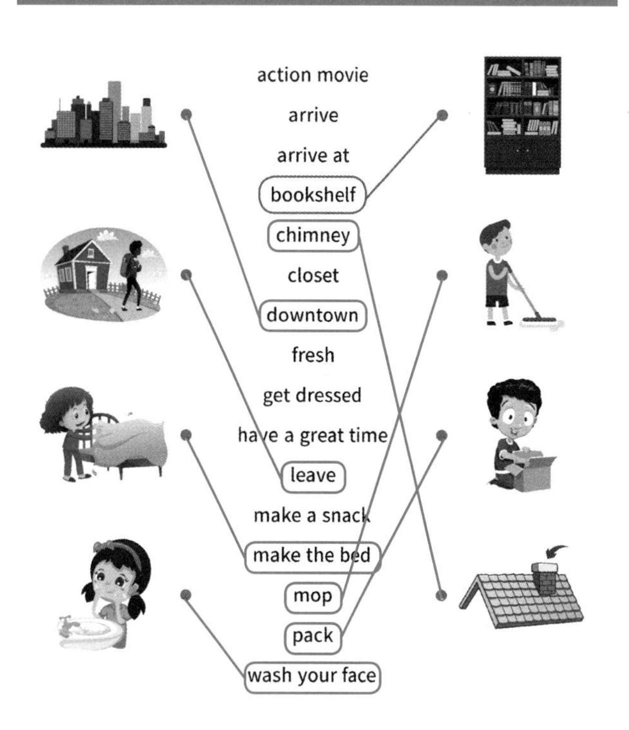

※ 학생의 생각에 따라 다양한 정답이 가능할 수 있습니다.

예)

wash your face, fresh, …

pack, have a great time, …

Chapter 2. House

Unit 5 | Lea's Dream House p.45

Part A. Sentence Completion p.47

1 (D) 2 (D)

Part B. Situational Writing p.47

3 (C) 4 (A)

Part C. Practical Reading and Retelling p.48

5 (A) 6 (B)

Part D. General Reading and Retelling p.49

7 (B) 8 (D) 9 (C) 10 (C)

Listening Practice p.50

1 country 2 yard
3 windows 4 carpet

Writing Practice p.51

1 country 2 yard
3 carpet 4 window
Summary dream

Word Puzzle p.52

1 country 2 yard
3 carpet 4 window

Pre-reading Questions p.45

Do you have a dream house? What is it like?

꿈꾸는 집이 있나요? 그곳은 어떠한가요?

Reading Passage p.46

Lea's Dream House

Lea lives in a big city. She lives by the airport. But Lea hates the noise. What is Lea's dream home? It is in the country. It has a big yard. Lea's dog can run in the yard. What is inside the house? There is a big living room. In the living room, there is a big TV. There is a sofa and two big chairs. They are green. In the kitchen, there is a big table. There are four chairs. There are also big windows. It is very bright in the kitchen. What is in the bedroom? Lea wants a large, soft bed. And she wants a blue carpet on the floor. Lea wants a warm home. This is Lea's dream home.

Lea가 꿈꾸는 집

Lea는 큰 도시에 살아요. 그녀는 공항 옆에 살아요. 하지만 Lea는 소음이 싫어요. Lea가 꿈꾸는 집은 무엇인가요? 그곳은 시골에 있어요. 그곳에는 큰 마당이 있어요. Lea의 개가 마당에서 뛸 수 있어요. 집 안에는 무엇이 있나요? 큰 거실이 있어요. 거실에는, 큰 TV가 있어요. 소파와 큰 의자 두 개가 있어요. 그것들은 초록색이에요. 주방에는, 큰 탁자가 있어요. 의자가 네 개 있어요. 또한 큰 창문들이 있어요. 주방 안은 몹시 밝아요. 침실에는 무엇이 있나요? Lea는 크고, 부드러운 침대를 원해요. 그리고 그녀는 바닥 위에 파란색 카펫을 원해요. Lea는 따뜻한 집을 원해요. 이것이 Lea가 꿈꾸는 집이에요.

어휘 who 누가 | what 무엇 | which 어떤 | where 어디 | carpet 카펫 | curtain 커튼 | yard 마당, 뜰 | forest 숲 | kitchen 주방 | living room 거실 | live 살다 | city 도시 | by ~ 옆에 | airport 공항 | hate 싫어하다 | noise 소음 | country 시골 | inside ~ 안 | sofa 소파 | chair 의자 | table 탁자 | bright 밝은 | bedroom 침실 | bed 침대 | wall 벽 | puppy 강아지 | beach 해변 | dream 꿈

Comprehension Questions p.47

1. Where are you going now? Are you going to school?

(A) Who
(B) What
(C) Which
(D) Where

해석 지금 어디 가고 있니? 학교에 가는 중이니?

(A) 누가
(B) 무엇
(C) 어떤
(D) 어디

풀이 빈칸에는 'are you going now'라는 의문문을 보완할 수 있는 의문사가 들어갈 수 있다. 'are you going now'에서는 어디로 가는지 장소에 관한 정보가 빠져 있으므로 빈칸에 의문사 'where'을 쓸 수 있다. 따라서 (D)가 정답이다. 두 번째 문장에서도 장소를 물어보고 있다는 것을 확인할 수 있다.

관련 문장 Lea lives in a big city. She lives by the airport.

2. What <u>does</u> she want? She wants a dog.

(A) do
(B) is
(C) to be
(D) does

해석 그녀는 무엇을 원<u>하니</u>? 그녀는 개를 원해.

(A) ~하다
(B) ~이다
(C) ~인 것
(D) ~하다

풀이 'want'가 일반동사이므로 일반동사 의문문을 만들 때 쓰는 do 조동사가 필요하다. 이때, 3인칭 단수 'she'와도 어울려 쓸 수 있어야 하므로 (D)가 정답이다.

새겨 두기 위 의문문을 'She wants _______?' → 'What _______ she wants?' → 'What does she want?'의 단계로 생각하도록 한다.

관련 문장 Lea wants a large, soft bed. And she wants a blue carpet on the floor. Lea wants a warm home.

3. There is a <u>carpet</u> on the floor.

(A) cake
(B) cookie
(C) carpet
(D) curtain

해석 바닥에 <u>카펫</u>이 있다.

(A) 케이크
(B) 쿠키
(C) 카펫
(D) 커튼

풀이 바닥에 있는 카펫에서 두 아이가 앉아서 놀고 있는 모습이므로 (C)가 정답이다.

관련 문장 And she wants a blue carpet on the floor.

4. A dog is running in the <u>yard</u>.

(A) yard
(B) forest
(C) kitchen
(D) living room

해석 개가 <u>마당</u>에서 달리고 있다.

(A) 마당
(B) 숲
(C) 주방
(D) 거실

풀이 집 앞 마당에서 개가 뛰어 놀고 있는 모습이므로 (A)가 정답이다.

관련 문장 Lea's dog can run in the yard.

[5-6]

해석

Zack이 꿈꾸는 방	Gary가 꿈꾸는 방

5. Which dream room has toy blocks?

(A) Zack's
(B) Gary's
(C) both
(D) no one

해석 어떤 꿈의 방에 장난감 블록이 있는가?

(A) Zack의 방
(B) Gary의 방
(C) 둘 다
(D) 아무것도

풀이 Zack의 방에 블록이 있으므로 (A)가 정답이다.

6. Which is NOT in Gary's dream room?

(A) a window
(B) a blue wall
(C) a computer
(D) a yellow carpet

해석 다음 중 Gary가 꿈꾸는 방에 있지 않은 것은 무엇인가?

(A) 창문
(B) 파란 벽
(C) 컴퓨터
(D) 노란 카펫

풀이 Gary가 꿈꾸는 방의 벽은 벽이 파란색이 아니므로 (B)가 정답이다.

[7-10]

Lea lives in a big city. She lives by the airport. But Lea hates the noise. What is Lea's dream home? It is in the country. It has a big yard. Lea's dog can run in the yard. What is inside the house? There is a big living room. In the living room, there is a big TV. There is a sofa and two big chairs. They are green. In the kitchen, there is a big table. There are four chairs. There are also big windows. It is very bright in the kitchen. What is in the bedroom? Lea wants a large, soft bed. And she wants a blue carpet on the floor. Lea wants a warm home. This is Lea's dream home.

해석

Lea는 큰 도시에 살아요. 그녀는 공항 옆에 살아요. 하지만 Lea는 소음이 싫어요. Lea가 꿈꾸는 집은 무엇인가요? 그곳은 시골에 있어요. 그곳에는 큰 마당이 있어요. Lea의 개가 마당에서 뛸 수 있어요. 집 안에는 무엇이 있나요? 큰 거실이 있어요. 거실에는, 큰 TV가 있어요. 소파와 큰 의자 두 개가 있어요. 그것들은 초록색이에요. 주방에는, 큰 탁자가 있어요. 의자가 네 개 있어요. 또한 큰 창문들이 있어요. 주방 안은 몹시 밝아요. 침실에는 무엇이 있나요? Lea는 크고, 부드러운 침대를 원해요. 그리고 그녀는 바닥 위에 파란색 카펫을 원해요. Lea는 따뜻한 집을 원해요. 이것이 Lea가 꿈꾸는 집이에요.

7. What is the best title?

(A) Lea's Dream Job
(B) Lea's Dream House
(C) Lea's Favorite Puppy
(D) Lea's Last Night Dream

해석 가장 알맞은 제목은 무엇인가?

(A) Lea가 꿈꾸는 직업
(B) Lea가 꿈꾸는 집
(C) Lea가 특히 좋아하는 강아지
(D) Lea의 지난 밤 꿈

유형 전체 내용 파악

풀이 네 번째 문장 'What is Lea's dream home?'에서 Lea가 꿈꾸는 집이라는 중심 소재가 드러나고, 그 후에 Lea가 어떤 집을 꿈 꾸는지 구체적으로 나열하고 있는 글이다. 따라서 (B)가 정답이다.

8. Where does Lea want to live?

(A) in a big city
(B) by a beach
(C) by an airport
(D) in the country

해석 Lea는 어디서 살고 싶어 하는가?

(A) 큰 도시에서
(B) 해변에서
(C) 공항 옆에서
(D) 시골에서

유형 세부 내용 파악 & 추론하기

풀이 'What is Lea's dream home? It is in the country.'에서 Lea가 꿈꾸는 집은 시골에 있다는 것을 알 수 있다. 이는 Lea가 시골에서 살고 싶어 한다는 뜻이므로 (D)가 정답이다. (A)와 (C)는 이미 Lea가 현재 사는 곳으로, 'But Lea hates the noise.'에서 Lea가 그곳의 소음을 싫어한다고 했으므로 오답이다.

9. Which pet does Lea want?

(A) a cat
(B) a fish
(C) a dog
(D) a bird

해석 Lea는 어떤 반려동물을 원하는가?

(A) 고양이
(B) 물고기
(C) 개
(D) 새

유형 세부 내용 파악 & 추론하기

풀이 'What is Lea's dream home? [...] Lea's dog can run in the yard.'에서 Lea가 꿈꾸는 집에 개가 있다는 사실을 알 수 있다. 이는 Lea가 개를 원한다는 뜻이므로 (C)가 정답이다.

10. What is in Lea's dream home?

(A) two beds
(B) purple chairs
(C) a blue carpet
(D) a small living room

해석 Lea가 꿈꾸는 집 안에는 무엇이 있는가?

(A) 침대 두 개
(B) 보라색 의자들
(C) 파란색 카펫
(D) 작은 거실

유형 세부 내용 파악

풀이 'And she wants a blue carpet on the floor.'에서 Lea가 꿈꾸는 집에 파란색 카펫이 있다는 것을 알 수 있으므로 (C)가 정답이다. (A)는 'Lea wants a large, soft bed.'에서 침대 두 개가 아니라 하나임을 알 수 있으므로 오답이다. (D)는 'There is a big living room.'에서 작은 거실이 아니라 큰 거실이라고 했으므로 오답이다.

Listening Practice S2-5 p.50

Lea lives in a big city. She lives by the airport. But Lea hates the noise. What is Lea's dream home? It is in the country. It has a big yard. Lea's dog can run in the yard. What is inside the house? There is a big living room. In the living room, there is a big TV. There is a sofa and two big chairs. They are green. In the kitchen, there is a big table. There are four chairs. There are also big windows. It is very bright in the kitchen. What is in the bedroom? Lea wants a large, soft bed. And she wants a blue carpet on the floor. Lea wants a warm home. This is Lea's dream home.

1. country
2. yard
3. windows
4. carpet

Writing Practice p.51

1. country
2. yard
3. carpet
4. window

Summary

Lea lives in a big city, but she hates the noise. She wants a house in the country with a big yard. That is Lea's dream house.

Lea는 대도시에서 살지만, 소음을 싫어해요. 그녀는 큰 마당이 있는 시골집을 원해요. 그것이 Lea가 꿈꾸는 집이에요.

Word Puzzle p.52

J	X	S	B	B	T	D	D	Q	K	S	W	A	Y	Y
I	P	L	Z	W	A	J	K	W	M	Y	I	S	D	G
A	E	V	B	P	C	E	R	H	R	X	K	E	U	F
Y	N	O	Y	E	O	D	O	C	X	X	S	B	D	Y
Y	D	Q	O	A	U	M	S	D	W	K	Q	T	L	J
Z	Q	A	C	K	N	T	W	U	M	L	C	R	C	X
F	J	N	A	F	T	B	C	C	O	U	X	S	T	E
X	S	M	R	Y	R	B	O	W	C	Y	T	M	H	H
Y	Q	U	P	G	Y	T	B	I	I	T	T	W	Z	N
D	X	W	E	H	C	J	T	N	T	C	C	Y	F	T
M	J	J	T	O	F	U	A	D	U	R	I	P	L	T
W	C	P	Q	A	R	T	J	O	S	V	U	E	M	Q
T	Y	A	R	D	G	P	E	W	R	B	J	X	F	R
A	R	I	C	P	X	W	U	S	Z	K	S	G	X	M
W	D	K	J	N	I	D	Q	M	E	Y	R	O	T	H

1. country
2. yard
3. carpet
4. window

Starter Book 2

Unit 6 | Milo Sits in Chairs p.53

Part A. Sentence Completion p.55

1 (A) 2 (C)

Part B. Situational Writing p.55

3 (D) 4 (C)

Part C. Practical Reading and Retelling p.56

5 (A) 6 (C)

Part D. General Reading and Retelling p.57

7 (B) 8 (A) 9 (C) 10 (B)

Listening Practice p.58

1 chairs	2 bookshelf
3 across	4 stove

Writing Practice p.59

1 chair	2 bookshelf
3 across from	4 stove

Summary chairs

Word Puzzle p.60

1 chair	2 bookshelf
3 across from	4 stove

Pre-reading Questions p.53

Name three things in your house.
Where are they in the house?

여러분의 집에 있는 물건 세 가지의 이름을 대보세요.
그것들은 집에서 어디에 있나요?

Reading Passage p.54

Milo Sits in Chairs

Milo is Katia's dog. He loves to sit in chairs. There are three big chairs in the house. Every day, Milo sits in all the chairs. In the morning, he sits in the purple chair. It is in the living room. From the purple chair, Milo can see a bookshelf. It is across from the purple chair. There are five books. Milo cannot read. But he looks at the books. In the afternoon, Milo sits in the dark blue chair. It is in the kitchen. Milo can look at the stove. Pots and pans are on the stove. In the evening, Milo sits in the light pink chair. That chair is in the bedroom. It is by the bed. Katia also sits there.

Milo가 의자에 앉아요

Milo는 Katia의 개예요. 그는 의자에 앉는 것을 아주 좋아해요. 집 안에는 큰 의자 세 개가 있어요. 매일, Milo는 모든 의자에 앉아요. 아침에, 그는 보라색 의자에 앉아요. 그것은 거실에 있어요. 보라색 의자에서, Milo는 책장을 볼 수 있어요. 그것은 보라색 의자 맞은편에 있어요. 책 다섯 권이 있어요. Milo는 읽지 못 해요. 하지만 그는 책들을 봐요. 오후에는, Milo는 짙은 파란색 의자에 앉아요. 그것은 주방에 있어요. Milo는 스토브를 볼 수 있어요. 냄비와 팬들이 스토브 위에 있어요. 저녁에는, Milo는 옅은 분홍색 의자에 앉아요. 그 의자는 침실에 있어요. 그것은 침대 옆에 있어요. Katia도 거기에 앉아요.

어휘 table 탁자 | purple 보라색의 | who 누가 | that 저것 | what 무엇 | where 어디 | under ~ 아래에 | above ~ 위에 | next to ~ 옆에 | across from ~의 건너편에 | on ~ 위에 | sit 앉다 | chair 의자 | living room 거실 | bookshelf 책장 | afternoon 오후 | stove 스토브, 가스레인지 | pot 냄비 | pan 팬 | lamp 램프 | drawer 서랍 | mirror 거울 | bathtub 욕조 | take pictures 사진을 찍다 | furniture 가구 | dark 어두운 | light 옅은

Comprehension Questions p.55

1. Look at this table. It is purple.

(A) It
(B) It's
(C) Their
(D) These

해석 이 탁자를 봐. 그것은 보라색이야.

(A) 그것은
(B) 그것은 ~이다
(C) 그것들의
(D) 이것들

풀이 빈칸에는 문장의 주어가 들어가야 하며, 동사가 3인칭 단수와 어울리는 be 동사 'is'이므로 (A)가 정답이다. 이때 'It'은 앞 문장의 'this table'을 가리킨다는 점에 유의한다. (B)는 'It's'가 'It is'의 축약형이므로 'is'가 중복되기 때문에 오답이다.

관련 문장 In the morning, he sits in the purple chair.

2. What can you see? I can see some books.

(A) Who
(B) That
(C) What
(D) Where

해석 너는 무엇을 볼 수 있니? 나는 책 몇 권을 볼 수 있어.

(A) 누가
(B) 저것
(C) 무엇
(D) 어디

풀이 빈칸에는 'can you see'라는 의문문을 보완할 수 있는 의문사가 들어갈 수 있다. 'can you see'에서는 무엇을 보는지 'see'의 목적어가 빠져 있으므로 빈칸에 의문대명사 'what'이나 'who'를 쓸 수 있다. 그런데 두 번째 문장이 'I can see some books.'인 점으로 보아 'see'의 목적어는 사물이므로 (C)가 정답이다. 헷갈린다면 'You can see ______?' → 'What can you see?'의 단계로 이해하도록 한다. (A)는 'who'가 사람을 가리킬 때 쓰는 의문사이므로 오답이다.

관련 문장 From the purple chair, Milo can see a bookshelf.

3. The blue house is across from the school.

(A) under
(B) above
(C) next to
(D) across from

해석 파란 집은 학교 건너편에 있다.

(A) ~ 아래에
(B) ~ 위에
(C) ~ 옆에
(D) ~의 건너편에

풀이 파란색 집이 학교 건너편에 있으므로 (D)가 정답이다.

관련 문장 It is across from the purple chair.

4. The bookshelf is next to the sofa.

(A) on
(B) under
(C) next to
(D) across from

해석 책장은 소파 옆에 있다.

(A) ~ 위에
(B) ~ 아래에
(C) ~ 옆에
(D) ~의 건너편에

풀이 책장이 소파 옆에 있으므로 (C)가 정답이다.

관련 문장 It is by the bed.

[5-6]

해석

Brooklyn 가구점이 할인 중입니다!		
소파	램프	서랍
$80 → $70	$25 → $22	$50 → $47
책장	거울	욕조
$40 → $35	$10 → $8	$73 → $68

5. What is the most expensive?

(A) the sofa
(B) the lamp
(C) the mirror
(D) the bathtub

해석 무엇이 가장 비싼가?

(A) 소파
(B) 램프
(C) 거울
(D) 욕조

풀이 소파가 70달러로 가장 비싼 가구이므로 (A)가 정답이다.

6. What is NOT on sale?

(A) a lamp
(B) a mirror
(C) a stove
(D) a bookshelf

해석 무엇이 할인 중이 아닌가?

(A) 램프
(B) 거울
(C) 가스레인지
(D) 책장

풀이 가스레인지('stove')는 그림에 없으므로 (C)가 정답이다.

[7-10]

Milo is Katia's dog. He loves to sit in chairs. There are three big chairs in the house. Every day, Milo sits in all the chairs. In the morning, he sits in the purple chair. It is in the living room. From the purple chair, Milo can see a bookshelf. It is across from the purple chair. There are five books. Milo cannot read. But he looks at the books. In the afternoon, Milo sits in the dark blue chair. It is in the kitchen. Milo can look at the stove. Pots and pans are on the stove. In the evening, Milo sits in the light pink chair. That chair is in the bedroom. It is by the bed. Katia also sits there.

해석

Milo는 Katia의 개예요. 그는 의자에 앉는 것을 아주 좋아해요. 집 안에는 큰 의자 세 개가 있어요. 매일, Milo는 모든 의자에 앉아요. 아침에, 그는 보라색 의자에 앉아요. 그것은 거실에 있어요. 보라색 의자에서, Milo는 책장을 볼 수 있어요. 그것은 보라색 의자 맞은편에 있어요. 책 다섯 권이 있어요. Milo는 읽지 못 해요. 하지만 그는 책들을 봐요. 오후에는, Milo는 짙은 파란색 의자에 앉아요. 그것은 주방에 있어요. Milo는 스토브를 볼 수 있어요. 냄비와 팬들이 스토브 위에 있어요. 저녁에는, Milo는 옅은 분홍색 의자에 앉아요. 그 의자는 침실에 있어요. 그것은 침대 옆에 있어요. Katia도 거기에 앉아요.

7. What is the best title?

(A) Milo Goes to School
(B) Milo and Three Chairs
(C) Katia Gets a New Dog
(D) Katia and Milo Buy a Chair

해석 가장 알맞은 제목은 무엇인가?

(A) Milo가 학교에 가다
(B) Milo와 세 개의 의자
(C) Katia에게 새로운 개가 생기다
(D) Katia와 Milo가 의자를 하나 사다

유형 전체 내용 파악

풀이 Milo라는 강아지가 각각 보라색 의자, 짙은 파란색 의자, 옅은 분홍색 의자에 앉아 집에서 무엇을 하는지 차례대로 나열하고 있는 글이므로 (B)가 정답이다.

8. What does Milo like to do?

(A) sit in chairs
(B) take pictures
(C) make furniture
(D) go outside for walks

해석 Milo는 무엇을 하기를 좋아하는가?

(A) 의자에 앉기
(B) 사진 찍기
(C) 가구 만들기
(D) 산책하러 밖에 나가기

유형 세부 내용 파악

풀이 'He loves to sit in chairs.'에서 Milo가 의자에 앉는 것을 좋아한다고 했으므로 (A)가 정답이다.

9. What chair is NOT in the house?

(A) a purple one
(B) a dark blue one
(C) a light blue one
(D) a light pink one

해석 무슨 의자가 집에 있지 않은가?

(A) 보라색 의자
(B) 짙은 파란색 의자
(C) 옅은 파란색 의자
(D) 옅은 분홍색 의자

유형 세부 내용 파악

풀이 옅은 파란색 의자는 집에 있다고 언급되지 않았으므로 (C)가 정답이다.

10. What does Milo do in the living room?

(A) read to Katia
(B) look at books
(C) sit in a pink chair
(D) see pots and pans

해석 Milo는 거실에서 무엇을 하는가?

(A) Katia에게 읽어주기
(B) 책 바라보기
(C) 분홍색 의자에 앉기
(D) 냄비와 팬 보기

유형 세부 내용 파악

풀이 'In the morning, he sits in the purple chair. It is in the living room. From the purple chair, Milo can see a bookshelf. [...] Milo cannot read. But he looks at the books.'를 통해 Milo가 거실에서 보라색 의자에 앉아 책을 바라본다는 것을 알 수 있으므로 (B)가 정답이다. (C)는 침실에서, (D)는 주방에서 Milo가 하는 행동이므로 오답이다.

Listening Practice

S2-6 p.58

Milo is Katia's dog. He loves to sit in chairs. There are three big chairs in the house. Every day, Milo sits in all the chairs. In the morning, he sits in the purple chair. It is in the living room. From the purple chair, Milo can see a bookshelf. It is across from the purple chair. There are five books. Milo cannot read. But he looks at the books. In the afternoon, Milo sits in the dark blue chair. It is in the kitchen. Milo can look at the stove. Pots and pans are on the stove. In the evening, Milo sits in the light pink chair. That chair is in the bedroom. It is by the bed. Katia also sits there.

1. chairs
2. bookshelf
3. across
4. stove

Writing Practice

p.59

1. chair
2. bookshelf
3. across from
4. stove

Summary

Milo is a dog. He sits in three big chairs every day. There are chairs in the living room, kitchen, and bedroom.

Milo는 개예요. 그는 매일 세 개의 큰 의자에 앉아요. 거실, 부엌, 침실에 의자들이 있어요.

Word Puzzle

p.60

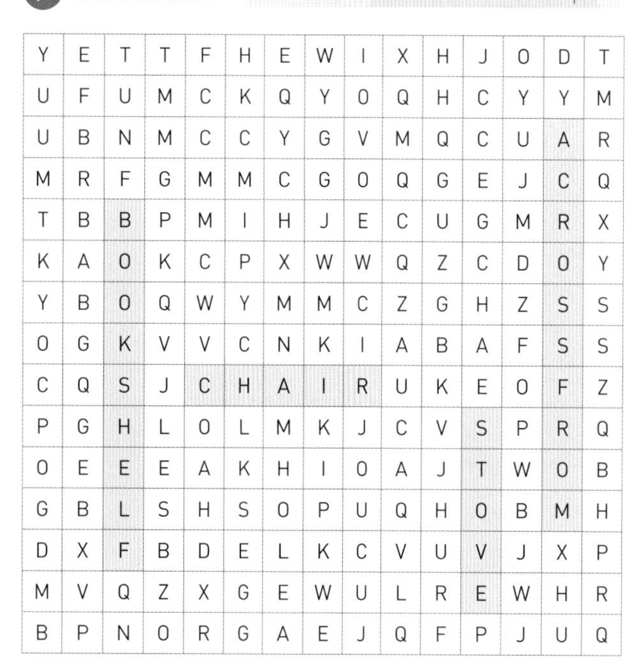

Y	E	T	T	F	H	E	W	I	X	H	J	O	D	T
U	F	U	M	C	K	Q	Y	O	Q	H	C	Y	Y	M
U	B	N	M	C	C	Y	G	V	M	Q	C	U	A	R
M	R	F	G	M	M	C	G	O	Q	G	E	J	C	Q
T	B	B	P	M	I	H	J	E	C	U	G	M	R	X
K	A	O	K	C	P	X	W	W	Q	Z	C	D	O	Y
Y	B	O	Q	W	Y	M	M	C	Z	G	H	Z	S	S
O	G	K	V	V	C	N	K	I	A	B	A	F	S	S
C	Q	S	J	C	H	A	I	R	U	K	E	O	F	Z
P	G	H	L	O	L	M	K	J	C	V	S	P	R	Q
O	E	E	E	A	K	H	I	O	A	J	T	W	O	B
G	B	L	S	H	S	O	P	U	Q	H	O	B	M	H
D	X	F	B	D	E	L	K	C	V	U	V	J	X	P
M	V	Q	Z	X	G	E	W	U	L	R	E	W	H	R
B	P	N	O	R	G	A	E	J	Q	F	P	J	U	Q

1. chair
2. bookshelf
3. across from
4. stove

Unit 7 | Show and Tell Class p.61

Part A. Sentence Completion p.63

1 (D) 2 (B)

Part B. Situational Writing p.63

3 (C) 4 (C)

Part C. Practical Reading and Retelling p.64

5 (A) 6 (C)

Part D. General Reading and Retelling p.65

7 (B) 8 (C) 9 (B) 10 (A)

Listening Practice p.66

1 special 2 earphones
3 picture 4 diary

Writing Practice p.67

1 earphones 2 special
3 picture 4 diary
Summary special

Word Puzzle p.68

1 earphones 2 special
3 picture 4 diary

Pre-reading Questions p.61

Think! You have a box.
A special thing is in the box. What is it?

생각해보세요! 여러분에게 상자가 있어요.
특별한 것이 그 상자 안에 있어요. 그것은 무엇인가요?

Reading Passage p.62

Show and Tell Class

Today, the class has "Show and Tell." What is "Show and Tell"? Students bring a special thing from home. They can bring anything. They show the special things to their friends. Then they talk about it. Carl is first. He shows his earphones to the class. He says, "I like listening to music. So these earphones are special to me." Then, it is Bobby's turn. Bobby shows a picture. He says, "This is my family. I love all of them. They are very special to me." Clara goes next. She shows a small notebook. She says, "This is my diary. I write in it every night. It is the most special thing to me." All the students bring their special things!

보여주고 말하는 시간

오늘, 수업에서 "보여주고 말하는 시간"이 있어요. "보여주고 말하는 시간"은 무엇인가요? 학생들이 집에서 특별한 물건을 가져와요. 그들은 무엇이든 가져올 수 있어요. 그들은 친구들에게 그 특별한 물건을 보여줘요. 그런 다음 그것에 관해 이야기해요. Carl이 첫 번째예요. 그는 학급에 이어폰을 보여줘요. 그가 말해요, "저는 음악 듣는 것을 좋아해요. 그래서 이것이 저에게 특별해요." 그런 다음, Bobby의 차례예요. Bobby는 사진 한 장을 보여줘요. 그는 말해요, "이것은 제 가족이에요. 저는 그들 모두를 사랑해요. 그들은 저에게 매우 특별해요." Clara가 다음으로 해요. 그녀는 작은 공책을 보여줘요. 그녀가 말해요, "이것은 제 일기장이에요. 저는 매일 밤 제 일기장에 써요. 이것은 저한테 가장 특별한 것이에요." 모든 학생이 자신들의 특별한 물건을 가져와요!

어휘 think 생각하다 | something 어떤 것, 무엇 | special 특별한 | show 보여 주다 | show and tell 보여주고 말하는 시간(각자 물건을 가져와서 발표하는 수업 활동) | this 이; 이것 | that 저; 저것 | these 이(것)들의; 이(것들) | diary 수첩, 다이어리, 일기(장) | wall 벽 | vase 꽃병 | picture 사진 | new 새, 새로운 | textbook 교과서 | notebook 공책 | bookmark 책갈피 | student 학생 | thing 것, 물건 | anything 무엇, 아무것 | talk 이야기하다 | earphone 이어폰 | listen 듣다 | turn 차례; 돌다 | front 앞면, 앞쪽 | island 섬 | alone 혼자 | bring 가져오다 | doll 인형 | money 돈 | knife 칼 | bottle 병 | a bottle of ~ 한 병 | expensive 비싼 | album 앨범

 **Comprehension Questions** p.63

1. <u>These</u> are my friends.

(A) He
(B) This
(C) That
(D) These

해석 <u>이들</u>은 내 친구들이야.

(A) 그는
(B) 이것
(C) 저것
(D) 이들

풀이 빈칸에는 문장의 주어가 들어가야 한다. 동사가 2인칭 단수/복수 혹은 3인칭 복수와 어울리는 be 동사 'are'이고, 보어가 'my friends'로 복수이므로 (D)가 정답이다. 나머지 선택지는 모두 3인칭 단수이므로 오답이다.

관련 문장 So these earphones are special to me.

2. Where is <u>my</u> diary?

(A) I
(B) my
(C) me
(D) mine

해석 <u>내</u> 일기장은 어디에 있니?

(A) 나는
(B) 나의
(C) 나를
(D) 나의 것

풀이 빈칸에는 명사 'diary'를 꾸며줄 수 있는 (인칭 대명사의) 소유격이 들어갈 수 있으므로 (B)가 정답이다.

관련 문장 This is my diary.

3. There are many <u>pictures</u> on the wall.

(A) vases
(B) flowers
(C) pictures
(D) cameras

해석 벽에 많은 <u>사진</u>이 있다.

(A) 꽃병
(B) 꽃
(C) 사진
(D) 카메라

풀이 벽에 여러 사진이 걸려 있으므로 (C)가 정답이다.

관련 문장 Bobby shows a picture.

4. I need a new <u>notebook</u>.

(A) pencil
(B) textbook
(C) notebook
(D) bookmark

해석 나는 새 <u>공책</u>이 필요하다.

(A) 연필
(B) 교과서
(C) 공책
(D) 책갈피

풀이 무언가를 적거나 그릴 수 있는 공책이므로 (C)가 정답이다.

관련 문장 She shows a small notebook.

[5-6]

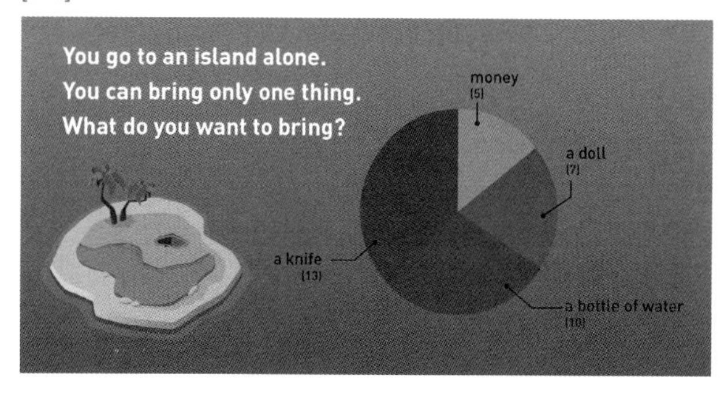

해석

당신은 혼자 섬에 가요. 물건 하나만 가져갈 수 있어요. 무엇을 가져가고 싶나요?			
돈 (5)	인형 (7)	물 한 병 (10)	칼 (13)

5. How many students want to bring money?

(A) 5
(B) 7
(C) 10
(D) 13

해석 돈을 가져가고 싶은 학생은 몇 명인가?

(A) 5
(B) 7
(C) 10
(D) 13

풀이 다섯 명의 학생이 섬에 돈을 가져가고 싶어 한다고 표시되어 있으므로 (A)가 정답이다.

6. What are students NOT bringing?

(A) water
(B) a doll
(C) snack
(D) a knife

해석 학생들이 가져가지 않는 것은 무엇인가?

(A) 물
(B) 인형
(C) 간식
(D) 칼

풀이 간식은 그래프에 없으므로 (C)가 정답이다.

[7-10]

Today, the class has "Show and Tell." What is "Show and Tell"? Students bring a special thing from home. They can bring anything. They show the special things to their friends. Then they talk about it. Carl is first. He shows his earphones to the class. He says, "I like listening to music. So these earphones are special to me." Then, it is Bobby's turn. Bobby shows a picture. He says, "This is my family. I love all of them. They are very special to me." Clara goes next. She shows a small notebook. She says, "This is my diary. I write in it every night. It is the most special thing to me." All the students bring their special things!

해석

오늘, 수업에서 "보여주고 말하는 시간"이 있어요. "보여주고 말하는 시간"은 무엇인가요? 학생들이 집에서 특별한 물건을 가져와요. 그들은 무엇이든 가져올 수 있어요. 그들은 친구들에게 그 특별한 물건을 보여줘요. 그런 다음 그것에 관해 이야기해요. Carl이 첫 번째예요. 그는 학급에 이어폰을 보여줘요. 그가 말해요, "저는 음악 듣는 것을 좋아해요. 그래서 이것이 저에게 특별해요." 그런 다음, Bobby의 차례예요. Bobby는 사진 한 장을 보여줘요. 그는 말해요, "이것은 제 가족이에요. 저는 그들 모두를 사랑해요. 그들은 저에게 매우 특별해요." Clara가 다음으로 해요. 그녀는 작은 공책을 보여줘요. 그녀가 말해요, "이것은 제 일기장이에요. 저는 매일 밤 제 일기장에 써요. 이것은 저한테 가장 특별한 것이에요." 모든 학생이 자신들의 특별한 물건을 가져와요!

7. What is the best title?

(A) A Magic Show
(B) Show and Tell
(C) Carl Plays Music
(D) A Book of Paintings

해석 가장 알맞은 제목은 무엇인가?

(A) 마술쇼
(B) 보여주고 말하기 시간
(C) Carl이 음악을 연주하다
(D) 그림에 관한 책

유형 전체 내용 파악

풀이 첫 문장 'Today, the class has "Show and Tell."'에서 보여주고 말하는 시간이라는 중심 소재가 드러나고 있다. 그 후에 Carl, Bobby, Clara가 각각 어떤 물건을 가져왔는지 차례대로 서술하고 있는 글이므로 (B)가 정답이다.

8. Why are the earphones special to Carl?

(A) They are new.
(B) They are expensive.
(C) He likes listening to music.
(D) His grandma also uses them.

해석 이어폰은 왜 Carl에게 특별한가?

(A) 새것이다.
(B) 비싸다.
(C) 그는 음악 듣는 것을 좋아한다.
(D) 그의 할머니도 그것들을 사용한다.

유형 세부 내용 파악

풀이 'He says, "I like listening to music. So these earphones are special to me."'에서 Carl이 음악 감상을 좋아하기 때문에 이어폰이 Carl에게 특별하다는 것을 알 수 있으므로 (C)가 정답이다.

9. What does Bobby bring?

(A) a diary
(B) a picture
(C) an album
(D) an orange

해석 Bobby는 무엇을 가져오는가?

(A) 일기장
(B) 사진
(C) 앨범
(D) 오렌지

유형 세부 내용 파악

풀이 'Bobby shows a picture.'에서 Bobby가 사진을 가져왔다는 것을 알 수 있으므로 (B)가 정답이다. (A)는 Clara가 가져온 것이므로 오답이다.

10. When does Clara write in her diary?

(A) at night
(B) at noon
(C) during class
(D) in the morning

해석 Clara는 일기장에 언제 쓰는가?

(A) 밤에
(B) 정오에
(C) 수업 도중에
(D) 아침에

유형 세부 내용 파악

풀이 'This is my diary. I write in it every night.'에서 Clara가 매일 밤에 일기를 쓴다고 했으므로 (A)가 정답이다.

Listening Practice S2-7 p.66

Today, the class has "Show and Tell." What is "Show and Tell"? Students bring a special thing from home. They can bring anything. They show the special things to their friends. Then they talk about it. Carl is first. He shows his earphones to the class. He says, "I like listening to music. So these earphones are special to me." Then, it is Bobby's turn. Bobby shows a picture. He says, "This is my family. I love all of them. They are very special to me." Clara goes next. She shows a small notebook. She says, "This is my diary. I write in it every night. It is the most special thing to me." All the students bring their special things!

1. special
2. earphones
3. picture
4. diary

Writing Practice p.67

1. earphones
2. special
3. picture
4. diary

Summary

Today is "Show and Tell" in class. The students bring special things from home. They show the things to their friends. They talk about them.

오늘은 "보여주고 말하기" 수업이에요. 학생들은 집에서 특별한 것들을 가져와요. 그들은 그 물건들을 친구들에게 보여줘요. 그들은 그것들에 대해서 말해요.

Word Puzzle p.68

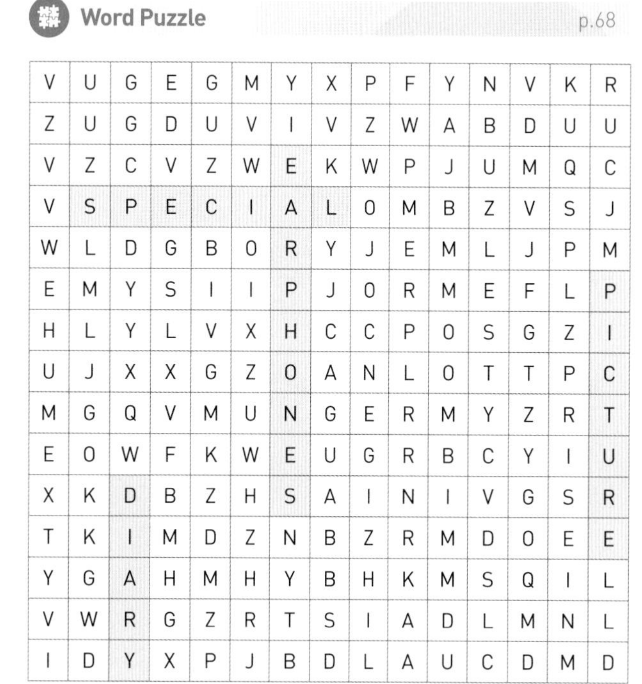

V	U	G	E	G	M	Y	X	P	F	Y	N	V	K	R
Z	U	G	D	U	V	I	V	Z	W	A	B	D	U	U
V	Z	C	V	Z	W	E	K	W	P	J	U	M	Q	C
V	S	P	E	C	I	A	L	O	M	B	Z	V	S	J
W	L	D	G	B	O	R	Y	J	E	M	L	J	P	M
E	M	Y	S	I	I	P	J	O	R	M	E	F	L	P
H	L	Y	L	V	X	H	C	C	P	O	S	G	Z	I
U	J	X	X	G	Z	O	A	N	L	O	T	T	P	C
M	G	Q	V	M	U	N	G	E	R	M	Y	Z	R	T
E	O	W	F	K	W	E	U	G	R	B	C	Y	I	U
X	K	D	B	Z	H	S	A	I	N	I	V	G	S	R
T	K	I	M	D	Z	N	B	Z	R	M	D	O	E	E
Y	G	A	H	M	H	Y	B	H	K	M	S	Q	I	L
V	W	R	G	Z	R	T	S	I	A	D	L	M	N	L
I	D	Y	X	P	J	B	D	L	A	U	C	D	M	D

1. earphones
2. special
3. picture
4. diary

Unit 8 | Summer Vacation p.69

Part A. Sentence Completion p.71

1 (D) 2 (D)

Part B. Situational Writing p.71

3 (D) 4 (B)

Part C. Practical Reading and Retelling p.72

5 (B) 6 (A)

Part D. General Reading and Retelling p.73

7 (D) 8 (D) 9 (B) 10 (C)

Listening Practice p.74

1 beach	2 forest
3 water	4 inside

Writing Practice p.75

1 beach	2 forest
3 water park	4 inside

Summary summer vacation

Word Puzzle p.76

1 beach	2 forest
3 water park	4 inside

Pre-reading Questions p.69

Think! It is your vacation.
Where do you want to go?
What do you want to do?

생각해 보세요! 여러분의 방학이에요.
어디로 가고 싶나요?
무엇을 하고 싶나요?

Reading Passage p.70

Summer Vacation

Summer vacation is coming! Where is Rosa's family going? Today they choose. They are in the living room. Rosa's mother says, "Where do you want to go?" Rosa says, "My favorite place is the beach. I want to swim there!" Rosa's brother says, "The beach is too hot. My favorite place is the forest. There are many trees there. The air is fresh and cool. Let's go to the forest." Rosa's father says, "How about a water park? You can both swim there. Also, it is not too hot. There are many swimming pools. One pool is inside a building." Rosa's mother likes his idea. And Rosa and her brother also like it. Summer vacation is at the water park!

여름 방학

여름 방학이 다가와요! Rosa의 가족은 어디로 가나요? 오늘 그들은 선택해요. 그들은 거실에 있어요. Rosa의 어머니가 말해요, "어디에 가고 싶니?" Rosa가 말해요, "제가 특히 좋아하는 장소는 해변이에요. 거기서 수영하고 싶어요!" Rosa의 남동생이 말해요, "해변은 너무 더워요. 제가 특히 좋아하는 장소는 숲이에요. 거기에는 나무가 많이 있어요. 공기는 신선하고 시원해요. 숲으로 가요." Rosa의 아버지가 말해요, "워터파크는 어떠니? 너희 모두 거기서 수영할 수 있단다. 또, 너무 덥지도 않지. 거기에는 수영장이 많단다. 한 수영장은 건물 안에 있어." Rosa의 어머니는 그의 의견이 마음에 들어요. 그리고 Rosa와 남동생 또한 그것이 마음에 들어요. 여름 방학은 워터파크에서 보내요!

어휘 summer 여름 | vacation 방학 | where 어디에, 어디로 | what 무엇 | swim 수영하다 | fast 빠른 | lie 눕다 | on ~ 위에 | sofa 소파 | grass 잔디 | beach 해변 | hide 숨다 | under ~ 아래에 | inside ~ 안에 | next to ~ 옆에 | outside ~ 밖에 | choose 선택하다 | living room 거실 | favorite 특히 좋아하는 | place 장소 | forest 숲 | many 많은 | air 공기 | fresh 신선한 | water park 워터파크 | swimming pool 수영장 | building 건물 | idea 의견 | hat 모자 | pot 화분 | basket 바구니 | weather 날씨

Comprehension Questions p.71

1. There are many trees in the garden.
   (A) It are
   (B) They is
   (C) There is
   (D) There are

해석 정원에 많은 나무(들)이 있다.
(A) 어색한 표현
(B) 어색한 표현
(C) ~가 있다
(D) ~가 있다

풀이 '~가 있다'를 뜻하는 'there is/are ~' 유도부사 구문을 사용한 문장으로 'many trees'가 진짜 주어이다. 따라서 빈칸에는 'there + be 동사' 형태이면서 복수형 'many trees'에도 알맞은 be 동사를 사용한 (D)가 정답이다. 'There is a tree.', 'There are trees.' 등의 문장을 반복 학습하며 유도부사 구문에서 단수와 복수에 따른 be 동사의 차이를 익히도록 한다.

관련 문장 There are many trees there.

2. I can swim very fast.
   (A) is
   (B) be
   (C) am
   (D) can

해석 나는 매우 빠르게 수영할 수 있다.
(A) ~이다
(B) ~이다
(C) ~이다
(D) ~할 수 있다

풀이 빈칸에는 일반동사 'swim'을 보조하는 조동사가 들어갈 수 있으므로 (D)가 정답이다. (C)는 'I am swimming very fast.'와 같이 동사 'swim'을 활용해서 'be + V-ing' 형태로 써야 적절하므로 오답이다.

관련 문장 You can both swim there.

3. I want to lie on the beach.
   (A) bed
   (B) sofa
   (C) grass
   (D) beach

해석 나는 해변에 눕고 싶다.
(A) 침대
(B) 소파
(C) 잔디
(D) 해변

풀이 모래사장이 있고 바다와 접하는 해변이므로 (D)가 정답이다.

관련 문장 My favorite place is the beach. I want to swim there!

4. The boy hides inside the box.
   (A) under
   (B) inside
   (C) next to
   (D) outside

해석 그 소년은 상자 안에 숨는다.
(A) ~ 아래에
(B) ~ 안에
(C) ~ 옆에
(D) ~ 밖에

풀이 소년이 상자 안에 있으므로 (B)가 정답이다.

관련 문장 One pool is inside a building.

[5-6]

해석

고양이들이 특히 좋아하는 장소들

5. What is the orange cat's favorite place?
   (A) on a hat
   (B) on a pot
   (C) inside a bag
   (D) inside a basket

해석 주황색 고양이가 특히 좋아하는 장소는 무엇인가?
(A) 모자 위
(B) 화분 위
(C) 가방 안
(D) 바구니 안

풀이 주황색 고양이는 화분 위에 있으므로 (B)가 정답이다.

6. Who likes to be in a basket?
   (A) the white cat
   (B) the black cat
   (C) the brown cat
   (D) the orange cat

해석 누가 바구니 안에 있기를 좋아하는가?
(A) 하얀 고양이
(B) 검은 고양이
(C) 갈색 고양이
(D) 주황색 고양이

풀이 바구니 안에 하얀 고양이가 있으므로 (A)가 정답이다.

[7-10]

Summer vacation is coming! Where is Rosa's family going? Today they choose. They are in the living room. Rosa's mother says, "Where do you want to go?" Rosa says, "My favorite place is the beach. I want to swim there!" Rosa's brother says, "The beach is too hot. My favorite place is the forest. There are many trees there. The air is fresh and cool. Let's go to the forest." Rosa's father says, "How about a water park? You can both swim there. Also, it is not too hot. There are many swimming pools. One pool is inside a building." Rosa's mother likes his idea. And Rosa and her brother also like it. Summer vacation is at the water park!

해석

여름 방학이 다가와요! Rosa의 가족은 어디로 가나요? 오늘 그들은 선택해요. 그들은 거실에 있어요. Rosa의 어머니가 말해요, "어디에 가고 싶니?" Rosa가 말해요, "제가 특히 좋아하는 장소는 해변이에요. 거기서 수영하고 싶어요!" Rosa의 남동생이 말해요, "해변은 너무 더워요. 제가 특히 좋아하는 장소는 숲이에요. 거기에는 나무가 많이 있어요. 공기는 신선하고 시원해요. 숲으로 가요." Rosa의 아버지가 말해요, "워터파크는 어떠니? 너희 모두 거기서 수영할 수 있단다. 또, 너무 덥지도 않지. 거기에는 수영장이 많단다. 한 수영장은 건물 안에 있어." Rosa의 어머니는 그의 의견이 마음에 들어요. 그리고 Rosa와 남동생 또한 그것이 마음에 들어요. 여름 방학은 워터파크에서 보내요!

7. What is the best title?

(A) Rosa's Favorite Place
(B) How to Swim in a Pool
(C) Many Trees and Fresh Air
(D) Rosa's Family Plans a Vacation

해석 가장 알맞은 제목은 무엇인가?

(A) Rosa가 특히 좋아하는 장소
(B) 수영장에서 수영하는 방법
(C) 많은 나무와 신선한 공기
(D) Rosa의 가족이 방학을 계획하다

유형 전체 내용 파악

풀이 여름 방학에 Rosa의 가족이 어디에 갈 것인지 논의하는 내용을 다루고 있다. Rosa의 어머니가 토론을 시작하고, 차례대로 Rosa, 남동생, 아버지가 어떤 의견을 내고 있는지 서술하고 있으므로 (D)가 정답이다. (A)와 (C)는 전체 내용이 아니라 글의 일부만을 반영하는 제목이므로 오답이다.

8. Where do Rosa's family talk?

(A) at a beach
(B) in the forest
(C) at a water park
(D) in their living room

해석 Rosa의 가족은 어디서 대화하는가?

(A) 해변에서
(B) 숲속에서
(C) 워터파크에서
(D) 거실에서

유형 세부 내용 파악

풀이 'They are in the living room.'을 통해 Rosa의 가족이 거실에서 대화하고 있다는 사실을 알 수 있으므로 (D)가 정답이다. 나머지 선택지는 지금 가족이 대화하는 공간이 아니라 여름 방학에 가족이 갈 만한 장소로 제안된 곳들이므로 오답이다.

9. Why does Rosa like the beach?

(A) She likes blue.
(B) She likes to swim.
(C) She likes fresh air.
(D) She likes hot weather.

해석 Rosa는 왜 해변을 좋아하는가?

(A) 파란색을 좋아한다.
(B) 수영하는 것을 좋아한다.
(C) 신선한 공기를 좋아한다.
(D) 더운 날씨를 좋아한다.

유형 세부 내용 파악

풀이 'Rosa says, "My favorite place is the beach. I want to swim there!"'를 통해 Rosa가 수영하고 싶어서 해변을 좋아한다는 것을 파악할 수 있으므로 (B)가 정답이다.

10. What is most likely true about Rosa's brother?

(A) He cannot swim.
(B) He likes the park.
(C) He hates hot weather.
(D) He wants to go to the beach.

해석 Rosa의 남동생에 관해 옳은 설명으로 가장 적절한 것은 무엇인가?

(A) 수영을 못한다.
(B) 공원을 좋아한다.
(C) 더운 날씨를 싫어한다.
(D) 해변에 가고 싶어 한다.

유형 추론하기

풀이 'Rosa's brother says, "The beach is too hot. My favorite place is the forest. [...] The air is fresh and cool. Let's go to the forest."'에서 Rosa 남동생이 해변은 너무 덥다고 말하며 대신에 공기가 시원하고 신선한 숲으로 가자고 제안하고 있다. 이를 통해 남동생이 더운 날씨를 싫어한다는 것을 유추할 수 있으므로 (C)가 정답이다. (D)는 Rosa의 남동생이 더운 해변 대신 숲에 가자고 했으므로 오답이다.

Listening Practice

S2-8 p.74

Summer vacation is coming! Where is Rosa's family going? Today they choose. They are in the living room. Rosa's mother says, "Where do you want to go?" Rosa says, "My favorite place is the beach. I want to swim there!" Rosa's brother says, "The beach is too hot. My favorite place is the forest. There are many trees there. The air is fresh and cool. Let's go to the forest." Rosa's father says, "How about a water park? You can both swim there. Also, it is not too hot. There are many swimming pools. One pool is inside a building." Rosa's mother likes his idea. And Rosa and her brother also like it. Summer vacation is at the water park!

1. beach
2. forest
3. water
4. inside

Writing Practice

p.75

1. beach
2. forest
3. water park
4. inside

Summary

Rosa's family makes a summer vacation plan. They talk in the living room. They are going to a water park.

Rosa의 가족은 여름 방학 계획을 짜요. 그들은 거실에서 대화해요. 그들은 워터파크에 갈 거예요.

Word Puzzle

p.76

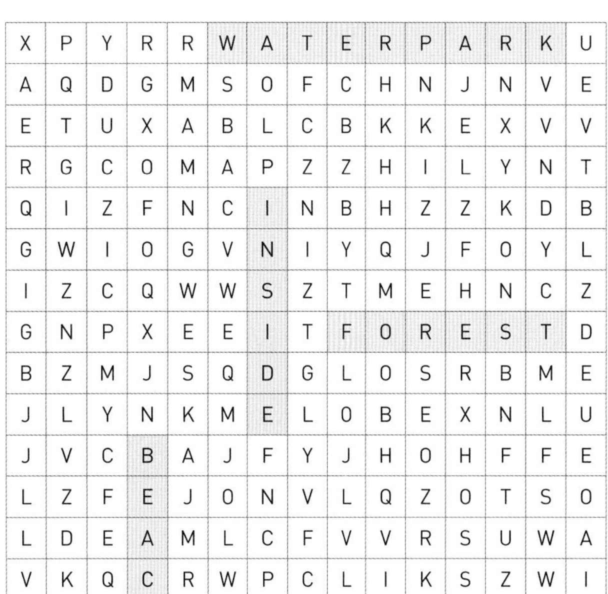

X	P	Y	R	R	W	A	T	E	R	P	A	R	K	U
A	Q	D	G	M	S	O	F	C	H	N	J	N	V	E
E	T	U	X	A	B	L	C	B	K	K	E	X	V	V
R	G	C	O	M	A	P	Z	Z	H	I	L	Y	N	T
Q	I	Z	F	N	C	I	N	B	H	Z	Z	K	D	B
G	W	I	O	G	V	N	I	Y	Q	J	F	O	Y	L
I	Z	C	Q	W	W	S	Z	T	M	E	H	N	C	Z
G	N	P	X	E	E	I	T	F	O	R	E	S	T	D
B	Z	M	J	S	Q	D	G	L	O	S	R	B	M	E
J	L	Y	N	K	M	E	L	O	B	E	X	N	L	U
J	V	C	B	A	J	F	Y	J	H	O	H	F	F	E
L	Z	F	E	J	O	N	V	L	Q	Z	O	T	S	O
L	D	E	A	M	L	C	F	V	V	R	S	U	W	A
V	K	Q	C	R	W	P	C	L	I	K	S	Z	W	I
S	V	H	H	E	J	B	X	T	D	A	L	G	V	O

1. beach
2. forest
3. water park
4. inside

Starter Book 2

Chapter Review

p.77

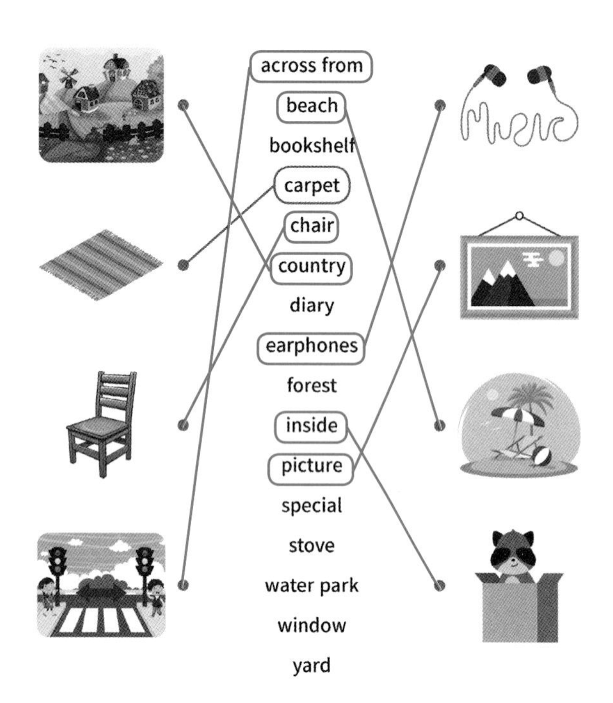

※ 학생의 생각에 따라 다양한 정답이 가능할 수 있습니다.

예)

beach, picture, water park, ···

inside, special, ···

Chapter 3. Family Occasion

Unit 9 | Grandma's Birthday p.79

Part A. Sentence Completion p.81

1 (A) 2 (A)

Part B. Situational Writing p.81

3 (B) 4 (C)

Part C. Practical Reading and Retelling p.82

5 (A) 6 (B)

Part D. General Reading and Retelling p.83

7 (B) 8 (A) 9 (C) 10 (C)

Listening Practice p.84

1 carrot 2 candles
3 flames 4 delicious

Writing Practice p.85

1 carrot 2 candle
3 flame 4 delicious
Summary candles

Word Puzzle p.86

1 carrot 2 candle
3 flame 4 delicious

Pre-reading Questions p.79

Name a person in your family.
It is that person's birthday. Is there a cake?
How many candles are on it?

여러분의 가족 중에 한 사람의 이름을 대보세요.
그 사람의 생일이에요. 케이크가 있나요?
그 위에 초가 몇 개 있나요?

Reading Passage p.80

Grandma's Birthday

It is Grandma's birthday! What do we do for Grandma? First, we make a cake. Her favorite is carrot cake. I do not like carrot cake. My brother, Riku, does not like carrot cake. My parents do not like carrot cake. But Grandma likes it. So we make carrot cake. What is on the cake? There are many candles. This year, there are seventy candles. We bring Grandma the cake. We sing to her. Then she blows on the candles. But there are too many candles. Riku helps. Finally, the flames are out. Then we eat the cake. Grandma asks, "How is the cake?" We smile. We say, "This cake is delicious!" Because we know Grandma likes carrot cake. Then Grandma is happy.

할머니의 생신

할머니의 생신이에요! 할머니를 위해 우리는 무엇을 하나요? 먼저, 우리는 케이크를 만들어요. 그녀가 특히 좋아하는 것은 당근 케이크예요. 저는 당근 케이크를 좋아하지 않아요. 제 남동생인 Riku는 당근 케이크를 좋아하지 않아요. 우리 부모님은 당근 케이크를 좋아하지 않아요. 하지만 할머니는 그것을 좋아해요. 그래서 우리는 당근 케이크를 만들어요. 케이크 위에는 무엇이 있나요? 초가 많이 있어요. 올해, 초가 70개 있어요. 우리는 할머니에게 케이크를 가져와요. 우리는 그녀에게 노래를 불러드려요. 그런 다음 그녀는 초를 불어요. 하지만 초가 너무 많아요. Riku가 도와요. 마침내, 불꽃들이 꺼져요. 그런 다음 우리는 케이크를 먹어요. 할머니가 물어요, "케이크가 어떠니?" 우리는 미소 지어요. 우리는 말해요, "이 케이크는 맛있어요!" 왜냐하면 우리는 할머니가 당근 케이크를 좋아한다는 것을 알기 때문이에요. 그러면 할머니는 행복해요.

어휘 birthday 생일 | candle 초, 양초 | on ~ 위에 | favorite 좋아하는; 좋아하는 물건[사람] | how 얼마나 | who 누가 | what 무엇 | where 어디 | make a wish 소원을 빌다 | sit 앉다 | blow 불다 | stand 서다 | camp 캠프 | flame 불꽃 | out (불·전등·장작 등이) 꺼진 | phone 전화기 | carrot 당근 | bring 가져오다 | sing 노래하다 | ask 물어보다 | delicious 맛있는 | weekend 주말 | garden 정원 | coffee 커피 | cheese 치즈 | chocolate 초콜릿 | blow out (입으로 불어서) 끄다

Comprehension Questions p.81

1. It is Grandma's birthday. We make <u>her</u> favorite cake.
   (A) her
   (B) you
   (C) him
   (D) mine

해석 할머니의 생신이다. 우리는 <u>그녀가</u> 매우 좋아하는 케이크를 만든다.
   (A) 그녀의
   (B) 너를
   (C) 그를
   (D) 나의 것

풀이 빈칸에는 명사구 'favorite cake'를 꾸며줄 수 있는 (인칭 대명사의) 소유격이 들어갈 수 있으므로 (A)가 정답이다.

관련 문장 Her favorite is carrot cake.

2. <u>How</u> many candles are on the cake?
   (A) How
   (B) Who
   (C) What
   (D) Where

해석 케이크 위에 <u>몇</u> 개의 초가 있니?
   (A) 얼마나
   (B) 누가
   (C) 무엇
   (D) 어디

풀이 빈칸에는 복수형으로 쓰인 'candles'를 꾸며줄 수 있는 의문사가 들어가야 한다. 'How'는 'many'와 함께 쓰여 '몇 개, 몇 사람'을 뜻하는 의문사 'How many'로 사용되므로 (A)가 정답이다.

관련 문장 This year, there are seventy candles.

3. <u>Blow</u> on the candles. Make a wish!
   (A) Sit
   (B) Blow
   (C) Write
   (D) Stand

해석 초를 <u>불어</u>. 소원을 빌어!
   (A) 앉다
   (B) 불다
   (C) 쓰다
   (D) 서다

풀이 여자아이가 초를 불고 있는 모습이다. '불다'는 영어로 'blow'이므로 (B)가 정답이다.

관련 문장 Then she blows on the candles.

4. The candle <u>flame</u> is very bright!
   (A) sun
   (B) camp
   (C) flame
   (D) phone

해석 촛<u>불</u>이 매우 밝다!
   (A) 태양
   (B) 캠프
   (C) 불꽃
   (D) 전화기

풀이 촛불 하나가 타고 있는 모습이다. '불꽃', '불길'은 영어로 'flame'이므로 (C)가 정답이다.

관련 문장 Finally, the flames are out.

[5-6]

Whose birthday is in February?

SUN	MON	TUE	WED	THU	FRI	SAT
				Jenny's birthday 1	2	3
4	5	6	7	8	9	Dane's birthday 10
11	Hazel's birthday 12	13	14	15	16	17
18	19	20	Ayden's birthday 21	22	23	24
25	26	27	28			

해석

누구의 생일이 2월에 있나요?

일 월 화 수 목 금 토

1일 - Jenny의 생일	10일 - Dane의 생일
12일 - Hazel의 생일	21일 - Ayden의 생일

5. When is Jenny's birthday?
   (A) Thursday, February 1st
   (B) Friday, February 2nd
   (C) Saturday, February 1st
   (D) Tuesday, February 2nd

해석 Jenny의 생일은 언제인가?
   (A) 목요일, 2월 1일
   (B) 금요일, 2월 2일
   (C) 토요일, 2월 1일
   (D) 화요일, 2월 2일

풀이 Jenny의 생일은 2월 1일 목요일에 표시되어 있으므로 (A)가 정답이다.

6. Whose birthday is on the weekend?

(A) Jenny
(B) Dane
(C) Hazel
(D) Ayden

해석 누구의 생일이 주말에 있는가?

(A) Jenny
(B) Dane
(C) Hazel
(D) Ayden

풀이 Dane의 생일이 주말인 토요일에 표시되어 있으므로 (B)가 정답이다.

[7-10]

It is Grandma's birthday! What do we do for Grandma? First, we make a cake. Her favorite is carrot cake. I do not like carrot cake. My brother, Riku, does not like carrot cake. My parents do not like carrot cake. But Grandma likes it. So we make carrot cake. What is on the cake? There are many candles. This year, there are seventy candles. We bring Grandma the cake. We sing to her. Then she blows on the candles. But there are too many candles. Riku helps. Finally, the flames are out. Then we eat the cake. Grandma asks, "How is the cake?" We smile. We say, "This cake is delicious!" Because we know Grandma likes carrot cake. Then Grandma is happy.

해석

할머니의 생신이에요! 할머니를 위해 우리는 무엇을 하나요? 먼저, 우리는 케이크를 만들어요. 그녀가 특히 좋아하는 것은 당근 케이크예요. 저는 당근 케이크를 좋아하지 않아요. 제 남동생인 Riku는 당근 케이크를 좋아하지 않아요. 우리 부모님은 당근 케이크를 좋아하지 않아요. 하지만 할머니는 그것을 좋아해요. 그래서 우리는 당근 케이크를 만들어요. 케이크 위에는 무엇이 있나요? 초가 많이 있어요. 올해, 초가 70개 있어요. 우리는 할머니에게 케이크를 가져와요. 우리는 그녀에게 노래를 불러드려요. 그런 다음 그녀는 초를 불어요. 하지만 초가 너무 많아요. Riku가 도와요. 마침내, 불꽃들이 꺼져요. 그런 다음 우리는 케이크를 먹어요. 할머니가 물어요, "케이크가 어떠니?" 우리는 미소 지어요. 우리는 말해요, "이 케이크는 맛있어요!" 왜냐하면 우리는 할머니가 당근 케이크를 좋아한다는 것을 알기 때문이에요. 그러면 할머니는 행복해요.

7. What is the best title?

(A) Making a Cake
(B) Grandma's Birthday
(C) Carrots in the Garden
(D) Finding Grandma's Gift

해석 가장 알맞은 제목은 무엇인가?

(A) 케이크 만들기
(B) 할머니의 생신
(C) 정원에 있는 당근
(D) 할머니 선물 찾기

유형 전체 내용 파악

풀이 첫 문장 'It is Grandma's birthday!'에서 할머니 생신이라는 중심 소재가 드러나고 있다. 할머니 생신을 위해 글쓴이 가족이 당근 케이크를 준비하고, 생신 노래를 불러 드리고, 케이크를 함께 먹는 등 할머니 생신에 무엇을 했는지 서술하고 있으므로 (B)가 정답이다. (A)는 케이크 만들기가 부분적인 내용일 뿐이므로 오답이다.

8. What kind of cake does Grandma like?

(A) carrot
(B) coffee
(C) cheese
(D) chocolate

해석 할머니는 어떤 종류의 케이크를 좋아하는가?

(A) 당근
(B) 커피
(C) 치즈
(D) 초콜릿

유형 세부 내용 파악

풀이 'What do we do for Grandma? First, we make a cake. Her favorite is carrot cake.'에서 글쓴이의 할머니가 특히 좋아하는 케이크가 당근 케이크라는 사실을 알 수 있으므로 (A)가 정답이다.

9. How old is Grandma?

(A) 50
(B) 60
(C) 70
(D) 80

해석 할머니는 몇 살인가?

(A) 50
(B) 60
(C) 70
(D) 80

유형 추론하기

풀이 'This year, there are seventy candles.'에서 올해 할머니 생신 케이크 위에 초가 70개 있다는 것을 알 수 있다. 이는 할머니가 올해 일흔 살이라는 뜻이므로 (C)가 정답이다.

10. Who is Riku?
   (A) the writer
   (B) Grandma's dog
   (C) the writer's brother
   (D) Grandma's brother

해석 Riku는 누구인가?
   (A) 글쓴이
   (B) 할머니의 개
   (C) 글쓴이의 남동생
   (D) 할머니의 남동생

유형 세부 내용 파악

풀이 'My brother, Riku, does not like carrot cake.'에서 Riku가 글쓴이의 남동생이라는 것을 알 수 있으므로 (C)가 정답이다.

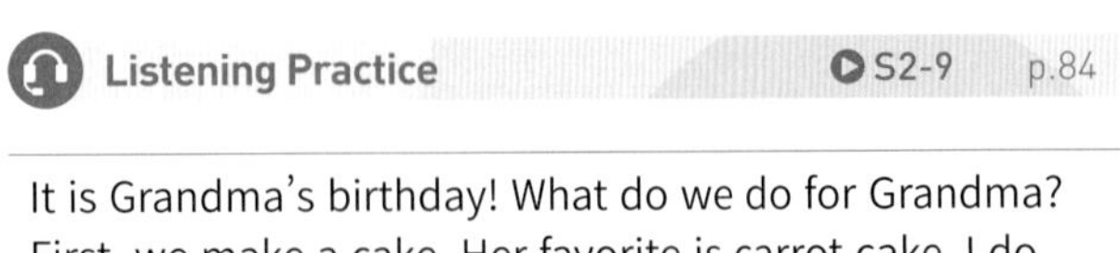

Listening Practice

S2-9 p.84

It is Grandma's birthday! What do we do for Grandma? First, we make a cake. Her favorite is <u>carrot</u> cake. I do not like carrot cake. My brother, Riku, does not like carrot cake. My parents do not like carrot cake. But Grandma likes it. So we make carrot cake. What is on the cake? There are many <u>candles</u>. This year, there are seventy candles. We bring Grandma the cake. We sing to her. Then she blows on the candles. But there are too many candles. Riku helps. Finally, the <u>flames</u> are out. Then we eat the cake. Grandma asks, "How is the cake?" We smile. We say, "This cake is <u>delicious</u>!" Because we know Grandma likes carrot cake. Then Grandma is happy.

1. carrot
2. candles
3. flames
4. delicious

Writing Practice

p.85

1. carrot
2. candle
3. flame
4. delicious

Summary

Today is Grandma's birthday. We make a carrot cake for her. We put seventy <u>candles</u> on the cake. We sing. Grandma blows out the candles.

오늘은 할머니의 생신이에요. 우리는 그녀를 위해 당근 케이크를 만들어요. 케이크 위에 <u>초</u>를 70개 꽂아요. 우리는 노래를 불러요. 할머니는 초를 불어서 꺼요.

Word Puzzle

p.86

X	M	Z	N	P	C	C	J	A	J	P	D	R	Y	A
T	Q	L	G	W	X	H	T	T	M	G	E	A	T	J
Y	L	V	G	Z	I	M	Z	I	W	L	L	L	O	X
B	U	T	D	D	O	I	I	X	I	W	I	A	D	K
W	F	L	A	M	E	X	I	W	C	K	C	F	U	B
W	X	B	T	D	J	H	Q	V	A	E	I	I	A	L
X	H	L	X	D	T	D	E	Z	N	O	O	Y	I	H
V	N	K	L	Q	T	B	B	V	D	C	U	E	P	K
O	F	D	S	N	L	C	R	G	L	V	S	T	J	B
N	D	V	K	X	C	L	D	G	E	A	K	P	M	Y
F	L	C	A	R	R	O	T	X	J	Z	B	C	A	J
W	C	U	B	L	F	J	W	E	U	B	P	U	K	G
G	C	H	W	V	S	G	H	Z	L	R	L	W	V	R
V	K	K	D	I	H	H	T	L	C	E	T	A	H	Z
G	E	A	D	C	O	H	C	E	V	K	O	Q	T	J

1. carrot
2. candle
3. flame
4. delicious

Unit 10 | Eating Out vs. Eating at Home p.87

Part A. Sentence Completion p.89

1 (A) 2 (C)

Part B. Situational Writing p.89

3 (C) 4 (D)

Part C. Practical Reading and Retelling p.90

5 (D) 6 (B)

Part D. General Reading and Retelling p.91

7 (D) 8 (C) 9 (B) 10 (B)

Listening Practice p.92

1 Noddles 2 eat out
3 healthy 4 order

Writing Practice p.93

1 noodle 2 eat out
3 healthy 4 order
Summary eat out

Word Puzzle p.94

1 noodle 2 eat out
3 healthy 4 order

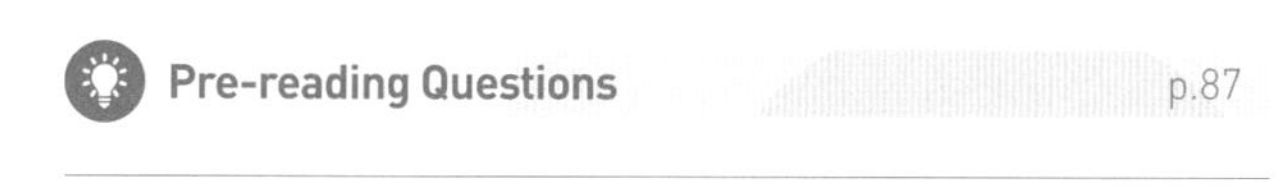

Pre-reading Questions p.87

Which do you like: eating at home or eating out?

어떤 것을 좋아하나요: 집에서 식사하기 아니면 외식하기?

Reading Passage p.88

Eating Out vs. Eating at Home

Ruby is hungry. She knows a new restaurant. The restaurant is called “Fat Noodles.” Ruby wants to eat at Fat Noodles. She finds her mother. Ruby says, “Mom, let’s eat out! I know a new restaurant. It has delicious noodles.” But Ruby’s mother does not want to eat out. She wants to stay home. She says, “Ruby, that restaurant’s food is not healthy. We can make healthy noodles at home.” Ruby is not happy. She says, “Cooking is slow. I want to eat right now. At the restaurant, we can order food. It is fast and easy.” Ruby’s mother says, “No. Not tonight.” Ruby asks, “Then when can I go to that restaurant?” Ruby’s mother says, “On your birthday. Now wash your hands.”

외식하기 대 집에서 식사하기

Ruby는 배고파요. 그녀는 새 식당을 알아요. 그 식당은 “Fat Noodles”라고 불려요. Ruby는 Fat Noodles에서 먹고 싶어요. 그녀는 어머니를 찾아요. Ruby가 말해요, “엄마, 외식해요! 제가 새 식당을 알아요. 그곳에는 맛있는 국수가 있어요.” 하지만 Ruby의 어머니는 외식하고 싶지 않아요. 그녀는 집에 머무르고 싶어요. 그녀가 말해요, “Ruby야, 그 식당의 음식은 몸에 좋지 않단다. 우리가 집에서 몸에 좋은 국수를 만들 수 있어.” Ruby는 기쁘지 않아요. 그녀가 말해요, “요리하는 건 느려요. 저는 지금 당장 먹고 싶어요. 그 식당에서, 우리는 음식을 주문할 수 있어요. 그것은 빠르고 쉬워요.” Ruby의 어머니가 말해요, “아니. 오늘 저녁은 안 돼.” Ruby가 물어요, “그러면 언제 저는 그 식당에 갈 수 있죠?” Ruby의 어머니가 말해요, “너의 생일에. 이제 손을 씻으렴.”

어휘 eat out 외식하다 | salad 샐러드 | fat 뚱뚱한, 살찐 | noodle 국수 | stay 머무르다 | heat 데우다 | cook 요리하다 | order 주문하다 | hungry 배고픈 | restaurant 식당 | find 찾다, 발견하다 | healthy 건강한; 몸에 좋은 | easy 쉬운 | unhealthy 건강하지 않은 | ask 물어보다 | then 그러면, 그런 다음; 그때 | wash 씻다 | only 오직 ~만의 | main 주된 | dish 요리; 접시 | drink 음료 | potato 감자 | dessert 디저트, 후식 | expensive 비싼 | fruit 과일 | cherry 체리 | juice 주스 | bread 빵 | yogurt 요거트 | uncle 삼촌 | cheap 싼 | rainy 비 오는 | snowy 눈 오는

Comprehension Questions

p.89

1. Let's <u>eat</u> now!
   (A) eat
   (B) to eat
   (C) be eat
   (D) eating

해석 지금 <u>먹자</u>!
   (A) 먹다
   (B) 먹는 것
   (C) 어색한 표현
   (D) 먹는 것

풀이 무엇을 같이 하자고 요청할 때 사용하는 'Let's + 동사원형' 형태의 청유형 문장이다. 따라서 (A)가 정답이다.

관련 문장 Mom, let's eat out!

2. <u>When</u> can we go there? Tonight? Tomorrow?
   (A) Who
   (B) What
   (C) When
   (D) Where

해석 우리 거기 <u>언제</u> 갈 수 있어? 오늘 밤? 내일?
   (A) 누가
   (B) 무엇
   (C) 언제
   (D) 어디

풀이 뒤에서 'Tonight? Tomorrow?'라며 시간을 확인하는 것으로 보아 언제 거기에 갈 수 있는지 물어보는 내용이 자연스럽다. 따라서 (C)가 정답이다. (D)는 장소를 뜻하는 'there'이 이미 문장에 들어가 있어 'Where can we go there?'이 되면 어색해지므로 오답이다.

관련 문장 Then when can I go to that restaurant?

3. Do you like <u>noodles</u>?
   (A) pizza
   (B) salad
   (C) noodles
   (D) hamburgers

해석 <u>국수</u> 좋아하니?
   (A) 피자
   (B) 샐러드
   (C) 국수
   (D) 햄버거

풀이 그릇에 담긴 국수를 집어 올리고 있으므로 (C)가 정답이다.

관련 문장 It has delicious noodles.

4. We can <u>order</u> pizza by phone.
   (A) stay
   (B) heat
   (C) cook
   (D) order

해석 우리는 전화로 피자를 <u>주문할</u> 수 있다.
   (A) 머무르다
   (B) 데우다
   (C) 요리하다
   (D) 주문하다

풀이 휴대 전화로 피자를 주문하고 있으므로 (D)가 정답이다.

관련 문장 At the restaurant, we can order food.

[5-6]

해석

어린이 메뉴	
13살 미만 어린이만	
주 요리	음료
치즈 피자 $4.5	주스 $1.3
치킨 $7	우유 $1.2
치킨 버거 $6	콜라 $2
토마토 파스타 $8	
샐러드	디저트
과일 샐러드 $2.5	체리 파이 $2.4
감자 샐러드 $2	사과 파이 $1.8

5. What is the most expensive food?
   (A) Chicken
   (B) Fruit Salad
   (C) Cherry Pie
   (D) Tomato Pasta

해석 가장 비싼 음식은 무엇인가?
   (A) 치킨
   (B) 과일 샐러드
   (C) 체리 파이
   (D) 토마토 파스타

풀이 메뉴에서 가장 비싼 음식은 가격이 8달러인 토마토 파스타이므로 (D)가 정답이다.

6. What is NOT on the menu?

(A) pie
(B) cake
(C) juice
(D) salad

해석 메뉴에 있지 않은 것은 무엇인가?

(A) 파이
(B) 케이크
(C) 주스
(D) 샐러드

풀이 메뉴에서 케이크('cake')는 없으므로 (B)가 정답이다. (A), (C), (D)는 순서대로 디저트, 음료, 샐러드 항목에서 찾을 수 있으므로 오답이다.

[7-10]

Ruby is hungry. She knows a new restaurant. The restaurant is called "Fat Noodles." Ruby wants to eat at Fat Noodles. She finds her mother. Ruby says, "Mom, let's eat out! I know a new restaurant. It has delicious noodles." But Ruby's mother does not want to eat out. She wants to stay home. She says, "Ruby, that restaurant's food is not healthy. We can make healthy noodles at home." Ruby is not happy. She says, "Cooking is slow. I want to eat right now. At the restaurant, we can order food. It is fast and easy." Ruby's mother says, "No. Not tonight." Ruby asks, "Then when can I go to that restaurant?" Ruby's mother says, "On your birthday. Now wash your hands."

해석

Ruby는 배고파요. 그녀는 새 식당을 알아요. 그 식당은 "Fat Noodles"라고 불려요. Ruby는 Fat Noodles에서 먹고 싶어요. 그녀는 어머니를 찾아요. Ruby가 말해요, "엄마, 외식해요! 제가 새 식당을 알아요. 그곳에는 맛있는 국수가 있어요." 하지만 Ruby의 어머니는 외식하고 싶지 않아요. 그녀는 집에 머무르고 싶어요. 그녀가 말해요, "Ruby야, 그 식당의 음식은 몸에 좋지 않단다. 우리가 집에서 몸에 좋은 국수를 만들 수 있어." Ruby는 기쁘지 않아요. 그녀가 말해요, "요리하는 건 느려요. 저는 지금 당장 먹고 싶어요. 그 식당에서, 우리는 음식을 주문할 수 있어요. 그것은 빠르고 쉬워요." Ruby의 어머니가 말해요, "아니. 오늘 저녁은 안 돼." Ruby가 물어요, "그러면 언제 저는 그 식당에 갈 수 있죠?" Ruby의 어머니가 말해요, "너의 생일에. 이제 손을 씻으렴."

7. What is the best title?

(A) Home and School
(B) Ruby Cooks at Home
(C) Hamburgers or Bread
(D) Eating Out or Eating at Home

해석 가장 알맞은 제목은 무엇인가?

(A) 집과 학교
(B) Ruby가 집에서 요리하다
(C) 햄버거 또는 빵
(D) 외식하기 또는 집에서 먹기

유형 전체 내용 파악

풀이 Ruby가 새 식당에 가서 외식하자고 제안하고, Ruby의 어머니는 집에서 먹자고 하는 일화를 다루고 있다. 따라서 (D)가 정답이다.

8. What does Ruby like to eat?

(A) cake
(B) yogurt
(C) noodles
(D) hamburgers

해석 Ruby는 무엇을 먹고 싶어 하는가?

(A) 케이크
(B) 요거트
(C) 국수
(D) 햄버거

유형 세부 내용 파악 & 추론하기

풀이 'Ruby wants to eat at Fat Noodles. [...] "Mom, let's eat out! I know a new restaurant. It has delicious noodles."'에서 Ruby가 국수를 파는 식당인 'Fat Noodles'에 가고 싶어 하고 있다. 이는 Ruby가 국수를 먹고 싶어 한다는 의미이므로 (C)가 정답이다.

9. Where does Ruby want to go?

(A) to a birthday party
(B) to a new restaurant
(C) to her uncle's house
(D) to her mother's store

해석 Ruby는 어디를 가고 싶어 하는가?

(A) 생일 파티에
(B) 새 식당에
(C) 그녀의 삼촌 집에
(D) 그녀의 어머니 가게에

유형 세부 내용 파악

풀이 'She knows a new restaurant. The restaurant is called "Fat Noodles." [...] Ruby wants to eat at Fat Noodles.'에서 Ruby가 새로 개업한 식당인 'Fat Noodles'에 가고 싶어 한다는 것을 알 수 있으므로 (B)가 정답이다.

10. Why does Ruby's mother want to eat at home?

(A) cheap food
(B) healthy food
(C) rainy weather
(D) snowy weather

해석 Ruby의 어머니는 왜 집에서 먹고 싶어 하는가?

(A) 싼 음식
(B) 몸에 좋은 음식
(C) 비 오는 날씨
(D) 눈 오는 날씨

유형 세부 내용 파악 & 추론하기

풀이 'Ruby, that restaurant's food is not healthy. We can make healthy noodles at home.'에서 Rudy의 어머니가 건강하지 않은 식당 음식 대신 집에서 몸에 좋은 국수를 만들 수 있다고 했으므로 (B)가 정답이다.

Listening Practice

S2-10 p.92

Ruby is hungry. She knows a new restaurant. The restaurant is called "Fat Noodles." Ruby wants to eat at Fat Noodles. She finds her mother. Ruby says, "Mom, let's eat out! I know a new restaurant. It has delicious noodles." But Ruby's mother does not want to eat out. She wants to stay home. She says, "Ruby, that restaurant's food is not healthy. We can make healthy noodles at home." Ruby is not happy. She says, "Cooking is slow. I want to eat right now. At the restaurant, we can order food. It is fast and easy." Ruby's mother says, "No. Not tonight." Ruby asks, "Then when can I go to that restaurant?" Ruby's mother says, "On your birthday. Now wash your hands."

1. Noodles
2. eat out
3. healthy
4. order

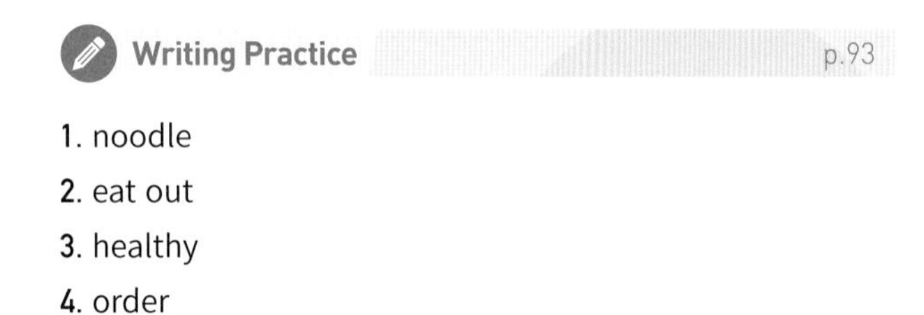

Writing Practice

p.93

1. noodle
2. eat out
3. healthy
4. order

Summary

Ruby wants to eat at a new restaurant called "Fat Noodles". So she says to her mother "Let's eat out!" But Ruby's mother wants to eat healthy noodles at home.

Ruby는 "Fat Noodles"라고 불리는 새로운 식당에서 먹고 싶어요. 그래서 그녀는 어머니에게 "외식해요!"라고 말해요. 하지만 Ruby의 어머니는 집에서 몸에 좋은 국수를 먹고 싶어요.

Word Puzzle

p.94

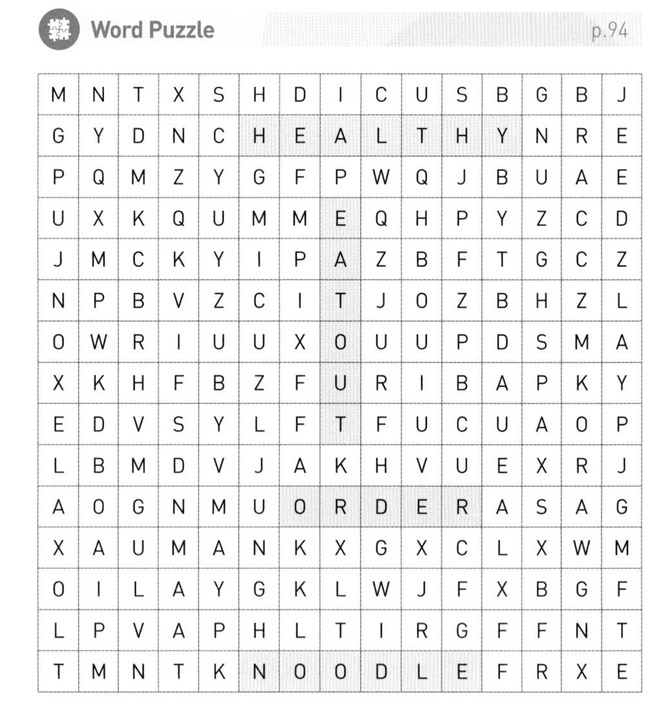

M	N	T	X	S	H	D	I	C	U	S	B	G	B	J
G	Y	D	N	C	H	E	A	L	T	H	Y	N	R	E
P	Q	M	Z	Y	G	F	P	W	Q	J	B	U	A	E
U	X	K	Q	U	M	M	E	Q	H	P	Y	Z	C	D
J	M	C	K	Y	I	P	A	Z	B	F	T	G	C	Z
N	P	B	V	Z	C	I	T	J	O	Z	B	H	Z	L
O	W	R	I	U	U	X	O	U	U	P	D	S	M	A
X	K	H	F	B	Z	F	U	R	I	B	A	P	K	Y
E	D	V	S	Y	L	F	T	F	U	C	U	A	O	P
L	B	M	D	V	J	A	K	H	V	U	E	X	R	J
A	O	G	N	M	U	O	R	D	E	R	A	S	A	G
X	A	U	M	A	N	K	X	G	X	C	L	X	W	M
O	I	L	A	Y	G	K	L	W	J	F	X	B	G	F
L	P	V	A	P	H	L	T	I	R	G	F	F	N	T
T	M	N	T	K	N	O	O	D	L	E	F	R	X	E

1. noodle
2. eat out
3. healthy
4. order

Unit 11 | Henry's Family p.95

Part A. Sentence Completion p.97

1 (A)　2 (C)

Part B. Situational Writing p.97

3 (B)　4 (D)

Part C. Practical Reading and Retelling p.98

5 (A)　6 (C)

Part D. General Reading and Retelling p.99

7 (B)　8 (C)　9 (C)　10 (A)

Listening Practice p.100

1 village　2 floors
3 cousins　4 noisy

Writing Practice p.101

1 village　2 floor
3 cousin　4 noisy
Summary floor

Word Puzzle p.102

1 village　2 floor
3 cousin　4 noisy

Pre-reading Questions p.95

How many people are in your family?
Can you name them?

여러분의 가족은 몇 명인가요?
그들의 이름을 말할 수 있나요?

Reading Passage p.96

Henry's Family

Henry lives in a small village. He lives in a very big house. Who lives with Henry? Many people live with Henry. The house has three floors. His grandparents live on the first floor. They grow plants in the garden. They also watch Henry's little cousins. Henry and his parents live on the second floor. They watch movies together at home. Henry's uncle, aunt, and cousins live on the top floor. Henry's cousins are really little. His cousin is only three years old. The other is five years old. They always run in the house. Henry can hear them. His cousins are noisy, but they are cute. Henry likes his life in a big house with his family.

Henry의 가족

Henry는 작은 마을에 살아요. 그는 아주 큰 집에 살아요. 누가 Henry와 같이 사나요? 많은 사람이 Henry와 같이 살아요. 그 집은 3층(짜리)이에요. 그의 조부모님은 1층에 살아요. 그들은 정원에서 식물을 길러요. 그들은 또한 Henry의 어린 사촌들을 봐줘요. Henry와 그의 부모님은 2층에 살아요. 그들은 집에서 함께 영화를 봐요. Henry의 이모부, 이모, 그리고 사촌들은 맨 위층에 살아요. Henry의 사촌들은 정말 어려요. 그의 사촌은 겨우 3살이에요. 다른 한 명은 5살이에요. 그들은 집 안에서 늘 뛰어요. Henry는 그들을 들을 수 있어요. 그의 사촌들은 시끄럽지만, 귀여워요. Henry는 가족과 함께 큰 집에서 사는 그의 생활이 좋아요.

어휘 how 얼마나 | many 많은 | near ~의 근처(에) | live 살다 | cousin 사촌 | young 어린 | child 아이 | floor 층; 바닥 | tall 키가 큰 | quiet 조용한 | short 키가 작은 | noisy 시끄러운 | village 마을 | who 누가 | with ~와 같이 | grow 기르다 | plant 식물 | garden 정원 | uncle 이모부, 고모부, 삼촌 | aunt 이모, 고모 | top 꼭대기, 맨 위 | little 어린; 작은 | always 늘, 항상 | hear 듣다 | cute 귀여운 | How do you do? 안녕하세요?, 처음 뵙겠습니다. | hide 숨다 | ring 반지 | downtown 시내에(로)

Comprehension Questions p.97

1. My grandparents <u>live</u> near my school.

(A) live
(B) liver
(C) lives
(D) living

해석 우리 조부모님은 우리 학교 근처에 <u>사신다</u>.

(A) 살다
(B) 사는 사람
(C) 살다
(D) 살기

풀이 빈칸에는 동사가 필요하고, 주어가 3인칭 복수 'My grandparents'이므로 동사원형을 그대로 쓴 (A)가 정답이다.

관련 문장 Henry lives in a small village.

2. My cousins are young children.

(A) is
(B) be
(C) are
(D) can

해석 내 사촌들은 어린아이들이다.

(A) ~이다
(B) ~이다
(C) ~이다
(D) ~할 수 있다

풀이 빈칸에는 동사가 들어가야 하며, 주어가 3인칭 복수 'My cousins' 이므로 그에 알맞은 be 동사 (C)가 정답이다. (D)의 경우, 조동사 'can'은 동사 없이 혼자서 쓰일 수 없으므로 오답이다.

관련 문장 Henry's cousins are really little.

3. This house has three floors.

(A) two
(B) three
(C) four
(D) five

해석 이 집은 3층(짜리)이다.

(A) 2
(B) 3
(C) 4
(D) 5

풀이 그림에 나오는 집에서 층의 개수는 세 개이므로 (B)가 정답이다.

관련 문장 The house has three floors.

4. They are too noisy! I cannot sleep.

(A) tall
(B) quiet
(C) short
(D) noisy

해석 그들은 너무 시끄러워! 나는 잠을 잘 수 없어.

(A) 키가 큰
(B) 조용한
(C) 키가 작은
(D) 시끄러운

풀이 위층 사람들이 시끄러워서 아래층 사람이 잠들지 못하고 있는 상황이므로 (D)가 정답이다.

관련 문장 His cousins are noisy, but they are cute.

[5-6]

The Finger Family Song

Daddy Finger, Daddy Finger, where are you?
On the paper. On the paper. How do you do?

Mommy Finger, Mommy Finger, where are you?
In your nose. In your nose. How do you do?

Brother Finger, Brother Finger, where are you?
I'm hiding. I'm hiding. How do you do?

Sister Finger, Sister Finger, where are you?
Inside a ring. Inside a ring. How do you do?

Baby Finger, Baby Finger, where are you?
In your ear. In your ear. How do you do?

해석

손가락 가족 노래

아빠 손가락, 아빠 손가락, 어디에 있나요?
종이 위에. 종이 위에. 안녕하세요?

엄마 손가락, 엄마 손가락, 어디에 있나요?
콧속에. 콧속에. 안녕하세요?

형 손가락, 형 손가락, 어디에 있나요?
숨어 있지. 숨어 있지. 안녕하세요?

언니 손가락, 언니 손가락, 어디에 있나요?
반지 안에. 반지 안에. 안녕하세요?

아기 손가락, 아기 손가락, 어디에 있나요?
귓속에. 귓속에. 안녕하세요?

5. Where is Sister Finger?

(A) 
(B) 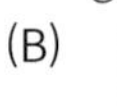 
(C) 
(D)  

해석 언니 손가락은 어디에 있는가?

풀이 'Sister Finger, [...] Inside a ring.'에서 언니 손가락은 반지 안에 있다고 했으므로 반지를 낀 손가락 (A)가 정답이다.

6. Which finger is hiding?

(A) Baby Finger
(B) Daddy Finger
(C) Brother Finger
(D) Mommy Finger

해석 어느 손가락이 숨어 있는가?

(A) 아기 손가락
(B) 아빠 손가락
(C) 형 손가락
(D) 엄마 손가락

풀이 'Brother Finger, [...] I'm hiding.'에서 형 손가락이 숨어 있다고 했으므로 (C)가 정답이다.

[7-10]

Henry lives in a small village. He lives in a very big house. Who lives with Henry? Many people live with Henry. The house has three floors. His grandparents live on the first floor. They grow plants in the garden. They also watch Henry's little cousins. Henry and his parents live on the second floor. They watch movies together at home. Henry's uncle, aunt, and cousins live on the top floor. Henry's cousins are really little. His cousin is only three years old. The other is five years old. They always run in the house. Henry can hear them. His cousins are noisy, but they are cute. Henry likes his life in a big house with his family.

해석

Henry는 작은 마을에 살아요. 그는 아주 큰 집에 살아요. 누가 Henry와 같이 사나요? 많은 사람이 Henry와 같이 살아요. 그 집은 3층(짜리)이에요. 그의 조부모님은 1층에 살아요. 그들은 정원에서 식물을 길러요. 그들은 또한 Henry의 어린 사촌들을 봐줘요. Henry와 그의 부모님은 2층에 살아요. 그들은 집에서 함께 영화를 봐요. Henry의 이모부, 이모, 그리고 사촌들은 맨 위층에 살아요. Henry의 사촌들은 정말 어려요. 그의 사촌은 겨우 3살이에요. 다른 한 명은 5살이에요. 그들은 집 안에서 늘 뛰어요. Henry는 그들을 들을 수 있어요. 그의 사촌들은 시끄럽지만, 귀여워요. Henry는 가족과 함께 큰 집에서 사는 그의 생활이 좋아요.

7. What is the best title?

(A) Henry Has a Small House
(B) Henry Live with His Family
(C) Henry's Cousins are Quiet
(D) Henry's Parents Go Downtown

해석 가장 알맞은 제목은 무엇인가?

(A) Henry에게 작은 집이 있다
(B) Henry는 그의 가족과 함께 산다
(C) Henry의 사촌들은 조용하다
(D) Henry의 부모님이 시내에 가다

유형 전체 내용 파악

풀이 3층으로 된 Henry의 집에 누가 살고 무엇을 하는지 설명하고 있는 글이다. Henry는 조부모님, 부모님, 이모, 이모부, 사촌 동생들과 함께 살고 있으며, 마지막 문장 'Henry likes his life in a big house with his family.'에서도 이러한 Henry와 함께 사는 가족이라는 중심 소재가 잘 드러나고 있다. 따라서 (B)가 정답이다.

8. What is NOT true about Henry's house?

(A) It is very big.
(B) It has a garden.
(C) It is in a large city.
(D) It has three floors.

해석 Henry의 집에 관해 옳지 않은 설명은 무엇인가?

(A) 매우 크다.
(B) 정원이 있다.
(C) 큰 도시 안에 있다.
(D) 3층(짜리)이다.

유형 세부 내용 파악 & 추론하기

풀이 'Henry lives in a small village.'에서 Henry의 집이 큰 도시가 아니라 작은 마을에 있다는 것을 알 수 있으므로 (C)가 정답이다. (A)는 'He lives in a very big house.'에서, (B)는 'They grow plants in the garden.'에서, (D)는 'The house has three floors.'에서 확인할 수 있는 내용이므로 오답이다.

9. Where does Henry's aunt live?

(A) first floor
(B) second floor
(C) third floor
(D) fourth floor

해석 Henry의 이모는 어디에 사는가?

(A) 1층
(B) 2층
(C) 3층
(D) 4층

유형 세부 내용 파악 & 추론하기

풀이 'The house has three floors.'에서 Henry의 집이 3층짜리이고, 'Henry's uncle, aunt, and cousins live on the top floor.'에서 Henry의 이모가 맨 위층에 산다고 했으므로 답은 (C)이다.

10. Why are Henry's cousins noisy?

(A) They run.
(B) They sing
(C) They fight.
(D) They play the piano.

해석 Henry의 사촌들은 왜 시끄러운가?

(A) 달린다.
(B) 노래 부른다.
(C) 싸운다.
(D) 피아노를 친다.

유형 세부 내용 파악

풀이 'Henry's cousins are really little. [...] They always run in the house. Henry can hear them. His cousins are noisy, [...]'에서 Henry의 사촌들이 집 안에서 뛰어다녀서 시끄럽다는 것을 알 수 있으므로 (A)가 정답이다.

Listening Practice

S2-11 p.100

Henry lives in a small village. He lives in a very big house. Who lives with Henry? Many people live with Henry. The house has three floors. His grandparents live on the first floor. They grow plants in the garden. They also watch Henry's little cousins. Henry and his parents live on the second floor. They watch movies together at home. Henry's uncle, aunt, and cousins live on the top floor. Henry's cousins are really little. His cousin is only three years old. The other is five years old. They always run in the house. Henry can hear them. His cousins are noisy, but they are cute. Henry likes his life in a big house with his family.

1. village
2. floors
3. cousins
4. noisy

Writing Practice

p.101

1. village
2. floor
3. cousin
4. noisy

Summary

Henry and his family live in a big house. His grandparents live on the first floor, Henry and his parents live on the second floor, and Henry's uncle, aunt, and cousins live on the top floor.

Henry와 그의 가족은 큰 집에 살아요. 그의 조부모님은 1층에 살고, Henry와 그의 부모님은 2층에 살고, Henry의 이모부, 이모, 사촌들은 맨 위층에 살아요.

Word Puzzle

p.102

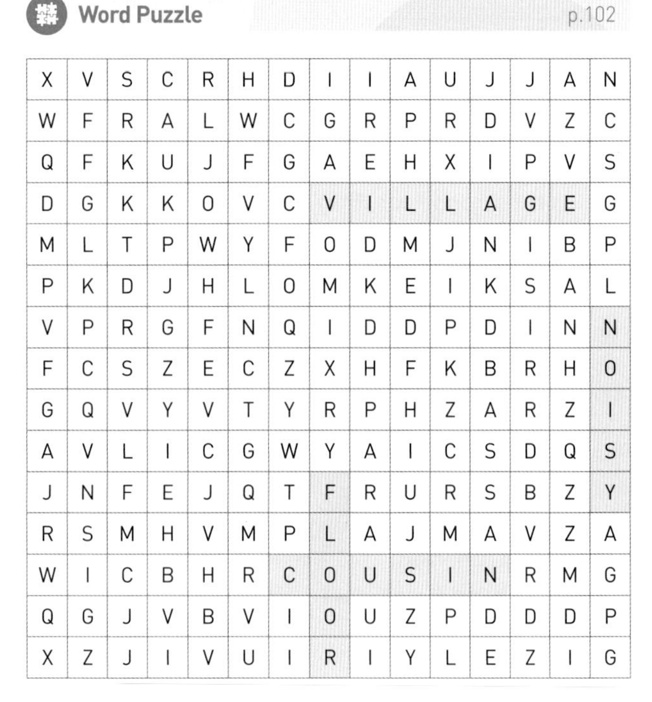

X	V	S	C	R	H	D	I	I	A	U	J	J	A	N
W	F	R	A	L	W	C	G	R	P	R	D	V	Z	C
Q	F	K	U	J	F	G	A	E	H	X	I	P	V	S
D	G	K	K	O	V	C	V	I	L	L	A	G	E	G
M	L	T	P	W	Y	F	O	D	M	J	N	I	B	P
P	K	D	J	H	L	O	M	K	E	I	K	S	A	L
V	P	R	G	F	N	Q	I	D	D	P	D	I	N	N
F	C	S	Z	E	C	Z	X	H	F	K	B	R	H	O
G	Q	V	Y	V	T	Y	R	P	H	Z	A	R	Z	I
A	V	L	I	C	G	W	Y	A	I	C	S	D	Q	S
J	N	F	E	J	Q	T	F	R	U	R	S	B	Z	Y
R	S	M	H	V	M	P	L	A	J	M	A	V	Z	A
W	I	C	B	H	R	C	O	U	S	I	N	R	M	G
Q	G	J	V	B	V	I	O	U	Z	P	D	D	D	P
X	Z	J	I	V	U	I	R	I	Y	L	E	Z	I	G

1. village
2. floor
3. cousin
4. noisy

Unit 12 | My Aunt's Wedding Day p.103

Part A. Sentence Completion p.105

1 (C) 2 (C)

Part B. Situational Writing p.105

3 (B) 4 (C)

Part C. Practical Reading and Retelling p.106

5 (C) 6 (D)

Part D. General Reading and Retelling p.107

7 (B) 8 (D) 9 (A) 10 (D)

Listening Practice p.108

1 wedding 2 suits
3 shiny 4 clap

Writing Practice p.109

1 wedding 2 suit
3 shiny 4 clap
Summary wedding

Word Puzzle p.110

1 wedding 2 suit
3 shiny 4 clap

Pre-reading Questions p.103

Think! You are at a wedding. Who is there?

생각해보세요! 여러분이 결혼식에 있어요. 거기에 누가 있나요?

Reading Passage p.104

My Aunt's Wedding Day

My name is Jan. Today is my aunt's wedding day. She is marrying Joe. Who is at the wedding? I see my grandparents. They are wearing beautiful blue clothes. I see my uncles. They are wearing black suits. The wedding starts at one o'clock. We enter the wedding hall. There are many people inside. Joe walks to the front. He is in a shiny black suit. My brother plays the piano. I'm the flower girl. I wear yellow. I put flowers on the floor. My aunt walks to the front. She is wearing a shiny wedding dress. She and Joe look at each other. They say, "I love you." Everyone cries. I cry, too! Every guest stands up. We all clap.

우리 고모의 결혼식 날

제 이름은 Jan이에요. 오늘은 우리 고모의 결혼식 날이에요. 그녀는 Joe와 결혼해요. 누가 결혼식에 있나요? 저는 저의 조부모님을 봐요. 그들은 아름다운 파란색 옷을 입고 있어요. 저는 제 삼촌들을 봐요. 그들은 검은 정장을 입고 있어요. 결혼식은 1시에 시작해요. 우리는 결혼식장으로 들어가요. 안에는 많은 사람이 있어요. Joe가 앞으로 걸어가요. 그는 반짝이는 검은 정장을 입고 있어요. 제 남동생은 피아노를 연주해요. 저는 플라워 걸이에요. 저는 노란색으로 입고 있어요. 저는 바닥에 꽃들을 놓아요. 고모가 앞으로 걸어가요. 그녀는 반짝이는 웨딩드레스를 입고 있어요. 그녀와 Joe는 서로를 바라봐요. 그들은 말해요, "사랑해요." 모두가 울어요. 저도 울어요! 하객 모두가 일어서요. 우리는 모두 손뼉을 쳐요.

어휘 wedding 결혼 | who 누가 | why 왜 | what 무엇 | where 어디 | beautiful 아름다운 | dirty 더러운 | shiny 반짝거리는 | square 정사각형 모양의 | hat 모자 | suit 정장 | scarf 스카프 | tie 넥타이 | marry 결혼하다 | cousin 사촌 | wedding hall 결혼식장 | inside 안에 | everyone 모두 | front 앞으로 | flower girl 플라워 걸(결혼식에서 신부에 앞서서 꽃을 들고 들어가는 소녀) | dress 드레스 | each other 서로 | word 말, 단어 | cry 울다 | guest 손님 | stand up 일어서다 | clap 손뼉을 치다 | floor 바닥; 층

Comprehension Questions p.105

1. <u>What</u> day is it today?
   (A) Who
   (B) Why
   (C) What
   (D) Where

해석 오늘은 <u>무슨</u> 날이니?
(A) 누가
(B) 왜
(C) 무엇
(D) 어디

풀이 빈칸에는 'day'와 어울려 쓸 수 있는 의문사가 필요하다. 오늘이 무슨 날인지 물어볼 때 'What day'라는 의문사구를 사용하므로 (C)가 정답이다. 헷갈린다면 'It is ________ today.' → '________ is it today?' → 'What day is it today?'의 단계로 이해하도록 한다.

새겨 두기 'It's 7 o'clock.', 'It's sunny.', 'It's Friday.'와 같이 비인칭주어 'it'은 시각, 날씨, 날짜 등을 나타낼 때 쓰일 수 있다.

관련 문장 Today is my aunt's wedding day.

2. The words <u>are</u> beautiful.
   (A) is
   (B) be
   (C) are
   (D) being

해석 그 단어들은 아름답<u>다</u>.
(A) ~이다
(B) ~이다
(C) ~이다
(D) ~인 것

풀이 빈칸에는 동사가 필요하고, 주어가 3인칭 복수 'The words'이므로 이와 어울리는 be 동사 (C)가 정답이다.

3. The shoe is <u>shiny</u>!
   (A) dirty
   (B) shiny
   (C) brown
   (D) square

해석 그 신발 한 짝은 <u>반짝거린다</u>!
(A) 더러운
(B) 반짝거리는
(C) 갈색의
(D) 정사각형 모양의

풀이 반짝거리는 신발이므로 (B)가 정답이다.

관련 문장 She is wearing a shiny wedding dress.

4. He is wearing a black <u>suit</u> and a blue tie.
   (A) hat
   (B) bag
   (C) suit
   (D) scarf

해석 그는 검은색 <u>정장</u>을 입고 파란색 넥타이를 매고 있다.
(A) 모자
(B) 가방
(C) 정장
(D) 스카프

풀이 남자가 검은색 정장을 입고 있으므로 (C)가 정답이다.

관련 문장 He is in a shiny black suit.

[5-6]

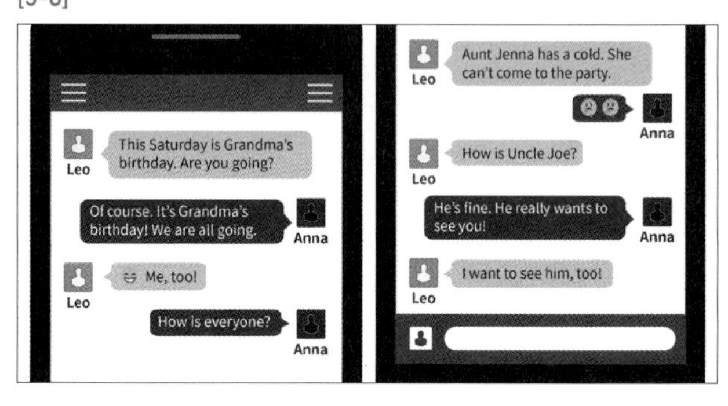

해석

Leo: 이번 주 토요일은 할머니 생신이야. 너 가니?
Anna: 당연하지. 할머니 생신이잖아! 우리 모두 갈 거야.
Leo: (웃는 얼굴) 나도!
Anna: 다들 잘 지내시지?
Leo: Jenna 고모는 감기에 걸리셨어. 파티에 못 가셔.
Anna: (우는 얼굴)(우는 얼굴)
Leo: Joe 삼촌은 어떠셔?
Anna: 잘 지내셔. 너를 정말 보고 싶어 하셔!
Leo: 나도 그가 보고 싶어!

5. When is the party?
   (A) Thursday
   (B) Friday
   (C) Saturday
   (D) Sunday

해석 파티는 언제인가?
(A) 목요일
(B) 금요일
(C) 토요일
(D) 일요일

풀이 'This Saturday is Grandma's birthday. Are you going?'에서 파티가 이번 주 토요일이라는 것을 유추할 수 있으므로 (C)가 정답이다.

6. Who is NOT going to the party?

(A) Leo
(B) Anna
(C) Uncle Joe
(D) Aunt Jenna

해석 누가 파티에 가지 않는가?

(A) Leo
(B) Anna
(C) Joe 삼촌
(D) Jenna 고모

풀이 'Aunt Jenna has a cold. She can't come to the party.'에서 Jenna 고모가 아파서 파티에 가지 못한다는 것을 알 수 있으므로 (D)가 정답이다.

[7-10]

My name is Jan. Today is my aunt's wedding day. She is marrying Joe. Who is at the wedding? I see my grandparents. They are wearing beautiful blue clothes. I see my uncles. They are wearing black suits. The wedding starts at one o'clock. We enter the wedding hall. There are many people inside. Joe walks to the front. He is in a shiny black suit. My brother plays the piano. I'm the flower girl. I wear yellow. I put flowers on the floor. My aunt walks to the front. She is wearing a shiny wedding dress. She and Joe look at each other. They say, "I love you." Everyone cries. I cry, too! Every guest stands up. We all clap.

해석

제 이름은 Jan이에요. 오늘은 우리 고모의 결혼식 날이에요. 그녀는 Joe와 결혼해요. 누가 결혼식에 있나요? 저는 저의 조부모님을 봐요. 그들은 아름다운 파란색 옷을 입고 있어요. 저는 제 삼촌들을 봐요. 그들은 검은 정장을 입고 있어요. 결혼식은 1시에 시작해요. 우리는 결혼식장으로 들어가요. 안에는 많은 사람이 있어요. Joe가 앞으로 걸어가요. 그는 반짝이는 검은 정장을 입고 있어요. 제 남동생은 피아노를 연주해요. 저는 플라워 걸이에요. 저는 노란색으로 입고 있어요. 저는 바닥에 꽃들을 놓아요. 고모가 앞으로 걸어가요. 그녀는 반짝이는 웨딩드레스를 입고 있어요. 그녀와 Joe는 서로를 바라봐요. 그들은 말해요, "사랑해요." 모두가 울어요. 저도 울어요! 하객 모두가 일어서요. 우리는 모두 손뼉을 쳐요.

7. What is the best title?

(A) Shiny Wedding Dress
(B) My Aunt's Wedding Day
(C) Beautiful Wedding Rings
(D) Flowers for a Wedding Cake

해석 가장 알맞은 제목은 무엇인가?

(A) 반짝이는 웨딩드레스
(B) 우리 고모의 결혼식 날
(C) 아름다운 결혼식 반지
(D) 결혼식 케이크를 위한 꽃들

유형 전체 내용 파악

풀이 두 번째 문장 'Today is my aunt's wedding day.'에서 고모의 결혼식이라는 중심 소재가 드러나고 있다. 이어서 결혼식에 누가 왔고, 누가 무엇을 하는지, 결혼식은 어떠한지 차례대로 설명하고 있는 글이므로 (B)가 정답이다. (A)는 전체 내용이 아니라 글의 일부만을 반영하는 제목이므로 오답이다.

8. Who is wearing blue clothes?

(A) Joe
(B) Jan
(C) uncles
(D) grandparents

해석 누가 파란색 옷을 입고 있는가?

(A) Joe
(B) Jan
(C) 삼촌들
(D) 조부모님

유형 세부 내용 파악

풀이 'I see my grandparents. They are wearing beautiful blue clothes.'에서 Jan의 조부모님이 파란색 옷을 입고 있다는 것을 알 수 있으므로 (D)가 정답이다.

9. What time does the wedding start?

(A) 1:00
(B) 2:00
(C) 3:00
(D) 4:00

해석 결혼식은 몇 시에 시작하는가?

(A) 1시
(B) 2시
(C) 3시
(D) 4시

유형 세부 내용 파악

풀이 'The wedding starts at one o'clock.'에서 결혼식이 1시에 시작한다는 것을 알 수 있으므로 (A)가 정답이다.

10. What does Jan do?

(A) play the piano
(B) say, "I love you"
(C) dance in the hall
(D) put flowers on the floor

해석 Jan은 무엇을 하는가?

(A) 피아노 연주하기
(B) "사랑해"라고 말하기
(C) 식장에서 춤추기
(D) 바닥에 꽃 놓기

유형 세부 내용 파악

풀이 'I'm the flower girl. I wear yellow. I put flowers on the floor.'에서 글쓴이인 Jan이 바닥에 꽃을 놓는 플라워 걸이라는 것을 알 수 있으므로 (D)가 정답이다. (A)는 Jan의 남동생이, (B)는 Jan의 고모와 고모부가 하는 행동이므로 오답이다.

Listening Practice

S2-12 p.108

My name is Jan. Today is my aunt's wedding day. She is marrying Joe. Who is at the wedding? I see my grandparents. They are wearing beautiful blue clothes. I see my uncles. They are wearing black suits. The wedding starts at one o'clock. We enter the wedding hall. There are many people inside. Joe walks to the front. He is in a shiny black suit. My brother plays the piano. I'm the flower girl. I wear yellow. I put flowers on the floor. My aunt walks to the front. She is wearing a shiny wedding dress. She and Joe look at each other. They say, "I love you." Everyone cries. I cry, too! Every guest stands up. We all clap.

1. wedding
2. suits
3. shiny
4. clap

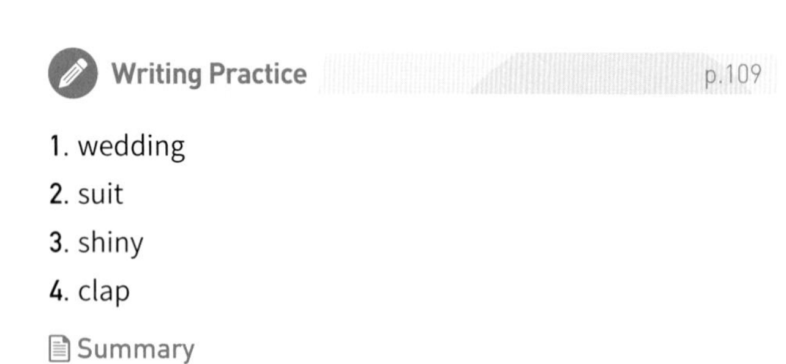

Writing Practice

p.109

1. wedding
2. suit
3. shiny
4. clap

Summary

Today is my aunt's wedding day. She is marrying Joe. Many people come to the wedding. My aunt and Joe say, "I love you." Everyone cries and claps.

오늘은 우리 고모의 결혼식 날이에요. 그녀는 Joe와 결혼해요. 많은 사람이 결혼식에 와요. 우리 고모와 Joe가 "사랑해"라고 말해요. 모두가 울고 손뼉을 쳐요.

Word Puzzle

p.110

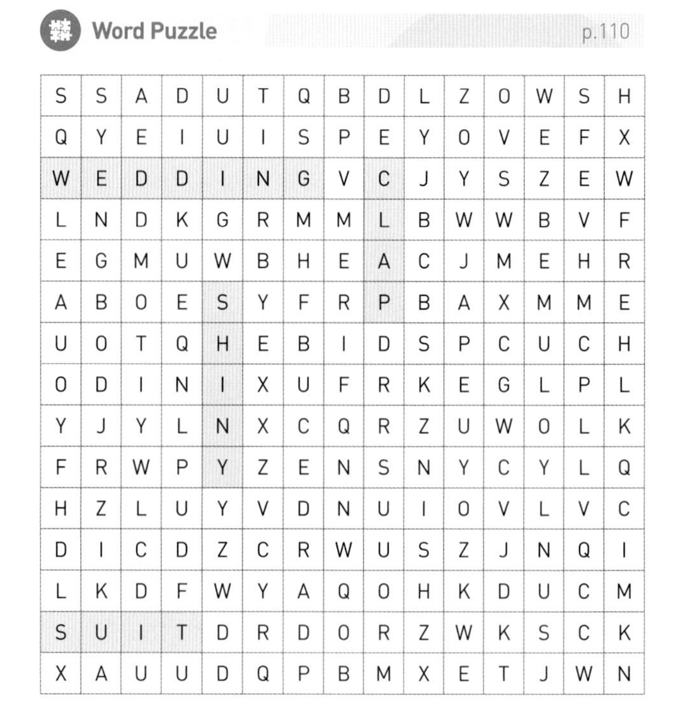

S	S	A	D	U	T	Q	B	D	L	Z	O	W	S	H
Q	Y	E	I	U	I	S	P	E	Y	O	V	E	F	X
W	E	D	D	I	N	G	V	C	J	Y	S	Z	E	W
L	N	D	K	G	R	M	M	L	B	W	W	B	V	F
E	G	M	U	W	B	H	E	A	C	J	M	E	H	R
A	B	O	E	S	Y	F	R	P	B	A	X	M	M	E
U	O	T	Q	H	E	B	I	D	S	P	C	U	C	H
O	D	I	N	I	X	U	F	R	K	E	G	L	P	L
Y	J	Y	L	N	X	C	Q	R	Z	U	W	O	L	K
F	R	W	P	Y	Z	E	N	S	N	Y	C	Y	L	Q
H	Z	L	U	Y	V	D	N	U	I	O	V	L	V	C
D	I	C	D	Z	C	R	W	U	S	Z	J	N	Q	I
L	K	D	F	W	Y	A	Q	O	H	K	D	U	C	M
S	U	I	T	D	R	D	O	R	Z	W	K	S	C	K
X	A	U	D	D	Q	P	B	M	X	E	T	J	W	N

1. wedding
2. suit
3. shiny
4. clap

Chapter Review

p.111

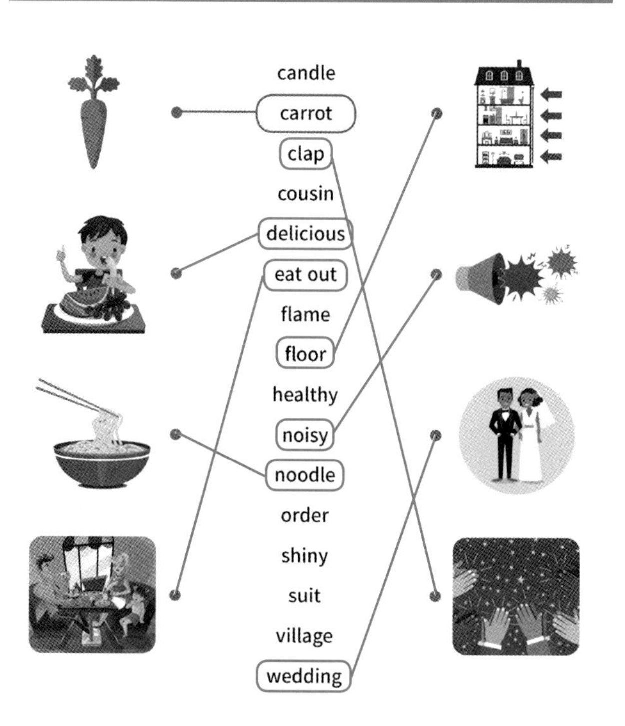

※ 학생의 생각에 따라 다양한 정답이 가능할 수 있습니다.

예)

eat out, delicious, order, ···

wedding, suit, shiny, ···

MEMO

MEMO

MEMO

TOSEL® Reading
Starter Book 3

Starter Book 3

ANSWERS

CHAPTER 1 | School Activity

p.10

Unit										
UNIT 1	1 (A)	2 (B)	3 (B)	4 (D)	5 (A)	6 (C)	7 (D)	8 (B)	9 (B)	10 (C)
S3-1	1 kind		2 play		3 good at		4 bad at			
p.11	1 kind		2 be good at		3 play		4 be bad at		am bad at	
	1 kind		2 be good at		3 play		4 be bad at			
UNIT 2	1 (B)	2 (A)	3 (A)	4 (C)	5 (C)	6 (D)	7 (D)	8 (B)	9 (B)	10 (C)
S3-2	1 paintings		2 gallery		3 artwork		4 touch			
p.19	1 painting		2 gallery		3 touch		4 artwork		paintings	
	1 painting		2 gallery		3 touch		4 artwork			
UNIT 3	1 (B)	2 (A)	3 (B)	4 (B)	5 (C)	6 (C)	7 (A)	8 (B)	9 (A)	10 (D)
S3-3	1 cucumbers		2 sour		3 pour		4 dressing			
p.27	1 cucumber		2 sour		3 dressing		4 pour		pour	
	1 cucumber		2 sour		3 dressing		4 pour			
UNIT 4	1 (D)	2 (A)	3 (B)	4 (B)	5 (D)	6 (B)	7 (D)	8 (A)	9 (D)	10 (C)
S3-4	1 buddy		2 street		3 owners		4 town			
p.35	1 buddy		2 street dog		3 owner		4 town		street	
	1 buddy		2 street dog		3 owner		4 town			

CHAPTER 2 | School Festival

p.44

Unit										
UNIT 5	1 (C)	2 (A)	3 (D)	4 (A)	5 (D)	6 (C)	7 (B)	8 (B)	9 (D)	10 (A)
S3-5	1 aquarium		2 mermaid		3 costumes		4 wave			
p.45	1 aquarium		2 mermaid		3 costume		4 wave		aquarium	
	1 aquarium		2 mermaid		3 costume		4 wave			
UNIT 6	1 (A)	2 (A)	3 (B)	4 (B)	5 (A)	6 (C)	7 (B)	8 (A)	9 (D)	10 (D)
S3-6	1 fair		2 kings		3 queens		4 crown			
p.53	1 book fair		2 crown		3 king		4 queen		book fair	
	1 book fair		2 crown		3 king		4 queen			
UNIT 7	1 (B)	2 (A)	3 (B)	4 (D)	5 (B)	6 (A)	7 (B)	8 (A)	9 (A)	10 (D)
S3-7	1 fast		2 race		3 finish		4 winners			
p.61	1 fast		2 race		3 winner		4 finish		race	
	1 fast		2 race		3 winner		4 finish			
UNIT 8	1 (D)	2 (D)	3 (A)	4 (A)	5 (C)	6 (D)	7 (C)	8 (C)	9 (A)	10 (D)
S3-8	1 market		2 sell		3 expensive		4 board			
p.69	1 market		2 sell		3 expensive		4 board game		market	
	1 market		2 sell		3 expensive		4 board game			

CHAPTER 3 | Fun with Friends

p.78

Unit										
UNIT 9	1 (B)	2 (A)	3 (C)	4 (D)	5 (B)	6 (B)	7 (A)	8 (A)	9 (D)	10 (C)
S3-9	1 shy		2 comic		3 funny		4 laugh			
p.79	1 shy		2 comic book		3 funny		4 laugh		funny	
	1 shy		2 comic book		3 funny		4 laugh			
UNIT 10	1 (B)	2 (A)	3 (D)	4 (C)	5 (B)	6 (A)	7 (D)	8 (B)	9 (B)	10 (D)
S3-10	1 tennis		2 leader		3 sweat		4 follow			
p.87	1 tennis		2 sweat		3 leader		4 follow		follow	
	1 tennis		2 sweat		3 leader		4 follow			
UNIT 11	1 (A)	2 (C)	3 (B)	4 (D)	5 (D)	6 (B)	7 (B)	8 (A)	9 (C)	10 (C)
S3-11	1 word		2 mix		3 chooses		4 letters			
p.95	1 word		2 mix		3 letter		4 choose		letters	
	1 word		2 mix		3 letter		4 choose			
UNIT 12	1 (D)	2 (D)	3 (C)	4 (C)	5 (B)	6 (B)	7 (D)	8 (A)	9 (D)	10 (C)
S3-12	1 fun		2 salad		3 good at		4 weekend			
p.103	1 fun		2 salad		3 be good at		4 weekend		have	
	1 fun		2 salad		3 be good at		4 weekend			

Chapter 1. School Activity

Unit 1 | Our Music Teacher p.11

Part A. Sentence Completion p.13

1 (A) 2 (B)

Part B. Situational Writing p.13

3 (B) 4 (D)

Part C. Practical Reading and Retelling p.14

5 (A) 6 (C)

Part D. General Reading and Retelling p.15

7 (D) 8 (B) 9 (B) 10 (C)

Listening Practice p.16

1 kind 2 play
3 good at 4 bad at

Writing Practice p.17

1 kind 2 be good at
3 play 4 be bad at
Summary am bad at

Word Puzzle p.18

1 kind 2 be good at
3 play 4 be bad at

Pre-reading Questions p.11

What sound does the violin make?
Can you make that sound?

바이올린은 어떤 소리를 내나요?
여러분은 그 소리를 낼 수 있나요?

Reading Passage p.12

Our Music Teacher

My music teacher is very kind. Her name is Ms. Beesly. Every student likes her. Her class is very exciting. There are fifteen students in our class. Five students play the violin. Another five play the guitar. The last five play the flute. We play a beautiful song together. I play the violin. But I am not good at it. I get sad. After today's class, I talk to Ms. Beesly. I say, "I can't play the violin well. I'm bad at the violin!" Ms. Beesly smiles. She says, "Don't worry. I can help you." She helps me with the violin after school. Now I play the violin well. I like my music teacher!

우리 음악 선생님

우리 음악 선생님은 매우 친절해요. 그녀의 이름은 Beesly 선생님이에요. 모든 학생이 그녀를 좋아해요. 그녀의 수업은 매우 신나요. 우리 수업에는 15명의 학생이 있어요. 5명의 학생이 바이올린을 연주해요. 다른 5명이 기타를 연주해요. 나머지 5명은 플루트를 연주해요. 우리는 함께 아름다운 노래를 연주해요. 저는 바이올린을 연주해요. 하지만 잘하지 못해요. 저는 슬퍼져요. 오늘 수업이 끝나고, 저는 Beesly 선생님께 말해요. 제가 말해요, "바이올린을 잘 연주할 수 없어요. 저는 바이올린에 서툴러요!" Beesly 선생님이 미소를 지어요. 그녀가 말해요, "걱정하지 말렴. 내가 너를 도와줄게." 그녀는 방과 후에 바이올린 연습을 도와줘요. 이제 저는 바이올린을 잘 연주해요. 저는 제 음악 선생님이 좋아요!

어휘 what 무엇 | sound 소리 | smile 웃다 | a lot 많이 | rabbit 토끼 | teacher 선생님 | kind 친절한 | student 학생 | class 수업 | exciting 신나는 | flute 플루트 | beautiful 아름다운 | song 노래 | together 함께, 같이 | well 잘 | worry 걱정하다 | after ~후에 | dear ~에게 | math 수학 | fun 재밌는 | number 숫자 | Teachers' Day 스승의 날 | brother 남자형제, 형, 오빠, 남동생 | contest 경연 | drummer 드럼 연주자 | writer 작성자

Comprehension Questions p.13

1. Our teacher <u>smiles</u> a lot.

(A) smiles
(B) smiling
(C) is smile
(D) to smile

해석 우리 선생님은 많이 <u>웃으신다</u>.

(A) 웃다
(B) 웃는 것
(C) 어색한 표현
(D) 웃는 것

풀이 빈칸에는 동사가 필요하고, 주어가 3인칭 단수 'Our teacher'이므로 동사 원형 'smile'에 '-s'를 붙인 (A)가 정답이다.

관련 문장 Ms. Beesly smiles.

2. Can you play the guitar?

(A) Is
(B) Can
(C) Has
(D) Does

해석 너 기타 연주할 수 있니?

(A) ~이다
(B) ~할 수 있다
(C) ~했다
(D) ~하다

풀이 빈칸에는 해당 일반동사 의문문을 완성하기 위해 조동사 'can' 이나 'do'가 들어갈 수 있으므로 (B)가 정답이다. 'You can play the guitar.'라는 평서문을 의문문으로 바꾼 것이라고 생각하면 쉽다. (D)는 주어가 'you'이기 때문에 'Does'가 아니라 'Do'가 되어야 적절하므로 오답이다.

관련 문장 I can't play the violin well.

3. She can play the violin.

(A) piano
(B) violin
(C) guitar
(D) trumpet

해석 그녀는 바이올린을 켤 수 있다.

(A) 피아노
(B) 바이올린
(C) 기타
(D) 트럼펫

풀이 바이올린을 연주하고 있는 모습이므로 (B)가 정답이다.

관련 문장 I can't play the violin well. [...] Now I play the violin well.

4. There are fifteen rabbits.

(A) five
(B) fifth
(C) fifty
(D) fifteen

해석 토끼 15마리가 있다.

(A) 5
(B) 다섯 번째
(C) 50
(D) 15

풀이 토끼가 열다섯 마리 있으므로 (D)가 정답이다.

관련 문장 There are fifteen students in our class.

[5-6]

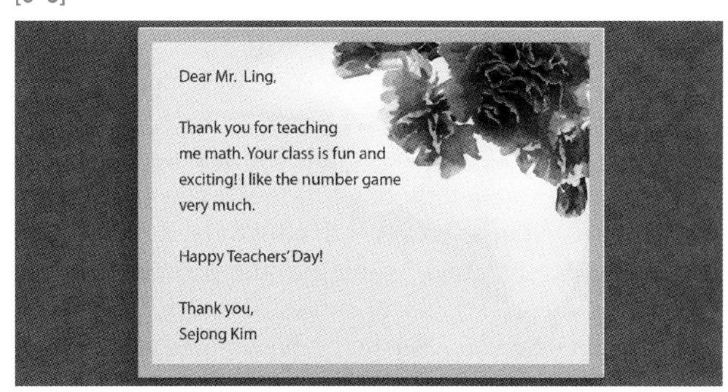
Dear Mr. Ling,

Thank you for teaching me math. Your class is fun and exciting! I like the number game very much.

Happy Teachers' Day!

Thank you,
Sejong Kim

해석

Ling 선생님께

저에게 수학을 가르쳐 주셔서 감사드려요. 선생님의 수업은 재밌고 신나요! 저는 숫자 놀이가 매우 좋아요.

행복한 스승의 날 되세요!

Sejong Kim 드림

5. Who is Mr. Ling, maybe?

(A) a math teacher
(B) Sejong's friend
(C) a music teacher
(D) Sejong's brother

해석 Ling 선생님은 아마도 누구겠는가?

(A) 수학 선생님
(B) Sejong의 친구
(C) 음악 선생님
(D) Sejong의 남동생

풀이 Ling 선생님에게 수학을 가르쳐줘서 고맙다고 하는 것으로 보아 수학 선생님인 것을 알 수 있으므로 (A)가 정답이다.

6. Why does Sejong write the letter?

(A) for a birthday
(B) for Sports Day
(C) for Teachers' Day
(D) for a music contest

해석 Sejong은 왜 편지를 쓰는가?

(A) 생일을 위해
(B) 스포츠 날을 위해
(C) 스승의 날을 위해
(D) 음악 경연을 위해

풀이 'Happy Teachers' Day!'에서 Sejong이 스승의 날 기념으로 선생님께 편지를 쓴다는 것을 알 수 있으므로 (C)가 정답이다.

[7-10]

My music teacher is very kind. Her name is Ms. Beesly. Every student likes her. Her class is very exciting. There are fifteen students in our class. Five students play the violin. Another five play the guitar. The last five play the flute. We play a beautiful song together. I play the violin. But I am not good at it. I get sad. After today's class, I talk to Ms. Beesly. I say, "I can't play the violin well. I'm bad at the violin!" Ms. Beesly smiles. She says, "Don't worry. I can help you." She helps me with the violin after school. Now I play the violin well. I like my music teacher!

해석

우리 음악 선생님은 매우 친절해요. 그녀의 이름은 Beesly 선생님이에요. 모든 학생이 그녀를 좋아해요. 그녀의 수업은 매우 신나요. 우리 수업에는 15명의 학생이 있어요. 5명의 학생이 바이올린을 연주해요. 다른 5명이 기타를 연주해요. 나머지 5명은 플루트를 연주해요. 우리는 함께 아름다운 노래를 연주해요. 저는 바이올린을 연주해요. 하지만 잘하지 못해요. 저는 슬퍼져요. 오늘 수업이 끝나고, 저는 Beesly 선생님께 말해요. 제가 말해요, "바이올린을 잘 연주할 수 없어요. 저는 바이올린에 서툴러요!" Beesly 선생님이 미소를 지어요. 그녀가 말해요, "걱정하지 말렴. 내가 너를 도와줄게." 그녀는 방과 후에 바이올린 연습을 도와줘요. 이제 저는 바이올린을 잘 연주해요. 저는 제 음악 선생님이 좋아요!

7. What is the best title?

(A) My Beautiful Violin
(B) The Bad Drummer
(C) How to Play the Piano
(D) My Great Music Teacher

해석 가장 알맞은 제목은 무엇인가?

(A) 내 아름다운 바이올린
(B) 서투른 드럼 연주자
(C) 피아노 치는 법
(D) 나의 훌륭한 음악 선생님

유형 전체 내용 파악

풀이 첫 두 문장 'My music teacher is very kind. Her name is Ms. Beesly.'에서 Beesly 음악 선생님이라는 중심 소재가 드러나고 있다. 전반적으로 Beesly 선생님 수업에서 악기를 연주하고, Beesly 선생님이 글쓴이의 바이올린 연습을 도와준다는 내용이므로 (D)가 정답이다.

8. What does the writer play?

(A) the flute
(B) the violin
(C) the piano
(D) the guitar

해석 글쓴이는 무엇을 연주하는가?

(A) 플루트
(B) 바이올린
(C) 피아노
(D) 기타

유형 세부 내용 파악

풀이 'I play the violin.', 'Now I play the violin well.'에서 글쓴이가 바이올린을 연주한다는 것을 알 수 있으므로 (B)가 정답이다.

9. What is true about Ms. Beesly?

(A) Her class is boring.
(B) She teaches music.
(C) Students do not like her.
(D) She cannot play the violin.

해석 Beesly 선생님에 관해 옳은 설명은 무엇인가?

(A) 그녀의 수업은 지루하다.
(B) 그녀는 음악을 가르친다.
(C) 학생들이 그녀를 좋아하지 않는다.
(D) 그녀는 바이올린을 켤 수 없다.

유형 세부 내용 파악

풀이 'My music teacher is very kind. Her name is Ms. Beesly.'와 글의 전반적인 내용을 통해 Beesly 선생님이 음악 선생님이라는 것을 알 수 있으므로 (B)가 정답이다. (A)는 'Her class is very exciting.'에서 Beesly 선생님의 수업이 매우 신난다고 했으므로 오답이다. (C)는 'Every student likes her.'에서 모두가 Beesly 선생님을 좋아한다고 했으므로 오답이다. (D)는 Beesly 선생님이 바이올린을 켤 수 없으면 글쓴이의 바이올린 연습도 도와줄 수 없으므로 오답이다.

10. How many students are in the class?

(A) 5
(B) 10
(C) 15
(D) 20

해석 수업에 몇 명의 학생이 있는가?

(A) 5
(B) 10
(C) 15
(D) 20

유형 세부 내용 파악

풀이 'There are fifteen students in our class.'에서 수업에 학생이 열다섯 명 있다는 것을 알 수 있으므로 (C)가 정답이다.

Listening Practice ▶S3-1 p.16

My music teacher is very kind. Her name is Ms. Beesly. Every student likes her. Her class is very exciting. There are fifteen students in our class. Five students play the violin. Another five play the guitar. The last five play the flute. We play a beautiful song together. I play the violin. But I am not good at it. I get sad. After today's class, I talk to Ms. Beesly. I say, "I can't play the violin well. I'm bad at the violin!" Ms. Beesly smiles. She says, "Don't worry. I can help you." She helps me with the violin after school. Now I play the violin well. I like my music teacher!

1. kind
2. play
3. good at
4. bad at

Writing Practice p.17

1. kind
2. be good at
3. play
4. be bad at

Summary

Ms. Beesly is a kind music teacher. In her class, students play the violin, the guitar, and the flute. I play the violin. I get sad because I am bad at the violin. Ms. Beesly is helping me.

Beesly 선생님은 친절한 음악 선생님이에요. 그녀의 수업에서, 학생들은 바이올린, 기타, 그리고 플루트를 연주해요. 저는 바이올린을 연주해요. 저는 바이올린에 서툴기 때문에 슬퍼져요. Beesly 선생님이 저를 도와줘요.

Word Puzzle p.18

B	E	B	A	D	A	T	Y	A	W	T	K	X	P	F
J	H	E	E	B	Y	Q	O	C	D	F	W	E	V	A
J	U	G	I	P	Z	T	U	Q	X	J	C	X	Y	G
Z	I	O	U	L	D	P	L	A	R	L	R	S	Q	O
S	F	O	F	A	F	C	M	R	Q	T	E	N	W	D
V	Q	D	G	Y	E	T	U	B	K	D	D	J	R	O
K	Z	A	Z	S	M	T	K	H	W	U	R	C	B	Y
I	M	T	C	H	P	V	B	T	T	L	P	P	O	R
A	Z	L	H	U	K	U	Q	Y	I	C	K	I	N	D
Z	Q	I	M	U	A	X	E	F	Q	I	B	E	Q	P
D	C	K	Z	U	L	C	N	Q	T	F	P	Y	L	K
U	P	L	U	Z	I	H	D	T	E	C	L	Q	G	U
V	I	F	G	D	H	U	P	F	D	C	Y	U	V	Q
A	U	L	G	X	S	F	Q	L	A	K	D	N	N	A
D	Z	M	J	Q	Y	E	N	G	C	E	V	G	K	C

1. kind
2. be good at
3. play
4. be bad at

Unit 2 | A Day at a Gallery p.19

Part A. Sentence Completion p.21

1 (B) 2 (A)

Part B. Situational Writing p.21

3 (A) 4 (C)

Part C. Practical Reading and Retelling p.22

5 (C) 6 (D)

Part D. General Reading and Retelling p.23

7 (D) 8 (B) 9 (B) 10 (C)

Listening Practice p.24

1 paintings 2 gallery
3 artwork 4 touch

Writing Practice p.25

1 painting 2 gallery
3 touch 4 artwork
Summary paintings

Word Puzzle p.26

1 painting 2 gallery
3 touch 4 artwork

Pre-reading Questions p.19

Think! You are at an art gallery.
What art can you see? Can you draw it?

생각해보세요! 여러분은 미술관에 있어요.
어떤 미술을 볼 수 있나요? 그려볼 수 있나요?

Reading Passage p.20

A Day at a Gallery

Eunji loves art. She loves to paint. And she loves to look at paintings. Eunji goes to an art gallery with her parents. The gallery is near her house. It is called Lux Art Center. She goes to the third floor first. Her favorite paintings are there. Her favorite artist is Lazio Sato. His art is famous. He paints strange pictures. One picture is called "Rich Life." In the painting, there is a deer. The deer has five heads and seven legs. The picture is strange. But it is beautiful. Eunji tries to touch the painting. A man runs up to her. He works in the gallery. He says, "You must not touch the artwork!" Eunji remembers, "I must not touch the paintings."

미술관에서의 하루

Eunji는 예술을 아주 좋아해요. 그녀는 (그림) 그리는 것을 아주 좋아해요. 그리고 그림 보는 것을 아주 좋아해요. Eunji는 부모님과 함께 미술관에 가요. 미술관은 그녀의 집 근처에 있어요. 그것은 Lux 아트센터라고 불려요. 그녀는 먼저 3층으로 가요. 그녀가 특히 좋아하는 그림들은 거기에 있어요. 그녀가 특히 좋아하는 예술가는 Lazio Sato예요. 그의 예술은 유명해요. 그는 이상한 그림을 그려요. 한 그림은 "풍족한 삶(Rich Life)"이라고 불려요. 그 그림에는, 사슴 한 마리가 있어요. 그 사슴은 머리가 다섯 개이고 다리가 일곱 개예요. 그 그림은 이상해요. 하지만 아름다워요. Eunji는 그 그림을 만지려고 해요. 한 남성이 그녀에게 달려와요. 그는 미술관에서 일해요. 그가 말해요, "작품을 만지시면 안 됩니다!" Eunji는 명심해요, "그림들을 만져서는 안 돼."

어휘 (art) gallery 미술관 | art 미술; 예술 | draw 그리다 | love 아주 좋아하다, 사랑하다 | paint 그리다 | painting 그림 | look at ~을 보다 | horse 말 | near ~ 근처에 | under ~ 아래에 | above ~ 위에 | behind ~ 뒤에 | zoo 동물원 | bank 은행 | water park 워터파크 | with ~와 함께 | parent 부모 | floor 층; 바닥 | favorite 특히 좋아하는 | artist 예술가 | famous 유명한 | strange 이상한 | picture 그림, 사진 | deer 사슴 | leg 다리 | touch 만지다 | run up to ~에 뛰어가다 | work 일하다 | artwork 예술, 작품 | remember 명심하다; 기억하다 | loud (소리가) 큰, 시끄러운 | nature 자연 | alone 혼자 | marry 결혼하다 | uncle 삼촌 | chef 셰프, 요리사(주방장) | cow 소

Comprehension Questions p.21

1. She loves to paint.
   (A) love
   (B) loves
   (C) loving
   (D) to love

해석 그녀는 (그림) 그리는 것을 아주 사랑한다.
 (A) 아주 사랑하다
 (B) 아주 사랑하다
 (C) 아주 사랑하기
 (D) 아주 사랑하기

풀이 빈칸에는 동사가 필요하고, 주어가 3인칭 단수 'She'이므로 동사 원형 'love'에 '-s'를 붙인 (B)가 정답이다.

관련 문장 She loves to paint.

2. Look at that painting! It is beautiful.
   (A) Look
   (B) Looks
   (C) Looker
   (D) Looking

해석 그림을 봐! 그것은 아름다워.
 (A) 보다
 (B) 보다
 (C) 보는 사람
 (D) 보기

풀이 주어가 없으므로 해당 문장은 '~해라'라고 지시하는 명령문이다. 명령문에서는 동사 원형을 사용하므로 (A)가 정답이다.

관련 문장 And she loves to look at paintings.

3. There is a ball near the toy horse.
   (A) near
   (B) under
   (C) above
   (D) behind

해석 장난감 말 근처에 공이 하나 있다.
 (A) ~ 근처에
 (B) ~ 아래에
 (C) ~ 위에
 (D) ~ 뒤에

풀이 장난감 말 근처에 공이 있으므로 (A)가 정답이다.

관련 문장 The gallery is near her house.

4. Let's go to the art gallery today!
   (A) zoo
   (B) bank
   (C) art gallery
   (D) water park

해석 오늘 미술관에 가자!
 (A) 동물원
 (B) 은행
 (C) 미술관
 (D) 워터파크

풀이 여러 예술 작품이 전시되어 있는 미술관의 모습이므로 (C)가 정답이다.

관련 문장 Eunji goes to an art gallery with her parents.

[5-6]

해석

당신이 특히 좋아하는 그림은 무엇입니까?	
생각나는 대로 말하기 예술가: Lina McGood	자연 21 예술가: Kim Geun Gi
혼자 앉다 예술가: Calipah Carey	음악과 결혼한 예술가: Evangelista

5. Whose painting is *Sit Alone*?
   (A) Lina McGood
   (B) Kim Geun Gi
   (C) Calipah Carey
   (D) Evangelista

해석 *혼자 앉다*는 누구의 그림인가?
 (A) Lina McGood
 (B) Kim Geun Gi
 (C) Calipah Carey
 (D) Evangelista

풀이 *Sit Alone*을 보면 Artist: 'Calipah Carey'라고 쓰여 있으므로 (C)가 정답이다.

6. Which painting do people like the most?

(A) *Thinking Out Loud*
(B) *Nature 21*
(C) *Sit Alone*
(D) *Married to the Music*

해석 어떤 그림을 사람들이 가장 좋아하는가?

(A) *생각나는 대로 말하기*
(B) *자연 21*
(C) *혼자 앉다*
(D) *음악과 결혼한*

풀이 *Married to the Music*에 하트가 8개로 가장 많이 붙어 있으므로 (D)가 정답이다.

[7-10]

Eunji loves art. She loves to paint. And she loves to look at paintings. Eunji goes to an art gallery with her parents. The gallery is near her house. It is called Lux Art Center. She goes to the third floor first. Her favorite paintings are there. Her favorite artist is Lazio Sato. His art is famous. He paints strange pictures. One picture is called "Rich Life." In the painting, there is a deer. The deer has five heads and seven legs. The picture is strange. But it is beautiful. Eunji tries to touch the painting. A man runs up to her. He works in the gallery. He says, "You must not touch the artwork!" Eunji remembers, "I must not touch the paintings."

해석

Eunji는 예술을 아주 좋아해요. 그녀는 (그림) 그리는 것을 아주 좋아해요. 그리고 그림 보는 것을 아주 좋아해요. Eunji는 부모님과 함께 미술관에 가요. 미술관은 그녀의 집 근처에 있어요. 그것은 Lux 아트센터라고 불려요. 그녀는 먼저 3층으로 가요. 그녀가 특히 좋아하는 그림들은 거기에 있어요. 그녀가 특히 좋아하는 예술가는 Lazio Sato예요. 그의 예술은 유명해요. 그는 이상한 그림을 그려요. 한 그림은 "풍족한 삶(Rich Life)"이라고 불려요. 그 그림에는, 사슴 한 마리가 있어요. 그 사슴은 머리가 다섯 개이고 다리가 일곱 개예요. 그 그림은 이상해요. 하지만 아름다워요. Eunji는 그 그림을 만지려고 해요. 한 남성이 그녀에게 달려와요. 그는 미술관에서 일해요. 그가 말해요, "작품을 만지시면 안 됩니다!" Eunji는 명심해요, "그림들을 만져서는 안 돼."

7. What does Eunji like to do?

(A) play the violin
(B) run in the park
(C) clean the gallery
(D) look at paintings

해석 Eunji는 무엇을 하기를 좋아하는가?

(A) 바이올린 연주하기
(B) 공원에서 뛰기
(C) 미술관 청소하기
(D) 그림 보기

유형 세부 내용 파악

풀이 'And she loves to look at paintings.'에서 Eunji가 그림 보는 것을 좋아한다고 했으므로 (D)가 정답이다.

8. Who is Lazio Sato?

(A) Eunji's uncle
(B) a famous artist
(C) a restaurant chef
(D) Eunji's math teacher

해석 Lazio Sato는 누구인가?

(A) Eunji의 삼촌
(B) 유명한 예술가
(C) 레스토랑 주방장
(D) Eunji의 수학 선생님

유형 세부 내용 파악

풀이 'Her favorite artist is Lazio Sato. His art is famous.'에서 Lazio Sato가 유명한 예술가라는 것을 알 수 있으므로 (B)가 정답이다.

9. What floor does Eunji visit first?

(A) 2nd
(B) 3rd
(C) 4th
(D) 5th

해석 Eunji는 몇 층을 가장 먼저 방문하는가?

(A) 2층
(B) 3층
(C) 4층
(D) 5층

유형 세부 내용 파악

풀이 'She goes to the third floor first.'에서 Eunji가 가장 먼저 3층에 간다는 것을 알 수 있으므로 (B)가 정답이다.

10. What is in “Rich Life”?

(A) a shiny ring
(B) a funny cow
(C) a strange deer
(D) a running man

해석 “풍족한 삶”에는 무엇이 있는가?

(A) 반짝이는 반지
(B) 재밌는 소
(C) 이상한 사슴
(D) 달리는 남자

유형 세부 내용 파악

풀이 ‘One picture is called “Rich Life.” In the painting, there is a deer. The deer has five heads and seven legs. The picture is strange.’에서 ‘풍족한 삶’이란 그림에는 외형이 기이한 사슴이 있다는 것을 알 수 있으므로 (C)가 정답이다. (D)는 Eunji에게 달려온 남자는 미술관 직원이므로 오답이다.

Listening Practice

S3-2 p.24

Eunji loves art. She loves to paint. And she loves to look at paintings. Eunji goes to an art gallery with her parents. The gallery is near her house. It is called Lux Art Center. She goes to the third floor first. Her favorite paintings are there. Her favorite artist is Lazio Sato. His art is famous. He paints strange pictures. One picture is called “Rich Life.” In the painting, there is a deer. The deer has five heads and seven legs. The picture is strange. But it is beautiful. Eunji tries to touch the painting. A man runs up to her. He works in the gallery. He says, “You must not touch the artwork!” Eunji remembers, “I must not touch the paintings.”

1. paintings
2. gallery
3. artwork
4. touch

Writing Practice

p.25

1. painting
2. gallery
3. touch
4. artwork

Summary

Eunji loves to paint and look at paintings. She goes to an art gallery called Lux Art Center with her parents.

Eunji는 그림 그리는 것과 그림 보는 것을 아주 좋아해요. 그녀는 부모님과 함께 Lux 아트센터라는 미술관에 가요.

Word Puzzle

p.26

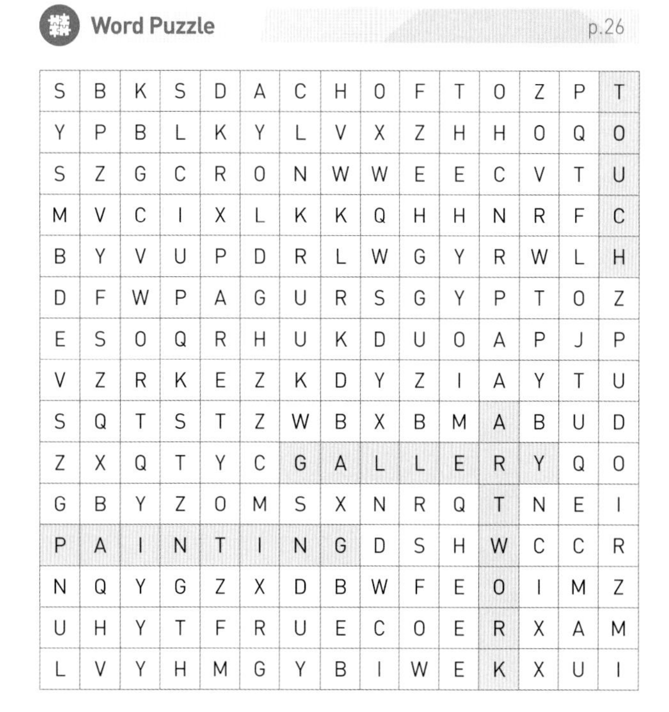

S	B	K	S	D	A	C	H	O	F	T	O	Z	P	T
Y	P	B	L	K	Y	L	V	X	Z	H	H	O	Q	O
S	Z	G	C	R	O	N	W	W	E	E	C	V	T	U
M	V	C	I	X	L	K	K	Q	H	H	N	R	F	C
B	Y	V	U	P	D	R	L	W	G	Y	R	W	L	H
D	F	W	P	A	G	U	R	S	G	Y	P	T	O	Z
E	S	O	Q	R	H	U	K	D	U	O	A	P	J	P
V	Z	R	K	E	Z	K	D	Y	Z	I	A	Y	T	U
S	Q	T	S	T	Z	W	B	X	B	M	A	B	U	D
Z	X	Q	T	Y	C	G	A	L	L	E	R	Y	Q	O
G	B	Y	Z	O	M	S	X	N	R	Q	T	N	E	I
P	A	I	N	T	I	N	G	D	S	H	W	C	C	R
N	Q	Y	G	Z	X	D	B	W	F	E	O	I	M	Z
U	H	Y	T	F	R	U	E	C	O	E	R	X	A	M
L	V	Y	H	M	G	Y	B	I	W	E	K	X	U	I

1. painting
2. gallery
3. touch
4. artwork

Unit 3 | How Do You Make Salad? p.27

Part A. Sentence Completion p.29

1 (B) 2 (A)

Part B. Situational Writing p.29

3 (B) 4 (B)

Part C. Practical Reading and Retelling p.30

5 (C) 6 (C)

Part D. General Reading and Retelling p.31

7 (A) 8 (B) 9 (A) 10 (D)

Listening Practice p.32

1 cucumbers 2 sour
3 pour 4 dressing

Writing Practice p.33

1 cucumber 2 sour
3 dressing 4 pour
Summary pour

Word Puzzle p.34

1 cucumber 2 sour
3 dressing 4 pour

Pre-reading Questions p.27

You are making a salad.
What vegetables go in the salad?

여러분은 샐러드를 만들어요.
샐러드에 어떤 채소들이 들어가나요?

Reading Passage p.28

How Do You Make Salad?

Ava has a cooking class before lunch. Today, the class makes salad. Two students work together. The teacher chooses the groups. Ava works with Emma. Ava and Emma take out a large bowl. They put many vegetables on the table. They have tomatoes, cucumbers, black olives, and onions. The vegetables are very fresh. They are from the school garden. Ava cuts the vegetables. The teacher helps her. Then, Emma puts the vegetables in a bowl. She mixes them. Ava makes sour dressing with lemon. Emma puts cheese on the vegetables. Their salad looks great! They pour the dressing on the salad. They eat the salad with forks. They share the salad with other classmates. The cooking class is fun!

어떻게 샐러드를 만드나요?

Ava는 점심 전에 요리 수업이 있어요. 오늘, 수업에서 샐러드를 만들어요. 두 학생이 함께 작업해요. 선생님은 모둠을 정해요. Ava는 Emma와 같이 작업해요. Ava와 Emma는 큰 통을 꺼내요. 그들은 조리대 위에 많은 채소를 올려놓아요. 그들에게는 토마토, 오이, 검은 올리브, 그리고 양파가 있어요. 채소들은 매우 신선해요. 그것들은 학교 정원에서 나온 것이에요. Ava는 채소들을 썰어요. 선생님이 그녀를 도와줘요. 그런 다음, Emma는 그릇 안에 채소들을 담아요. 그녀는 그것들을 섞어요. Ava는 레몬으로 시큼한 드레싱을 만들어요. Emma는 채소들 위에 치즈를 올려요. 그들의 샐러드는 훌륭해 보여요! 그들은 샐러드에 드레싱을 부어요. 포크로 샐러드를 먹어요. 다른 급우들과 샐러드를 나눠요. 요리 수업은 재밌어요!

어휘 salad 샐러드 | vegetable 야채, 채소 | fresh 신선한 | bowl 그릇, 통 | box 박스 | basket 바구니 | for ~를 위해 | mix 섞다 | pour 붓다 | cook 요리하다 | dress (샐러드 등에) 소스를 뿌리다 | dressing 드레싱[소스] | before ~ 전에 | lunch 점심 | work 작업하다, 일하다 | together 함께, 같이 | choose 정하다, 선택하다 | with ~와 같이; ~로 | large 큰 | cucumber 오이 | olive 올리브 | onion 양파 | garden 정원 | plate 접시 | pour 붓다 | fork 포크 | share 나누다 | classmate 반 친구 | count 세다, 계산하다 | winner 우승자, 승리자 | lettuce 상추 | pepper 후추 | beef 소고기 | noodle 국수 | sauce 소스 | sour 시큼한 | salty 짠 | spicy 매운 | sweet 달콤한 | add 추가하다 | sew 꿰매다, 바느질하다 | buy 사다 | cut 자르다

Comprehension Questions p.29

1. The <u>vegetables</u> are fresh!
   (A) vegetable
   (B) vegetables
   (C) a vegetable
   (D) my vegetables

해석 그 <u>채소들</u>은 신선해!
(A) 채소
(B) 채소들
(C) 채소 하나
(D) 나의 채소들

풀이 동사가 'are'이므로 주어는 복수가 되어야 한다. 또한 정관사 'The' 뒤에 복수 명사가 들어갈 수 있으므로 (B)가 정답이다. (A)는 단수 형태이므로 오답이다. (D)는 관사 'the'와 소유격은 같이 쓸 수 없으므로 오답이다.

관련 문장 The vegetables are very fresh.

2. Please <u>take</u> out a large bowl.
   (A) take
   (B) taker
   (C) takes
   (D) taking

해석 큰 그릇 한 개를 <u>꺼내</u> 주세요.
(A) 가져오다
(B) 가져오는 사람
(C) 가져오다
(D) 가져오기

풀이 주어가 없으므로 해당 문장은 '~하세요'라고 지시하는 명령문이며, 명령문에서는 동사 원형을 사용하므로 (A)가 정답이다.

새겨 두기 'please + 명령문'은 '~해 주세요'라고 부탁하는 표현이 된다.

관련 문장 Ava and Emma take out a large bowl.

3. Fresh salad is in a big <u>bowl</u>.
   (A) box
   (B) bowl
   (C) book
   (D) basket

해석 신선한 샐러드가 큰 <u>그릇</u> 안에 있다.
(A) 상자
(B) 그릇
(C) 책
(D) 바구니

풀이 샐러드가 안이 깊게 오목하게 파인 그릇에 담겨져 있다. 이러한 그릇을 영어로 'bowl'라고 하므로 (B)가 정답이다.

관련 문장 Then, Emma puts the vegetables in a bowl.

4. Can you <u>pour</u> some milk for me?
   (A) mix
   (B) pour
   (C) cook
   (D) dress

해석 우유 좀 <u>따라줄래</u>?
(A) 섞다
(B) 붓다
(C) 요리하다
(D) (샐러드 등에) 소스를 뿌리다

풀이 우유를 컵에 붓고 있으므로 (B)가 정답이다.

관련 문장 They pour the dressing on the salad.

[5-6]

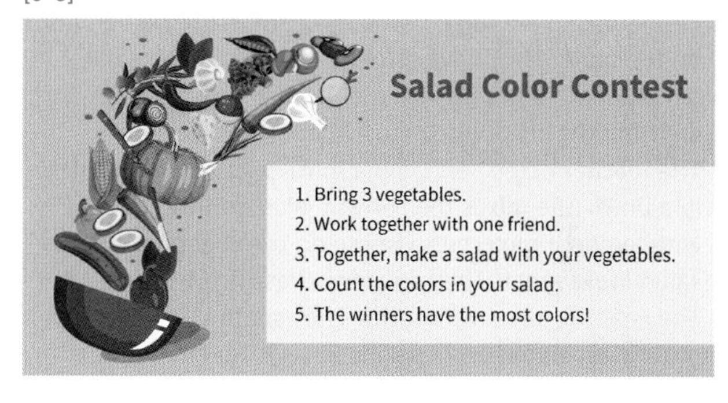

해석

샐러드 색깔 대회
1. 채소 3개를 가져오세요.
2. 친구 한 명과 함께 작업하세요.
3. 함께, 여러분의 채소들로 샐러드를 만드세요.
4. 여러분의 샐러드에 있는 색깔의 개수를 세어 보세요.
5. 우승자는 가장 많은 색깔을 가졌어요!

5. What does each student bring?
   (A) salad
   (B) a plate
   (C) vegetables
   (D) colored pencils

해석 각 학생은 무엇을 가져오는가?
(A) 샐러드
(B) 접시
(C) 채소
(D) 색연필

풀이 'Bring 3 vegetables.'에서 채소를 가져오라고 했으므로 (C)가 정답이다.

Starter Book 3

6. Who are the winners?

(A) 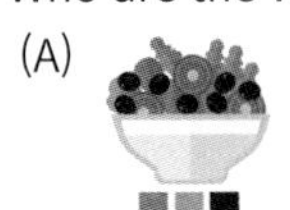 (B)  (C)  (D) 

해석 우승자들은 누구인가?

풀이 '5. The winners have the most colors.'에서 색깔이 가장 많은 샐러드를 가진 사람이 우승인 것을 알 수 있다. 따라서 색깔 수가 네 개로 가장 많은 (C)가 정답이다.

[7-10]

Ava has a cooking class before lunch. Today, the class makes salad. Two students work together. The teacher chooses the groups. Ava works with Emma. Ava and Emma take out a large bowl. They put many vegetables on the table. They have tomatoes, cucumbers, black olives, and onions. The vegetables are very fresh. They are from the school garden. Ava cuts the vegetables. The teacher helps her. Then, Emma puts the vegetables in a bowl. She mixes them. Ava makes sour dressing with lemon. Emma puts cheese on the vegetables. Their salad looks great! They pour the dressing on the salad. They eat the salad with forks. They share the salad with other classmates. The cooking class is fun!

해석

Ava는 점심 전에 요리 수업이 있어요. 오늘, 수업에서 샐러드를 만들어요. 두 학생이 함께 작업해요. 선생님은 모둠을 정해요. Ava는 Emma와 같이 작업해요. Ava와 Emma는 큰 통을 꺼내요. 그들은 조리대 위에 많은 채소를 올려놓아요. 그들에게는 토마토, 오이, 검은 올리브, 그리고 양파가 있어요. 채소들은 매우 신선해요. 그것들은 학교 정원에서 나온 것이에요. Ava는 채소들을 썰어요. 선생님이 그녀를 도와줘요. 그런 다음, Emma는 그릇 안에 채소들을 담아요. 그녀는 그것들을 섞어요. Ava는 레몬으로 시큼한 드레싱을 만들어요. Emma는 채소들 위에 치즈를 올려요. 그들의 샐러드는 훌륭해 보여요! 그들은 샐러드에 드레싱을 부어요. 포크로 샐러드를 먹어요. 다른 급우들과 샐러드를 나눠요. 요리 수업은 재밌어요!

7. What is the best title?

(A) Cooking Class
(B) School Garden
(C) Lemon Dressing
(D) Growing Vegetables

해석 가장 알맞은 제목은 무엇인가?

(A) 요리 교실
(B) 학교 정원
(C) 레몬 드레싱
(D) 채소 기르기

유형 전체 내용 파악

풀이 오늘 요리 수업에서 샐러드를 만든다고 언급한 뒤 Ava와 Emma가 샐러드 만드는 과정을 설명하고 있는 글이다. 따라서 (A)가 정답이다. (B)와 (C)는 전체 내용이 아니라 글의 일부만을 반영한 제목이므로 오답이다.

8. What do Ava and Emma make?

(A) onion soup
(B) fresh salad
(C) beef noodles
(D) tomato sauce

해석 Ava와 Emma는 무엇을 만드는가?

(A) 양파 수프
(B) 신선한 샐러드
(C) 소고기 국수
(D) 토마토 소스

유형 세부 내용 파악

풀이 'Today, the class makes salad. Two students work together. [...] Ava works with Emma.', 'The vegetables are very fresh.'를 통해 Ava가 수업에서 Emma와 함께 신선한 채소들로 샐러드를 만들고 있다는 것을 알 수 있으므로 (B)가 정답이다.

9. What flavor is the dressing?

(A) sour
(B) salty
(C) spicy
(D) sweet

해석 드레싱은 무슨 맛인가?

(A) 시큼한
(B) 짠
(C) 매운
(D) 달콤한

유형 세부 내용 파악

풀이 'Ava makes sour dressing with lemon.'를 통해 레몬으로 시큼한 드레싱을 만든다고 했으므로 (A)가 정답이다.

10. What does Ava do?

(A) add cheese
(B) sew a dress
(C) buy potatoes
(D) cut vegetables

해석 Ava는 무엇을 하는가?

(A) 치즈 넣기
(B) 드레스 꿰매기
(C) 감자 사기
(D) 채소 썰기

유형 세부 내용 파악

풀이 'Ava cuts the vegetables.'에서 Ava가 채소를 썬다고 했으므로 (D)가 정답이다. (A)는 Emma가 하는 일이므로 오답이다.

Listening Practice S3-3 p.32

Ava has a cooking class before lunch. Today, the class makes salad. Two students work together. The teacher chooses the groups. Ava works with Emma. Ava and Emma take out a large bowl. They put many vegetables on the table. They have tomatoes, <u>cucumbers</u>, black olives, and onions. The vegetables are very fresh. They are from the school garden. Ava cuts the vegetables. The teacher helps her. Then, Emma puts the vegetables in a bowl. She mixes them. Ava makes <u>sour</u> dressing with lemon. Emma puts cheese on the vegetables. Their salad looks great! They <u>pour</u> the <u>dressing</u> on the salad. They eat the salad with forks. They share the salad with other classmates. The cooking class is fun!

1. cucumbers
2. sour
3. pour
4. dressing

Writing Practice p.33

1. cucumber
2. sour
3. dressing
4. pour

Summary

Today, Ava and Emma make salad in their cooking class. They put vegetables in a bowl. They <u>pour</u> sour dressing on the salad.

오늘, Ava와 Emma는 요리 수업에서 샐러드를 만들어요. 그들은 그릇에 채소들을 넣어요. 샐러드 위에 시큼한 드레싱을 <u>부어요</u>.

Word Puzzle p.34

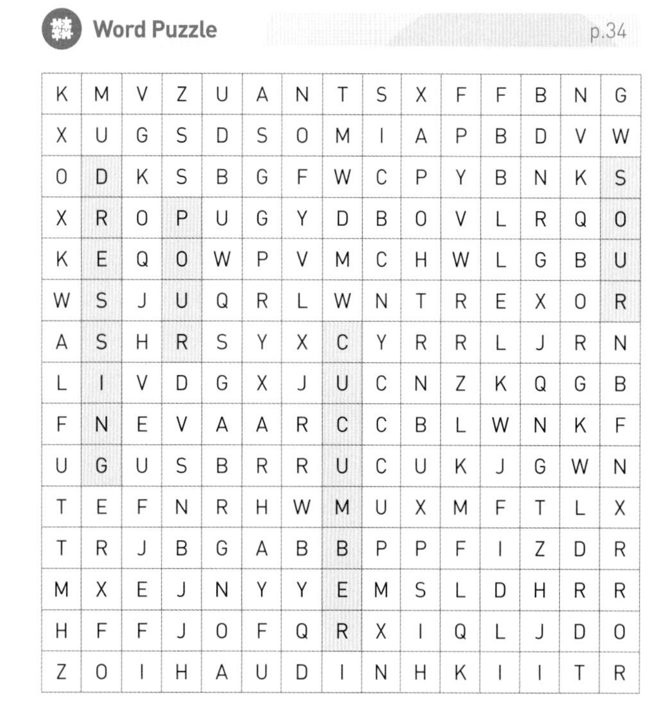

K	M	V	Z	U	A	N	T	S	X	F	F	B	N	G
X	U	G	S	D	S	O	M	I	A	P	B	D	V	W
O	D	K	S	B	G	F	W	C	P	Y	B	N	K	S
X	R	O	P	U	G	Y	D	B	O	V	L	R	Q	O
K	E	Q	O	W	P	V	M	C	H	W	L	G	B	U
W	S	J	U	Q	R	L	W	N	T	R	E	X	O	R
A	S	H	R	S	Y	X	C	Y	R	R	L	J	R	N
L	I	V	D	G	X	J	U	C	N	Z	K	Q	G	B
F	N	E	V	A	A	R	C	C	B	L	W	N	K	F
U	G	U	S	B	R	R	U	C	U	K	J	G	W	N
T	E	F	N	R	H	W	M	U	X	M	F	T	L	X
T	R	J	B	G	A	B	B	P	P	F	I	Z	D	R
M	X	E	J	N	Y	Y	E	M	S	L	D	H	R	R
H	F	F	J	O	F	Q	R	X	I	Q	L	J	D	O
Z	O	I	H	A	U	D	I	N	H	K	I	I	T	R

1. cucumber
2. sour
3. dressing
4. pour

Unit 4 | A Book about Street Dogs p.35

Part A. Sentence Completion p.37

1 (D) 2 (A)

Part B. Situational Writing p.37

3 (B) 4 (B)

Part C. Practical Reading and Retelling p.38

5 (D) 6 (B)

Part D. General Reading and Retelling p.39

7 (D) 8 (A) 9 (D) 10 (C)

Listening Practice p.40

1 buddy	2 street
3 owners	4 town

Writing Practice p.41

1 buddy	2 street dog
3 owner	4 town

Summary street

Word Puzzle p.42

1 buddy	2 street dog
3 owner	4 town

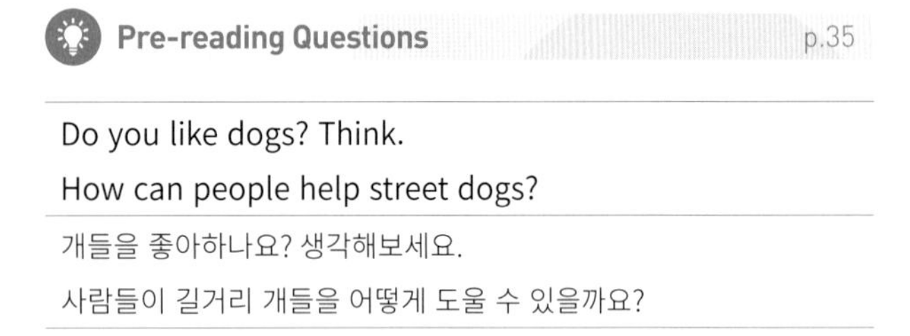

Pre-reading Questions p.35

Do you like dogs? Think.
How can people help street dogs?

개들을 좋아하나요? 생각해보세요.
사람들이 길거리 개들을 어떻게 도울 수 있을까요?

Reading Passage p.36

A Book about Street Dogs

My reading buddy's name is Ariella. I am in Grade 3, and she is in Grade 6. On Mondays and Fridays, we meet in Ariella's classroom. She reads a book to me. I like books with many pictures. This week we read a book about street dogs. Street dogs do not have homes. They do not have owners. They live outside. Street dogs are very hungry. They sometimes cannot eat for many days. I tell Ariella, "There are many street dogs in our town!" She says, "Yes. Let's tell others about this." We try to help street dogs. We make posters. We write, "Dogs are your family! Please take care of them. Do not lose them."

길거리 개들에 관한 책

제 독서 친구의 이름은 Ariella예요. 저는 3학년이에요, 그리고 그녀는 6학년이에요. 월요일과 금요일마다, 우리는 Ariella의 교실에서 만나요. 그녀는 저에게 책을 읽어줘요. 저는 사진이 많은 책을 좋아해요. 이번 주 우리는 길거리 개들에 관한 책을 읽어요. 길거리 개들은 집이 없어요. 그들은 주인이 없어요. 그들은 밖에서 살아요. 길거리 개들은 아주 배고파요. 그들은 때때로 며칠 동안 먹지 못해요. 저는 Ariella에게 말해요, "우리 마을에 길거리 개들이 아주 많아!" 그녀가 말해요, "맞아. 이 일을 다른 사람들에게 말하자." 우리는 길거리 개들을 도우려고 노력해요. 우리는 포스터를 만들어요. 우리는 써요, "개들은 당신의 가족입니다! 그들을 보살펴 주세요. 그들을 잃어버리지 말아 주세요."

어휘 street 거리, 도로 | this 이 | that 그 | those 그[저]것들(의) | live 살다 | inside 안에서 | outside 밖에서 | gym 체육관 | bakery 빵집 | meet 만나다 | read 독서하다, 읽다 | buddy 친구 | grade 학년; 등급 | classroom 교실 | picture 사진 | owner 주인 | hungry 배고픈 | sometimes 가끔 | tell 말하다 | others 다른 사람들 | try to ~ (동사) ~하려고 노력하다 | poster 포스터 | take care of ~을 돌보다 | lose 잃어버리다 | prize 상품, 상 | backpack 책가방, 배낭 | a set of ~세트 | marker 매직펜, 형광펜 | notebook 공책 | pet 애완동물 | care for ~을 좋아하다, 보살피다 | teach 가르치다 | contest 대회, 경연

Comprehension Questions p.37

1. <u>Those</u> dogs have no home.
   (A) It
   (B) This
   (C) That
   (D) Those

해석 <u>저</u> 개들은 집이 없다.
(A) 그것
(B) 이
(C) 그
(D) 그것들의

풀이 명사 'dogs'를 꾸미는 지시형용사가 필요하다. 'dogs'는 복수이므로 (D)가 정답이다. (B)와 (C)는 단수 명사를 꾸미는 지시형용사이므로 오답이다.

관련 문장 Street dogs do not have homes.

2. They live in the street.

(A) live
(B) lives
(C) a live
(D) living

해석 그들은 거리에서 산다.

(A) 살다
(B) 살다
(C) 어색한 표현
(D) 살기

풀이 동사가 필요하고, 주어가 3인칭 복수 'They'이므로 동사 원형을 그대로 사용한 (A)가 정답이다.

관련 문장 They live outside.

3. The children play outside.

(A) inside
(B) outside
(C) in the kitchen
(D) in the classroom

해석 아이들은 밖에서 논다.

(A) 안에서
(B) 밖에서
(C) 주방에서
(D) 교실에서

풀이 아이들이 밖에 있는 놀이터에서 놀고 있으므로 (B)가 정답이다.

관련 문장 They live outside.

4. The dog and cat live in the street.

(A) gym
(B) street
(C) house
(D) bakery

해석 개와 고양이는 거리에서 산다.

(A) 체육관
(B) 거리
(C) 집
(D) 빵집

풀이 개와 고양이가 함께 길거리에 있는 모습이다. 따라서 (B)가 정답이다.

관련 문장 They live outside. Street dogs are very hungry.

[5-6]

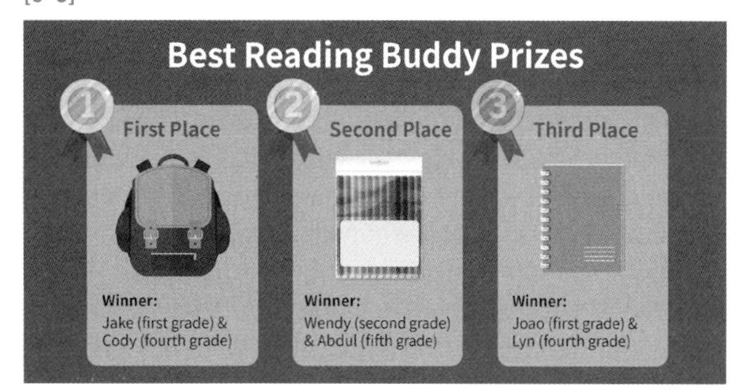

해석

최고의 독서 친구 상품들		
1등	2등	3등
수상자:	수상자:	수상자:
Jake (1학년) & Cody (4학년)	Wendy (2학년) & Abdul (5학년)	Joao (1학년) & Lyn (4학년)

5. Who gets a notebook?

(A) Jake
(B) Abdul
(C) Cody
(D) Joao

해석 누가 공책을 받는가?

(A) Jake
(B) Abdul
(C) Cody
(D) Joao

풀이 Joao와 Lyn이 공책을 받는다고 나와 있으므로 (D)가 정답이다.

6. What do the first place reading buddies win?

(A) nothing
(B) a backpack
(C) a set of markers
(D) a notebook

해석 1등 독서 친구들은 무엇을 얻는가?

(A) 아무것도 (없음)
(B) 책가방
(C) 매직펜 세트
(D) 공책

풀이 1등을 한 Jake와 Cody가 책가방을 받는다고 나와 있으므로 (B)가 정답이다. (C)는 2등, (D)는 3등 상품이므로 오답이다.

[7-10]

My reading buddy's name is Ariella. I am in Grade 3, and she is in Grade 6. On Mondays and Fridays, we meet in Ariella's classroom. She reads a book to me. I like books with many pictures. This week we read a book about street dogs. Street dogs do not have homes. They do not have owners. They live outside. Street dogs are very hungry. They sometimes cannot eat for many days. I tell Ariella, "There are many street dogs in our town!" She says, "Yes. Let's tell others about this." We try to help street dogs. We make posters. We write, "Dogs are your family! Please take care of them. Do not lose them."

해석

제 독서 친구의 이름은 Ariella예요. 저는 3학년이에요, 그리고 그녀는 6학년이에요. 월요일과 금요일마다, 우리는 Ariella의 교실에서 만나요. 그녀는 저에게 책을 읽어줘요. 저는 사진이 많은 책을 좋아해요. 이번 주 우리는 길거리 개들에 관한 책을 읽어요. 길거리 개들은 집이 없어요. 그들은 주인이 없어요. 그들은 밖에서 살아요. 길거리 개들은 아주 배고파요. 그들은 때때로 며칠 동안 먹지 못해요. 저는 Ariella에게 말해요, "우리 마을에 길거리 개들이 아주 많아!" 그녀가 말해요, "맞아. 이 일을 다른 사람들에게 말하자." 우리는 길거리 개들을 도우려고 노력해요. 우리는 포스터를 만들어요. 우리는 써요, "개들은 당신의 가족입니다! 그들을 보살펴 주세요. 그들을 잃어버리지 말아 주세요."

7. What is the best title?
   (A) My Pet Dog
   (B) Fish and Other Pets
   (C) Breakfast with Ariella
   (D) Reading and Street Dogs

해석 가장 알맞은 제목은 무엇인가?
(A) 나의 반려견
(B) 물고기와 다른 반려동물들
(C) Ariella와의 아침 식사
(D) 독서와 길거리 개들

유형 전체 내용 파악

풀이 초반부에 글쓴이와 Ariella가 독서 친구로서 교실에서 만나 길거리 개들에 관한 책을 읽고, 길거리 개들을 돕기 위해 포스터를 만든다는 내용의 글이다. 따라서 (D)가 정답이다.

8. What does Ariella do?
   (A) read books
   (B) write stories
   (C) care for cats
   (D) teach French

해석 Ariella는 무엇을 하는가?
(A) 책 읽기
(B) 이야기 쓰기
(C) 고양이 돌보기
(D) 프랑스어 가르치기

유형 세부 내용 파악

풀이 'This week we read a book about street dogs.'에서 Ariella와 글쓴이가 책을 읽는다는 것을 알 수 있으므로 (A)가 정답이다.

9. What grade is Ariella in?
   (A) 3
   (B) 4
   (C) 5
   (D) 6

해석 Ariella는 몇 학년인가?
(A) 3
(B) 4
(C) 5
(D) 6

유형 세부 내용 파악

풀이 'I am in Grade 3, and she is in Grade 6.'에서 Ariella가 6학년이라는 것을 알 수 있으므로 (D)가 정답이다. (A)는 글쓴이의 학년이므로 오답이다.

10. Why does the writer make a poster?
   (A) to find a cat
   (B) to win a contest
   (C) to help street dogs
   (D) to finish homework

해석 글쓴이는 왜 포스터를 만드는가?
(A) 고양이를 찾으려고
(B) 대회에서 이기려고
(C) 길거리 개들을 도우려고
(D) 숙제를 마치려고

유형 세부 내용 파악

풀이 'We try to help street dogs. We make posters. We write, "Dogs are your family! Please take care of them. Do not lose them."'에서 글쓴이가 포스터를 만드는 이유가 길거리 개들을 돕기 위해서라는 것을 알 수 있으므로 (C)가 정답이다.

Listening Practice

S3-4 p.40

My reading buddy's name is Ariella. I am in Grade 3, and she is in Grade 6. On Mondays and Fridays, we meet in Ariella's classroom. She reads a book to me. I like books with many pictures. This week we read a book about street dogs. Street dogs do not have homes. They do not have owners. They live outside. Street dogs are very hungry. They sometimes cannot eat for many days. I tell Ariella, "There are many street dogs in our town!" She says, "Yes. Let's tell others about this." We try to help street dogs. We make posters. We write, "Dogs are your family! Please take care of them. Do not lose them."

1. buddy
2. street
3. owners
4. town

Writing Practice

p.41

1. buddy
2. street dog
3. owner
4. town

Summary

Ariella reads books to me. This week we read a book about street dogs, so I know about street dogs now. We try to help street dogs. We make posters.

Ariella는 저에게 책을 읽어줘요. 이번 주에 우리는 길거리 개들에 관한 책을 읽어요, 그래서 저는 이제 길거리 개들에 대해 알아요. 우리는 길거리 개들을 도우려고 노력해요. 우리는 포스터를 만들어요.

Word Puzzle

p.42

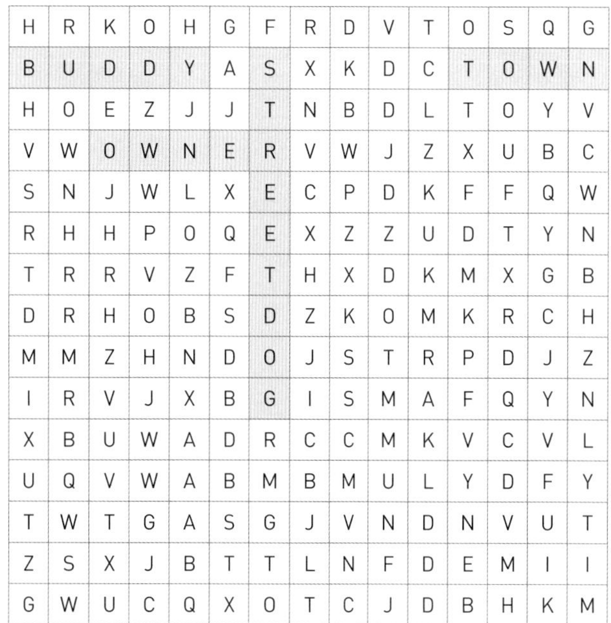

H	R	K	O	H	G	F	R	D	V	T	O	S	Q	G
B	U	D	D	Y	A	S	X	K	D	C	T	O	W	N
H	O	E	Z	J	J	T	N	B	D	L	T	O	Y	V
V	W	O	W	N	E	R	V	W	J	Z	X	U	B	C
S	N	J	W	L	X	E	C	P	D	K	F	F	Q	W
R	H	H	P	O	Q	E	X	Z	Z	U	D	T	Y	N
T	R	R	V	Z	F	T	H	X	D	K	M	X	G	B
D	R	H	O	B	S	D	Z	K	O	M	K	R	C	H
M	M	Z	H	N	D	O	J	S	T	R	P	D	J	Z
I	R	V	J	X	B	G	I	S	M	A	F	Q	Y	N
X	B	U	W	A	D	R	C	C	M	K	V	C	V	L
U	Q	V	W	A	B	M	B	M	U	L	Y	D	F	Y
T	W	T	G	A	S	G	J	V	N	D	N	V	U	T
Z	S	X	J	B	T	T	L	N	F	D	E	M	I	I
G	W	U	C	Q	X	O	T	C	J	D	B	H	K	M

1. buddy
2. street dog
3. owner
4. town

Chapter Review p.43

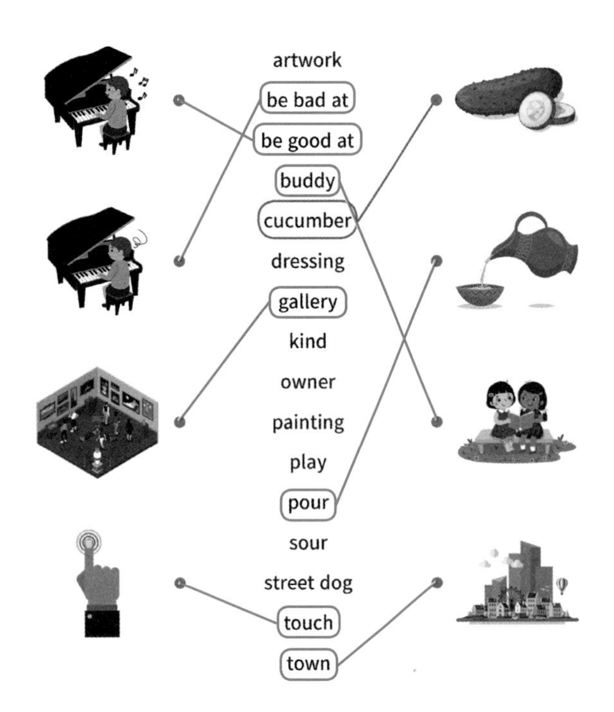

※ 학생의 생각에 따라 다양한 정답이 가능할 수 있습니다.

예)

Chapter 2. School Festival

Unit 5 | Field Trip to the Aquarium p.45

Part A. Sentence Completion p.47

1 (C) 2 (A)

Part B. Situational Writing p.47

3 (D) 4 (A)

Part C. Practical Reading and Retelling p.48

5 (D) 6 (C)

Part D. General Reading and Retelling p.49

7 (B) 8 (B) 9 (D) 10 (A)

Listening Practice p.50

1 aquarium 2 mermaid
3 costumes 4 wave

Writing Practice p.51

1 aquarium 2 mermaid
3 costume 4 wave
Summary aquarium

Word Puzzle p.52

1 aquarium 2 mermaid
3 costume 4 wave

Pre-reading Questions p.45

These animals live in the ocean.
Which can you name?

이 동물들은 바다에 살아요.
어느 동물의 이름을 말할 수 있나요?

Reading Passage p.46

Field Trip to the Aquarium

We're going on a field trip. Where are we going? We want to see many fish. So we are going to the aquarium in our town! Look! There is a beautiful starfish. It really looks like a star. And look at those small fish! They are black and orange! They swim together. They are good friends. What is starting soon? It is the mermaid show. The mermaids are not fish. They are real people. They are divers. They wear costumes and dance to music. They wave to us. They are so great! We also touch turtles at the aquarium. They can go in the water and on land. We're all excited. We want to come to the aquarium again. When is the next field trip?

수족관 현장 학습

우리는 현장 학습을 하러 가요. 우리는 어디에 가나요? 우리는 많은 물고기를 보고 싶어요. 그래서 우리 동네에 있는 수족관으로 갈 거예요! 봐요! 아름다운 불가사리가 있어요. 그것은 정말로 별처럼 생겼어요. 그리고 저 작은 물고기들을 봐요! 그것들은 검은색과 주황색이에요! 그것들은 함께 헤엄쳐요. 그것들은 좋은 친구들이에요. 무엇이 곧 시작하나요? 인어 쇼예요. 인어들은 물고기가 아니에요. 그들은 실제 사람들이에요. 그들은 잠수부들이에요. 그들은 의상을 입고 음악에 맞춰 춤춰요. 그들은 우리에게 손을 흔들어요. 그들은 정말 대단해요! 우리는 또 수족관에서 거북이들을 만져요. 그것들은 물속과 육지로 갈 수 있어요. 우리는 모두 신나있어요. 우리는 다시 수족관에 오고 싶어요. 다음 현장 학습은 언제인가요?

어휘 animal 동물 | ocean 바다 | turtle 거북이 | wave (손을) 흔들다 | field trip 현장학습 | aquarium 수족관 | town 동네, 시내 | starfish 불가사리 | look like ~처럼 보이다 | swim 헤엄치다 | together 함께 | diver 잠수부 | wear 입다 | costume 의상 | touch 만지다 | land 육지 | slow 느린 | fish bowl 어항 | shark 상어 | dolphin 돌고래 | mermaid 인어 | draw 그리다 | feed 먹이를 주다 | learn 배우다 | frog 개구리 | catch 잡다 | lizard 도마뱀 | squid 오징어 | octopus 문어

Comprehension Questions p.47

1. The turtles walk very slowly.
   (A) slow
   (B) slows
   (C) slowly
   (D) slower

해석 거북이들은 매우 느리게 걷는다.
(A) 느린
(B) 느려지게 하다
(C) 느리게
(D) 더 느린

풀이 빈칸에는 동사 'walk'를 꾸미는 부사가 들어갈 수 있다. 따라서 (C)가 정답이다.

관련 문장 We also touch turtles at the aquarium. They can go in the water and on land.

2. There are many fish in my fish bowl.
   (A) fish
   (B) to fish
   (C) my fish
   (D) the fish

해석 어항에 많은 물고기들이 있다.
(A) 물고기(들)
(B) 낚시하기
(C) 나의 물고기(들)
(D) 그 물고기(들)

풀이 '~가 있다'를 뜻하는 'there is/are ~' 형태의 구문이다.' 'are'와 'many'로 보아 빈칸에는 복수 명사가 들어가야 하므로 (A)가 정답이다. (C)와 (D)의 경우, 수량 한정사 'many'는 'my many'나 'the many'처럼 소유격이나 관사의 뒤에 와야하므로 오답이다.

새겨 두기 'fish'의 복수형은 똑같이 'fish'라는 점에 유의한다.

관련 문장 And look at those small fish!

3. The mermaid lives in the sea.
   (A) turtle
   (B) shark
   (C) dolphin
   (D) mermaid

해석 인어는 바다에서 산다.
(A) 거북이
(B) 상어
(C) 돌고래
(D) 인어

풀이 상반신은 사람, 하반신은 물고기인 인어의 모습이다. 따라서 (D)가 정답이다.

관련 문장 It is the mermaid show. The mermaids are not fish.

4. Martin is waving to us.
   (A) waving
   (B) running
   (C) jumping
   (D) swimming

해석 Martin은 우리에게 손을 흔들고 있다.
(A) (손을) 흔드는
(B) 달리는
(C) 점프하는
(D) 수영하는

풀이 남자가 손을 흔들고 있는 모습이므로 (A)가 정답이다.

관련 문장 They wave to us.

[5-6]

Aquarium Tour Schedule

9:30-10:00 AM	10:30-11:00 AM	11:00-11:30 AM	1:00-1:30 PM	1:30-2:00 PM
Drawing Starfish	Playing with Turtles	Mermaids Show	Feeding Turtles	Learning about Sharks

• Lunch Hour: 11:30 AM - 12:30 PM

해석

수족관 투어 일정		
오전 9:30-10:00 불가사리 그리기	오전 10:30-11:00 거북이들과 놀기	오전 11:00-11:30 인어 쇼
오후 1:00-1:30 거북이에게 먹이 주기	오후 1:30-2:00 상어에 관해 배우기	

• 점심시간: 오전 11시 30분 - 오후 12시 30분

5. What starts after lunch?
   (A) Drawing Starfish
   (B) Playing with Turtles
   (C) Mermaids Show
   (D) Feeding Turtles

해석 점심 후에 무엇이 시작하는가?
(A) 불가사리 그리기
(B) 거북이들과 놀기
(C) 인어 쇼
(D) 거북이에게 먹이 주기

풀이 점심시간('11:30 AM - 12:30 PM') 후인 오후 1시에 'Feeding Turtles'(거북이에게 먹이 주기) 활동이 시작하므로 (D)가 정답이다.

6. What can you learn about at 1:45?

(A) frogs
(B) turtles
(C) sharks
(D) dolphins

해석 1시 45분에 무엇에 관해 배울 수 있는가?

(A) 개구리
(B) 거북이
(C) 상어
(D) 돌고래

풀이 오후 1시 30분과 2시 사이에는 'Learning about Sharks'(상어에 관해 배우기)라고 했으므로 (C)가 정답이다.

[7-10]

We're going on a field trip. Where are we going? We want to see many fish. So we are going to the aquarium in our town! Look! There is a beautiful starfish. It really looks like a star. And look at those small fish! They are black and orange! They swim together. They are good friends. What is starting soon? It is the mermaid show. The mermaids are not fish. They are real people. They are divers. They wear costumes and dance to music. They wave to us. They are so great! We also touch turtles at the aquarium. They can go in the water and on land. We're all excited. We want to come to the aquarium again. When is the next field trip?

해석

우리는 현장 학습을 하러 가요. 우리는 어디에 가나요? 우리는 많은 물고기를 보고 싶어요. 그래서 우리 동네에 있는 수족관으로 갈 거예요! 봐요! 아름다운 불가사리가 있어요. 그것은 정말로 별처럼 생겼어요. 그리고 저 작은 물고기들을 봐요! 그것들은 검은색과 주황색이에요! 그것들은 함께 헤엄쳐요. 그것들은 좋은 친구들이에요. 무엇이 곧 시작하나요? 인어 쇼예요. 인어들은 물고기가 아니에요. 그들은 실제 사람들이에요. 그들은 잠수부들이에요. 그들은 의상을 입고 음악에 맞춰 춤춰요. 그들은 우리에게 손을 흔들어요. 그들은 정말 대단해요! 우리는 또 수족관에서 거북이들을 만져요. 그것들은 물속과 육지로 갈 수 있어요. 우리는 모두 신나있어요. 우리는 다시 수족관에 오고 싶어요. 다음 현장 학습은 언제인가요?

7. What is the best title?

(A) Stop Catching Fish
(B) Fun at the Aquarium
(C) Starfish Cannot Walk
(D) Cleaning the Aquarium

해석 가장 알맞은 제목은 무엇인가?

(A) 물고기 잡기를 멈춰라
(B) 수족관에서의 즐거움
(C) 불가사리는 걸을 수 없다
(D) 수족관 청소하기

유형 전체 내용 파악

풀이 초반부 ''We're going on a field trip. [...] So we are going to the aquarium in our town!'에서 수족관 현장 학습이라는 중심 소재가 드러나고 있다. 이어서 불가사리, 물고기 떼, 인어 쇼, 거북이 등 수족관에서 본 것들을 설명하며 다시 오고 싶다고 하였으므로 (B)가 정답이다.

8. What is NOT in the aquarium?

(A) turtles
(B) lizards
(C) starfish
(D) mermaids

해석 수족관에 있지 않은 것은 무엇인가?

(A) 거북이
(B) 도마뱀
(C) 불가사리
(D) 인어

유형 세부 내용 파악

풀이 본문에서 도마뱀은 언급되지 않았으므로 (B)가 정답이다. (A)는 'We also touch turtles at the aquarium.', (C)는 'There is a beautiful starfish.', (D)는 'It is the mermaid show.'에서 찾을 수 있으므로 오답이다.

9. What do the mermaids do?

(A) sing songs
(B) play music
(C) read books
(D) wave to people

해석 인어들은 무엇을 하는가?

(A) 노래 부르기
(B) 음악 연주하기
(C) 책 읽기
(D) 사람들에게 손 흔들기

유형 세부 내용 파악

풀이 'It is the mermaid show. [...] They wear costumes and dance to music. They wave to us.'에서 인어들이 손을 흔든다고 했으므로 (D)가 정답이다.

10. What does the writer touch?

(A) a turtle
(B) a squid
(C) an octopus
(D) an orange fish

해석 글쓴이는 무엇을 만지는가?

(A) 거북이
(B) 오징어
(C) 문어
(D) 주황색 물고기

유형 세부 내용 파악

풀이 'We also touch turtles at the aquarium.'에서 글쓴이가 수족관에서 거북이를 만진다는 것을 알 수 있으므로 (A)가 정답이다.

Listening Practice S3-5 p.50

We're going on a field trip. Where are we going? We want to see many fish. So we are going to the aquarium in our town! Look! There is a beautiful starfish. It really looks like a star. And look at those small fish! They are black and orange! They swim together. They are good friends. What is starting soon? It is the mermaid show. The mermaids are not fish. They are real people. They are divers. They wear costumes and dance to music. They wave to us. They are so great! We also touch turtles at the aquarium. They can go in the water and on land. We're all excited. We want to come to the aquarium again. When is the next field trip?

1. aquarium
2. mermaid
3. costumes
4. wave

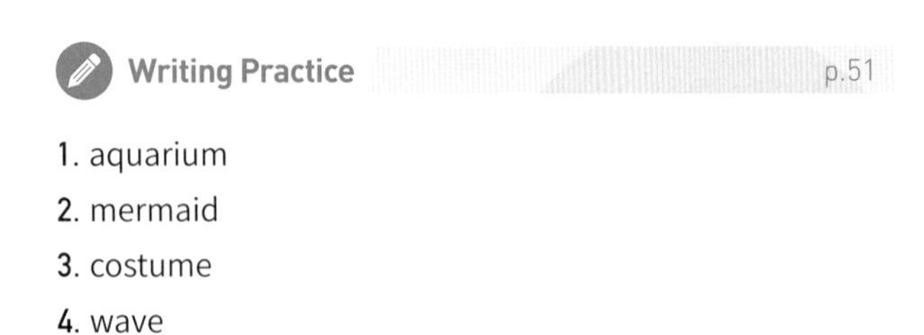

Writing Practice p.51

1. aquarium
2. mermaid
3. costume
4. wave

Summary

We go to the aquarium for our field trip. There are many fish. There is also a mermaid show. We want to come back to the aquarium.

우리는 현장 학습을 하러 수족관에 가요. 물고기가 많이 있어요. 인어 쇼도 있어요. 우리는 수족관에 다시 오고 싶어요.

Word Puzzle p.52

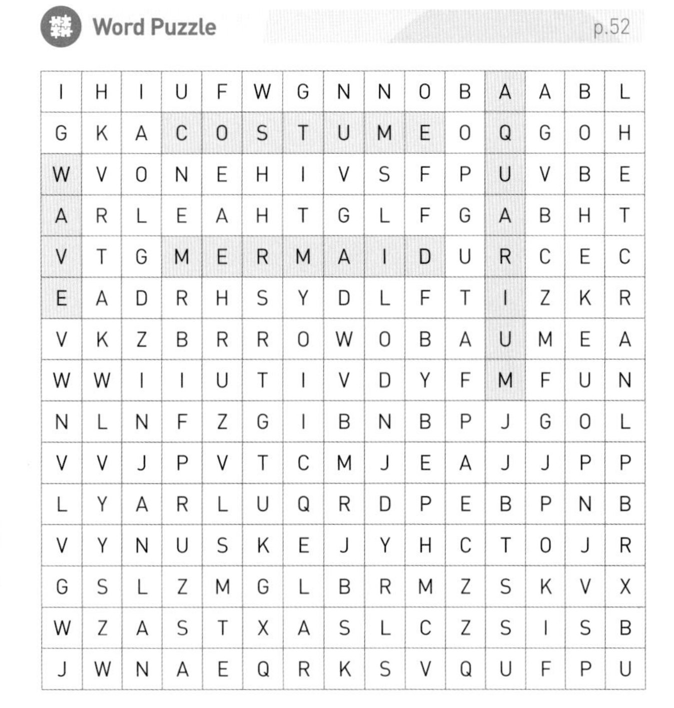

I	H	I	U	F	W	G	N	N	O	B	A	A	B	L
G	K	A	C	O	S	T	U	M	E	O	Q	G	O	H
W	V	O	N	E	H	I	V	S	F	P	U	V	B	E
A	R	L	E	A	H	T	G	L	F	G	A	B	H	T
V	T	G	M	E	R	M	A	I	D	U	R	C	E	C
E	A	D	R	H	S	Y	D	L	F	T	I	Z	K	R
V	K	Z	B	R	R	O	W	O	B	A	U	M	E	A
W	W	I	I	U	T	I	V	D	Y	F	M	F	U	N
N	L	N	F	Z	G	I	B	N	B	P	J	G	O	L
V	V	J	P	V	T	C	M	J	E	A	J	J	P	P
L	Y	A	R	L	U	Q	R	D	P	E	B	P	N	B
V	Y	N	U	S	K	E	J	Y	H	C	T	O	J	R
G	S	L	Z	M	G	L	B	R	M	Z	S	K	V	X
W	Z	A	S	T	X	A	S	L	C	Z	S	I	S	B
J	W	N	A	E	Q	R	K	S	V	Q	U	F	P	U

1. aquarium
2. mermaid
3. costume
4. wave

Unit 6 | The Book Fair p.53

Part A. Sentence Completion p.55

1 (A) 2 (A)

Part B. Situational Writing p.55

3 (B) 4 (B)

Part C. Practical Reading and Retelling p.56

5 (A) 6 (C)

Part D. General Reading and Retelling p.57

7 (B) 8 (A) 9 (D) 10 (D)

Listening Practice p.58

1 fair 2 kings
3 queens 4 crown

Writing Practice p.59

1 book fair 2 crown
3 king 4 queen
Summary book fair

Word Puzzle p.60

1 book fair 2 crown
3 king 4 queen

Pre-reading Questions p.53

What is your favorite book?
What is it about?

여러분이 특히 좋아하는 책은 무엇인가요?
그것은 무엇에 관한 것인가요?

Reading Passage p.54

The Book Fair

Today is the book fair! Cora wants to buy a book about robots. She wants a book with nice pictures. Ron likes kings and queens. He wants a book called "English Kings." Ron can get a crown with the book. The school bell rings. Cora and Ron run to the library. The book fair is there. Cora looks for a robot book. She finds a book with many pictures. Ron looks for "English Kings." There is only one copy. Oh no! Lydia gets the book first. Ron is sad. He cries. Cora feels bad. She says to Ron, "Let's read my robot book together!" Cora and Ron read the book together. Ron is happy. It is a good book fair!

도서전

오늘은 도서전이 있는 날이에요! Cora는 로봇에 관한 책을 사고 싶어요. 그녀는 멋진 그림이 있는 책을 원해요. Ron은 왕과 여왕을 좋아해요. 그는 "영국의 왕들(English Kings)"이라는 책을 원해요. Ron은 그 책으로 왕관을 얻을 수 있어요. 학교 종이 울려요. Cora와 Ron은 도서관으로 달려가요. 도서전은 거기에 있어요. Cora는 로봇 책을 찾아요. 그녀는 많은 사진이 있는 책을 한 권 찾아요. Ron은 "영국 왕들"을 찾아요. 단 한 권밖에 없어요. 아 이런! Lydia가 그 책을 먼저 가져가요. Ron은 슬퍼요. 그는 울어요. Cora는 기분이 좋지 않아요. 그녀는 Ron에게 말해요, "내 로봇 책을 함께 읽자!" Cora와 Ron은 함께 그 책을 읽어요. Ron은 행복해요. 좋은 도서전이에요!

어휘 what 무엇 | favorite 특히 좋아하는 | vase 꽃병 | shout 소리치다 | robot 로봇 | queen 여왕 | ring 울리다; 반지 | crown 왕관 | helmet 헬멧 | necklace 목걸이 | turn 돌다 | move 움직이다 | cook 요리하다 | loudly 시끄럽게 | book fair 도서전(도서 전시회) | king 왕 | look for 찾다 | library 도서관 | copy (책·신문 등의) 한 권(부); 복사하다 | gym 체육관 | science 과학 | old 오래된 | beach 해변 | museum 박물관 | bell 종

Comprehension Questions p.55

1. There <u>is</u> a red flower in the vase.
   (A) is
   (B) be
   (C) do
   (D) are

해석 꽃병에 빨간 꽃이 있<u>다</u>.
(A) ~이다
(B) ~이다
(C) ~하다
(D) ~이다

풀이 '~가 있다'를 뜻하는 'there is/are ~' 형태의 구문이다. 빈칸에는 문장의 동사가 들어가야 하며, 주어가 'a red flower'로 단수이므로 (A)가 정답이다.

관련 문장 There is only one copy.

2. Ron shouts, "Let's <u>dance</u> to a robot song!"

(A) dance
(B) dances
(C) dancing
(D) to dance

해석 Ron이 소리친다, "로봇 노래에 맞춰 <u>춤추자</u>!"

(A) 춤추다
(B) 춤추다
(C) 춤추기
(D) 춤추기

풀이 무엇을 같이 하자고 요청할 때 사용하는 'Let's + 동사원형' 형태의 청유형 문장이다. 따라서 동사원형인 (A)가 정답이다.

관련 문장 Let's read my robot book together!

3. The queen wears a golden <u>crown</u>.

(A) ring
(B) crown
(C) helmet
(D) necklace

해석 여왕은 황금 <u>왕관</u>을 쓰고 있다.

(A) 반지
(B) 왕관
(C) 헬멧
(D) 목걸이

풀이 여왕이 금색 왕관을 쓰고 있으므로 (B)가 정답이다.

관련 문장 Ron can get a crown with the book.

4. The phone is <u>ringing</u> very loudly.

(A) turning
(B) ringing
(C) moving
(D) cooking

해석 휴대 전화는 매우 시끄럽게 <u>울리고</u> 있다.

(A) 돌리는
(B) 울리는
(C) 움직이는
(D) 요리하는

풀이 휴대 전화가 울리고 있다. '(전화, 종 등이) 울리다'는 'ring'이므로 (B)가 정답이다.

관련 문장 The school bell rings.

[5-6]

해석

도서전

Irving 초등학교에서

날짜: 11월 12일부터 26일까지

장소: 학교 체육관

- 책 300권
- 왕과 여왕들에 관한 책들; 과학에 관한 책들; 오래된 이야기, 그리고 더 많음!
- 학생, 학부모, 그리고 교사들 대상

5. Where is the book fair?

(A) in a gym
(B) at a beach
(C) in a library
(D) at a museum

해석 도서전은 어디서 열리는가?

(A) 체육관에서
(B) 해변에서
(C) 도서관에서
(D) 박물관에서

풀이 'Place: School gym'에서 도서전을 여는 장소가 학교 체육관임을 알 수 있으므로 (A)가 정답이다.

6. How many books are there?

(A) 100
(B) 200
(C) 300
(D) 400

해석 책이 몇 권 있는가?

(A) 100
(B) 200
(C) 300
(D) 400

풀이 '300 books'에서 도서전에 책이 300권 있다는 것을 알 수 있으므로 (C)가 정답이다.

[7-10]

Today is the book fair! Cora wants to buy a book about robots. She wants a book with nice pictures. Ron likes kings and queens. He wants a book called "English Kings." Ron can get a crown with the book. The school bell rings. Cora and Ron run to the library. The book fair is there. Cora looks for a robot book. She finds a book with many pictures. Ron looks for "English Kings." There is only one copy. Oh no! Lydia gets the book first. Ron is sad. He cries. Cora feels bad. She says to Ron, "Let's read my robot book together!" Cora and Ron read the book together. Ron is happy. It is a good book fair!

해석

오늘은 도서전이 있는 날이에요! Cora는 로봇에 관한 책을 사고 싶어요. 그녀는 멋진 그림이 있는 책을 원해요. Ron은 왕과 여왕을 좋아해요. 그는 "영국의 왕들(English Kings)"이라는 책을 원해요. Ron은 그 책으로 왕관을 얻을 수 있어요. 학교 종이 울려요. Cora와 Ron은 도서관으로 달려가요. 도서전은 거기에 있어요. Cora는 로봇 책을 찾아요. 그녀는 많은 사진이 있는 책을 한 권 찾아요. Ron은 "영국 왕들"을 찾아요. 단 한 권밖에 없어요. 아 이런! Lydia가 그 책을 먼저 가져가요. Ron은 슬퍼요. 그는 울어요. Cora는 기분이 좋지 않아요. 그녀는 Ron에게 말해요, "내 로봇 책을 함께 읽자!" Cora와 Ron은 함께 그 책을 읽어요. Ron은 행복해요. 좋은 도서전이에요!

7. What is the best title?

(A) Jumping at School
(B) The School Book Fair
(C) The Library Loses a Book
(D) How to Make Robots at Home

해석 가장 알맞은 제목은 무엇인가?

(A) 학교에서 뛰기
(B) 학교 도서전
(C) 도서관이 책 한 권을 분실하다
(D) 집에서 로봇 만드는 방법

유형 전체 내용 파악

풀이 첫 문장 'Today is the book fair!'에서 오늘 열릴 학교 도서전이라는 중심 소재가 드러나고 있다. Cora와 Ron이 어떤 책을 찾고 싶어 하는지 설명한 뒤, 도서전에서 두 사람이 무엇을 하는지 언급하고 있는 글이다. 따라서 (B)가 정답이다.

8. When is the book fair?

(A) today
(B) tomorrow
(C) next week
(D) next month

해석 도서전은 언제인가?

(A) 오늘
(B) 내일
(C) 다음 주
(D) 다음 달

유형 세부 내용 파악

풀이 'Today is the book fair!'에서 도서전이 오늘 열린다는 것을 알 수 있으므로 (A)가 정답이다.

9. What can Ron get with "English Kings"?

(A) a bell
(B) a robot
(C) a photo
(D) a crown

해석 Ron은 "영국 왕들"로 무엇을 얻을 수 있는가?

(A) 종
(B) 로봇
(C) 사진
(D) 왕관

유형 세부 내용 파악

풀이 'He wants a book called "English Kings." Ron can get a crown with the book.'에서 'English Kings'라는 책으로 왕관을 얻을 수 있다는 것을 알 수 있으므로 (D)가 정답이다.

10. What do Cora and Ron do together?

(A) wear crowns
(B) take pictures
(C) cry about books
(D) read about robots

해석 Cora와 Ron이 함께한 것은 무엇인가?

(A) 왕관 쓰기
(B) 사진 찍기
(C) 책 때문에 울기
(D) 로봇에 관해 읽기

유형 세부 내용 파악

풀이 'She says to Ron, "Let's read my robot book together!" Cora and Ron read the book together.'를 통해 Cora와 Ron이 함께 로봇에 관한 책을 읽었다는 것을 알 수 있으므로 (D)가 정답이다.

Listening Practice

S3-6 p.58

Today is the book <u>fair</u>! Cora wants to buy a book about robots. She wants a book with nice pictures. Ron likes <u>kings</u> and <u>queens</u>. He wants a book called "English Kings." Ron can get a <u>crown</u> with the book. The school bell rings. Cora and Ron run to the library. The book fair is there. Cora looks for a robot book. She finds a book with many pictures. Ron looks for "English Kings." There is only one copy. Oh no! Lydia gets the book first. Ron is sad. He cries. Cora feels bad. She says to Ron, "Let's read my robot book together!" Cora and Ron read the book together. Ron is happy. It is a good book fair!

1. fair
2. kings
3. queens
4. crown

Writing Practice

p.59

1. book fair
2. crown
3. king
4. queen

Summary

Cora and Ron go to the <u>book fair</u>. Cora finds a robot book. Ron cannot get a book. He is sad. But Cora and Ron read the robot book together. Then Ron is happy.

Cora와 Ron은 <u>도서전</u>에 가요. Cora는 로봇 책을 찾아요. Ron은 책을 찾지 못해요. 그는 슬퍼요. 하지만 Cora와 Ron이 로봇 책을 함께 읽어요. 그러자 Ron은 행복해요.

Word Puzzle

p.60

Z	Q	Y	V	D	B	Q	G	U	Y	Y	V	G	O	S
Q	V	T	G	W	N	F	E	M	T	Y	P	N	B	S
D	T	C	H	G	O	I	A	N	V	U	B	V	D	I
V	V	X	Z	S	R	Y	L	L	L	B	W	J	X	O
H	X	E	J	F	X	F	T	M	Z	O	I	W	A	W
Q	X	P	K	O	V	I	Y	L	C	O	P	R	I	G
Y	U	B	G	Z	D	H	P	J	L	K	D	I	S	X
H	B	H	Z	C	K	C	B	L	A	F	J	I	N	I
H	H	V	S	M	I	D	N	N	T	A	Z	M	M	A
E	V	K	M	T	N	A	C	X	A	I	M	X	U	N
I	D	F	W	A	G	S	F	U	V	R	U	C	I	Z
P	E	R	O	R	O	Z	I	R	H	M	U	R	P	U
Y	O	H	K	G	B	K	B	N	B	U	K	O	T	D
X	U	R	Z	L	B	E	H	J	E	K	R	W	Q	B
Y	P	S	X	A	E	L	X	Q	U	E	E	N	Y	P

1. book fair
2. crown
3. king
4. queen

Unit 7 | Fast Runners p.61

Part A. Sentence Completion p.63

1 (B) 2 (A)

Part B. Situational Writing p.63

3 (B) 4 (D)

Part C. Practical Reading and Retelling p.64

5 (B) 6 (A)

Part D. General Reading and Retelling p.65

7 (B) 8 (A) 9 (A) 10 (D)

Listening Practice p.66

1 fast 2 race
3 finish 4 winners

Writing Practice p.67

1 fast 2 race
3 winner 4 finish
Summary race

Word Puzzle p.68

1 fast 2 race
3 winner 4 finish

Pre-reading Questions p.61

Think! You and your best friend run.
Who is faster?

생각해보세요! 여러분과 여러분 단짝이 달려요.
누가 더 빠른가요?

Reading Passage p.62

Fast Runners

I am a fast runner in my class. But there is another fast runner. His name is Reo. Who is faster? We do not know. Everyone wants to know. Reo has long legs. But I am very strong. I want to be faster. Today is Sports Day at school. Reo and I are having a race. It is time to race! We stand on the start line. The teacher shouts, "Start!" The race starts! Everyone cheers. I run faster and faster. Where is Reo? He is behind me! But he runs faster and faster. Now he is in front of me! Who gets to the finish line first? The teacher says, "You are both the winners!" Who is faster? We still do not know!

빠른 달리기 선수들

저는 우리 반에서 빠른 달리기 선수예요. 하지만 또 다른 빠른 달리기 선수가 있어요. 그의 이름은 Reo예요. 누가 더 빠른가요? 우리는 몰라요. 모두가 알고 싶어 해요. Reo는 다리가 길어요. 하지만 저는 힘이 매우 세요. 저는 더 빨라지고 싶어요. 오늘은 학교 운동회 날이에요. Reo와 저는 경주를 해요. 경주할 시간이에요! 우리는 출발선에 서요. 선생님이 소리쳐요, "출발!" 경주가 시작해요! 모두가 응원해요. 저는 점점 더 빠르게 달려요. Reo는 어디에 있나요? 그는 제 뒤에 있어요! 하지만 그는 점점 더 빠르게 달려요. 이제 그는 제 앞에 있어요! 누가 결승선에 먼저 가나요? 선생님이 말해요, "너희들 모두 우승자란다!" 누가 더 빠른가요? 우리는 아직도 몰라요!

어휘 fast 빠른 | runner 달리기 선수 | another 또 다른 | everyone 모두 | leg 다리 | strong 힘이 센 | race 경주 | on ~(위)에 | line 선 | shout 소리치다 | cheer 응원하다 | behind 뒤에 | in front of ~의 앞에 | get to ~에 가다[닿다] | like ~처럼 | animal 동물 | choose 고르다 | socks 양말 (켤레) | pet 애완동물 | eraser 지우개 | book club 독서 모임 | science fair 과학 박람회

Comprehension Questions p.63

1. She is a fast <u>runner</u>.
   (A) run
   (B) runner
   (C) running
   (D) runners

해석 그녀는 빠른 <u>달리기 선수</u>이다.
(A) 달리다
(B) 달리기 선수
(C) 달리는
(D) 달리기 선수들

풀이 빈칸에는 관사 'a'와 형용사 'fast'가 수식할 수 있는 단수 명사가 들어가야 하므로 (B)가 정답이다. (D)는 복수이므로 오답이다.

관련 문장 I am a fast runner in my class.

2. Who is faster? He is faster!

(A) Who
(B) Why
(C) What
(D) When

해석 누가 더 빠른가? 그가 더 빠르다!

(A) 누가
(B) 왜
(C) 무엇
(D) 언제

풀이 'is faster'는 주어가 빠진 불완전한 문장이므로 빈칸에는 주어 역할을 하는 의문대명사가 들어가야 한다. 두 번째 문장에서 'He is faster!'라고 대답한 것으로 보아 주어는 사람이기 때문에 사람을 지칭하는 의문대명사 (A)가 정답이다. (B)와 (D)는 주어 역할을 할 수 없는 의문부사들이므로 오답이다. (C)는 주어가 사물일 때 사용하는 의문대명사이므로 오답이다.

새겨 두기 'Who is faster?'(누가 더 빠르니?), 'What is faster?'(무엇이 더 빠르니?), 등의 차이점을 확실히 익혀 두자.

관련 문장 Who is faster?

3. The green bag is bigger than the blue one.

(A) faster
(B) bigger
(C) slower
(D) smaller

해석 초록색 가방은 파란색 가방보다 크다.

(A) 더 빠른
(B) 더 큰
(C) 더 느린
(D) 더 작은

풀이 초록색 가방이 파란색 가방보다 크기가 더 크므로 (B)가 정답이다.

관련 문장 I run faster and faster. [...] But he runs faster and faster.

4. They cheer for the soccer players.

(A) win
(B) run
(C) start
(D) cheer

해석 그들은 축구선수들을 응원한다.

(A) 이기다
(B) 달리다
(C) 시작하다
(D) 응원하다

풀이 스포츠 관중들이 응원하고 있는 모습이므로 '응원하다'를 뜻하는 (D)가 정답이다.

관련 문장 Everyone cheers.

[5-6]

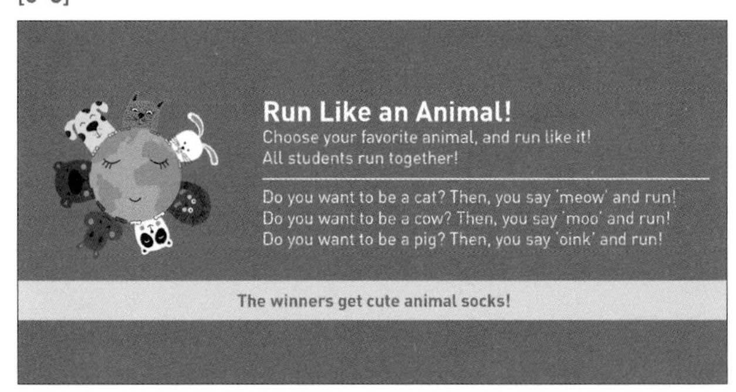

해석

동물처럼 달려요!
특히 좋아하는 동물을 고르세요, 그리고 그것처럼 달리세요!
모든 학생이 함께 뛰어요!

고양이가 되고 싶나요? 그렇다면, '야옹'이라 말하고 달려요!
소가 되고 싶나요? 그렇다면, '음매'라 말하고 달려요!
돼지가 되고 싶나요? 그렇다면, '꿀꿀'이라 말하고 달려요!

우승자는 귀여운 동물 양말을 받아요!

5. Tony runs like a pig. What does he say?

(A) Moo!
(B) Oink!
(C) Bark!
(D) Meow!

해석 Tony는 돼지처럼 뛴다. 그는 무엇이라 말하는가?

(A) 음매!
(B) 꿀꿀!
(C) 왈왈!
(D) 야옹!

풀이 돼지가 되고 싶다면 'oink'(꿀꿀)라 말한 뒤 뛰라고 했으므로 (B)가 정답이다.

6. What do winners get?

(A) socks
(B) books
(C) pet animals
(D) cute erasers

해석 우승자는 무엇을 받는가?

(A) 양말
(B) 책
(C) 반려동물
(D) 귀여운 지우개

풀이 'The winners get cute animals socks!'에서 우승자는 귀여운 동물 양말을 받는다고 했으므로 (A)가 정답이다.

[7-10]

I am a fast runner in my class. But there is another fast runner. His name is Reo. Who is faster? We do not know. Everyone wants to know. Reo has long legs. But I am very strong. I want to be faster. Today is Sports Day at school. Reo and I are having a race. It is time to race! We stand on the start line. The teacher shouts, "Start!" The race starts! Everyone cheers. I run faster and faster. Where is Reo? He is behind me! But he runs faster and faster. Now he is in front of me! Who gets to the finish line first? The teacher says, "You are both the winners!" Who is faster? We still do not know!

해석

저는 우리 반에서 빠른 달리기 선수예요. 하지만 또 다른 빠른 달리기 선수가 있어요. 그의 이름은 Reo예요. 누가 더 빠른가요? 우리는 몰라요. 모두가 알고 싶어 해요. Reo는 다리가 길어요. 하지만 저는 힘이 매우 세요. 저는 더 빨라지고 싶어요. 오늘은 학교 운동회 날이에요. Reo와 저는 경주를 해요. 경주할 시간이에요! 우리는 출발선에 서요. 선생님이 소리쳐요, "출발!" 경주가 시작해요! 모두가 응원해요. 저는 점점 더 빠르게 달려요. Reo는 어디에 있나요? 그는 제 뒤에 있어요! 하지만 그는 점점 더 빠르게 달려요. 이제 그는 제 앞에 있어요! 누가 결승선에 먼저 가나요? 선생님이 말해요, "너희들 모두 우승자란다!" 누가 더 빠른가요? 우리는 아직도 몰라요!

7. What is the best title?

(A) Do You Like Cars?
(B) Who Runs Faster?
(C) Who Hates Sports?
(D) Do You Walk or Run?

해석 가장 알맞은 제목은 무엇인가?

(A) 자동차를 좋아하나요?
(B) 누가 더 빨리 달리나요?
(C) 누가 스포츠를 싫어하나요?
(D) 걷나요 아니면 뛰나요?

유형 전체 내용 파악

풀이 글쓴이와 Reo 중 누가 더 빨리 달리는지를 중점적으로 다루고 있는 글이다. 초반부에 글쓴이 자신과 Reo를 소개한 뒤, 그 후에 학교 운동회에서 두 사람이 달리기 경주하는 내용을 전반적으로 서술하고 있으므로 (B)가 정답이다. 'fast'의 비교급인 'faster'가 반복해서 사용되고 있다는 점에 주목한다.

8. What day is it?

(A) Sports Day
(B) Car Race Day
(C) Book Club Day
(D) Science Fair Day

해석 무슨 날인가?

(A) 운동회 날
(B) 차 경주의 날
(C) 독서 모임의 날
(D) 과학 박람회의 날

유형 세부 내용 파악

풀이 'Today is Sports Day at school.'에서 오늘은 학교 운동회 날이라고 했으므로 (A)가 정답이다.

9. What does Reo have?

(A) long legs
(B) a fast car
(C) a magic hat
(D) special shoes

해석 Reo는 무엇을 가졌나요?

(A) 긴 다리
(B) 빠른 자동차
(C) 마법 모자
(D) 특별한 신발

유형 세부 내용 파악

풀이 'Reo has long legs.'에서 Reo의 다리가 길다고 했으므로 (A)가 정답이다. 나머지 선택지는 지문에서 언급되지 않았으므로 오답이다.

10. Who wins the race?

(A) Reo
(B) the writer
(C) the teacher
(D) both runners

해석 누가 경주에서 이기나요?

(A) Reo
(B) 글쓴이
(C) 선생님
(D) 달리기 선수 둘 다

유형 세부 내용 파악

풀이 마지막 부분 'Who gets to the finish line first? The teacher says, "You are both the winners!"'에서 Reo와 글쓴이가 경주에서 공동 우승자라는 것을 알 수 있으므로 (D)가 정답이다.

Listening Practice

S3-7 p.66

I am a <u>fast</u> runner in my class. But there is another fast runner. His name is Reo. Who is faster? We do not know. Everyone wants to know. Reo has long legs. But I am very strong. I want to be faster. Today is Sports Day at school. Reo and I are having a <u>race</u>. It is time to race! We stand on the start line. The teacher shouts, "Start!" The race starts! Everyone cheers. I run faster and faster. Where is Reo? He is behind me! But he runs faster and faster. Now he is in front of me! Who gets to the <u>finish</u> line first? The teacher says, "You are both the <u>winners</u>!" Who is faster? We still do not know!

1. fast
2. race
3. finish
4. winners

Writing Practice

p.67

1. fast
2. race
3. winner
4. finish

Summary

Reo and I are both fast runners. Today we have a <u>race</u>. The race starts. Everyone cheers. But who is faster? We do not know.

Reo와 저는 둘 다 빠른 달리기 선수예요. 오늘 우리는 <u>경주</u>를 해요. 경주가 시작해요. 모두가 응원해요. 그런데 누가 더 빠른가요? 우리는 알지 못해요.

Word Puzzle

p.68

K	U	C	Z	R	J	K	M	W	P	I	Z	S	O	Z
U	A	K	Q	Y	X	G	M	I	B	T	G	O	F	K
Q	I	J	B	N	P	W	K	N	Z	S	V	L	K	G
N	P	T	F	P	H	E	L	N	Q	B	U	P	L	Y
J	G	X	H	N	X	I	W	E	G	E	W	I	O	W
C	W	O	X	V	F	H	R	R	M	H	D	R	H	W
F	Q	S	Y	Q	A	C	Z	T	U	J	J	W	L	D
T	W	W	D	S	T	D	M	E	P	O	P	V	L	J
I	F	O	U	E	H	C	R	W	F	P	J	W	V	K
Z	F	I	N	I	S	H	P	K	F	F	H	Z	R	S
L	I	F	O	R	A	V	Y	O	C	P	O	E	Q	N
K	Y	U	R	C	Z	D	X	W	X	W	R	P	S	A
P	G	A	T	Z	B	Q	V	Z	V	Y	A	E	N	N
N	D	F	Q	D	U	F	A	S	T	R	C	O	B	J
S	X	K	L	R	J	F	Y	N	J	H	E	M	F	C

1. fast
2. race
3. winner
4. finish

Unit 8 | Buying and Selling p.69

Part A. Sentence Completion p.71

1 (D) 2 (D)

Part B. Situational Writing p.71

3 (A) 4 (A)

Part C. Practical Reading and Retelling p.72

5 (C) 6 (D)

Part D. General Reading and Retelling p.73

7 (C) 8 (C) 9 (A) 10 (D)

Listening Practice p.74

1 market 2 sell
3 expensive 4 board

Writing Practice p.75

1 market 2 sell
3 expensive 4 board game
Summary market

Word Puzzle p.76

1 market 2 sell
3 expensive 4 board game

Pre-reading Questions p.69

There is a market at school today.
What do you sell? What do you buy?

오늘 학교에서 시장이 열려요.
여러분은 무엇을 파나요? 무엇을 사나요?

Reading Passage p.70

Buying and Selling

Today is the school market. We can buy and sell things today at school! On the first floor, students sell toys and dolls. I see Minji. She is selling Russian dolls. They have smaller dolls inside them. They are cute! I buy two dolls for my parents. I go to the second floor. Students are selling old things there. I see Juan. He is selling a clock. The clock is old. But it works well. How much is it? 100 dollars? It is expensive. I cannot buy it. I go to the third floor. There, students are selling games. I put my board game on the table. Erika comes to me. She asks, "What is this game?" I say, "It is a board game about mermaids." Erika buys it. Wow! I get 3 dollars!

사고 팔기

오늘은 학교 장터 날이에요. 우리는 오늘 학교에서 물건들을 사고팔 수 있어요! 1층에는, 학생들이 장난감과 인형을 팔아요. 저는 Minji를 봐요. 그녀는 러시아 인형을 팔고 있어요. 그것들은 안에 더 작은 인형들을 가지고 있어요. 귀여워요! 저는 부모님께 드릴 인형 두 개를 사요. 저는 2층으로 가요. 학생들이 거기서 오래된 것들을 팔고 있어요. 저는 Juan을 봐요. 그는 시계를 팔고 있어요. 그 시계는 오래됐어요. 하지만 잘 작동해요. 그것은 얼마인가요? 100 달러라고요? 비싸요. 저는 그것을 살 수 없어요. 저는 3층으로 가요. 거기서, 학생들이 게임을 팔고 있어요. 저는 탁자 위에 제 보드게임을 올려 놓아요. Erika가 저에게 와요. 그녀가 물어요, "이 게임은 뭐니?" 저는 말해요, "그것은 인어에 관한 보드게임이야." Erika가 그것을 사요. 와! 저는 3달러를 벌었어요!

어휘 market 장터, 시장 | what 무엇 | sell 팔다 | buy 사다 | table 탁자 | old 오래된 | wet 젖은 | doll 인형 | clock 시계 | board 보드 | thing 물건 | floor 층; 바닥 | toy 장난감 | inside ~ 안에 | expensive 비싼 | ask 물어보다 | mermaid 인어 | snack 간식 | drink 음료 | leave 두다, 떠나다 | guide 가이드 | supermarket 슈퍼마켓 | fairy tale 동화 | cheap 싼 | fresh 신선한

Comprehension Questions

p.71

1. What are these books?

(A) is
(B) do
(C) be
(D) are

해석 이 책들은 무엇이니?

(A) ~이다
(B) ~하다
(C) ~이다
(D) ~이다

풀이 3인칭 복수 'these books'와 어울리고, 의문문을 완성할 수 있는 be 동사 (D)가 정답이다. 문장 구조 이해가 어렵다면, 'These books are ______.' → 'Are these books ______?' → 'What are these books?'의 단계로 이해하면 쉽다. (A)는 'is'가 3인칭 단수 주어와 어울리는 be 동사이므로 오답이다. (B)는 do 조동사가 들어가려면 'What do these books have?' 등과 같이 문장에 'have'와 같은 일반 동사가 있어야 하므로 오답이다. (C)는 조동사 없이 be 동사의 원형 'be' 하나만으로는 의문문을 완성할 수 없으므로 오답이다.

관련 문장 What is this game?

2. Where are his books? They are on the table.

(A) It
(B) He
(C) She
(D) They

해석 그의 책들은 어디에 있니? 그것들은 탁자 위에 있어.

(A) 그것
(B) 그
(C) 그녀
(D) 그것들

풀이 앞에 나온 복수 사물 명사 'his books'를 가리킬 수 있고, 뒤에 나온 3인칭 복수 be 동사 'are'과도 어울리는 (D)가 정답이다. (A)는 'It'이 단수를 가리키는 대명사이므로 오답이다.

관련 문장 They are cute!

3. This chair is very old! 200 years!

(A) old
(B) wet
(C) blue
(D) purple

해석 이 의자는 매우 오래됐어! 200년이라니!

(A) 오래된
(B) 젖은
(C) 파란색인
(D) 보라색인

풀이 오래되어 보이는 의자의 모습이며, 뒤에 나오는 구문 '200 years!'도 이를 뒷받침해주고 있으므로 (A)가 정답이다.

관련 문장 The clock is old.

4. This is my new set of Russian dolls.

(A) dolls
(B) clocks
(C) boards
(D) markets

해석 이것은 내 새로운 러시아 인형 세트야.

(A) 인형
(B) 시계
(C) 보드
(D) 시장

풀이 하나의 인형 안에 비슷한 인형들이 크기순으로 들어 있는 러시아 인형이므로 (A)가 정답이다.

관련 문장 She is selling Russian dolls. They have smaller dolls inside them.

[5-6]

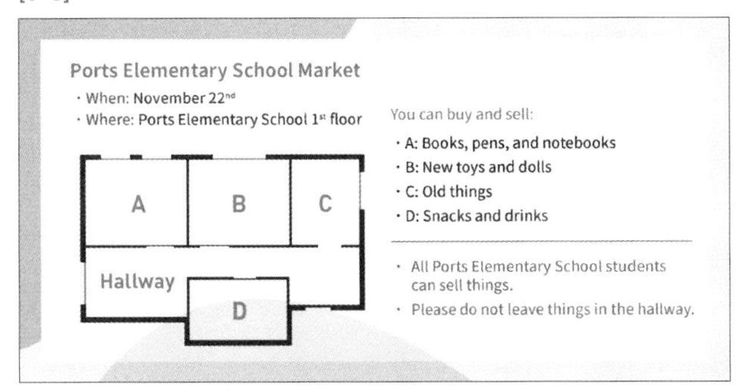

해석

Ports 초등학교 학교 장터

- 언제: 11월 22일
- 어디서: Ports 초등학교 1층

사고팔 수 있어요:

- A: 책, 펜, 그리고 공책
- B: 새 장난감과 인형
- C: 오래된 것들
- D: 간식과 음료

- 모든 Ports 초등학교 학생이 물건을 팔 수 있어요.
- 복도에 물건을 두지 마세요.

5. Where can you buy an old doll?

(A) A
(B) B
(C) C
(D) D

해석 오래된 인형을 어디서 살 수 있는가?

(A) A
(B) B
(C) C
(D) D

풀이 'C: Old things'에서 C 구역에서 오래된 물건들을 판다고 했으므로 (C)가 정답이다. (B)는 'B: New toys and dolls'에서 B 구역에서 새 인형을 판다고 했으므로 오답이다.

6. What can students NOT do?

(A) buy food
(B) go to the first floor
(C) sell things to others
(D) leave things in the hallway

해석 학생들이 할 수 없는 것은 무엇인가?

(A) 음식 사기
(B) 1층으로 가기
(C) 다른 사람들에게 물건 팔기
(D) 복도에 물건 두기

풀이 'Please do not leave things in the hallway.'에서 복도에 물건을 두지 말라고 했으므로 (D)가 정답이다. (A)는 D 구역에서 간식과 음료를 살 수 있으므로 오답이다. (B)는 학교 장터가 1층에서 이루어지므로 오답이다. (C)는 모든 학생이 물건을 팔 수 있다고 했으므로 오답이다.

[7-10]

Today is the school market. We can buy and sell things today at school! On the first floor, students sell toys and dolls. I see Minji. She is selling Russian dolls. They have smaller dolls inside them. They are cute! I buy two dolls for my parents. I go to the second floor. Students are selling old things there. I see Juan. He is selling a clock. The clock is old. But it works well. How much is it? 100 dollars? It is expensive. I cannot buy it. I go to the third floor. There, students are selling games. I put my board game on the table. Erika comes to me. She asks, "What is this game?" I say, "It is a board game about mermaids." Erika buys it. Wow! I get 3 dollars!

해석

오늘은 학교 장터 날이에요. 우리는 오늘 학교에서 물건들을 사고팔 수 있어요! 1층에는, 학생들이 장난감과 인형을 팔아요. 저는 Minji를 봐요. 그녀는 러시아 인형을 팔고 있어요. 그것들은 안에 더 작은 인형들을 가지고 있어요. 귀여워요! 저는 부모님께 드릴 인형 두 개를 사요. 저는 2층으로 가요. 학생들이 거기서 오래된 것들을 팔고 있어요. 저는 Juan을 봐요. 그는 시계를 팔고 있어요. 그 시계는 오래됐어요. 하지만 잘 작동해요. 그것은 얼마인가요? 100달러라고요? 비싸요. 저는 그것을 살 수 없어요. 저는 3층으로 가요. 거기서, 학생들이 게임을 팔고 있어요. 저는 탁자 위에 제 보드게임을 올려 놓아요. Erika가 저에게 와요. 그녀가 물어요, "이 게임은 뭐니?" 저는 말해요, "그것은 인어에 관한 보드게임이야." Erika가 그것을 사요. 와! 저는 3달러를 벌었어요!

7. What is the best title?

(A) School Tour Guide
(B) A Horse Makes Dolls
(C) Buy and Sell at School
(D) A Bad Day at the Supermarket

해석 가장 알맞은 제목은 무엇인가?

(A) 학교 투어 가이드
(B) 말 한 마리가 인형을 만들다
(C) 학교에서 사고팔기
(D) 슈퍼마켓에서의 나쁜 하루

유형 전체 내용 파악

풀이 첫 문장 'Today is the school market.'에서 학교 장터라는 중심 소재가 드러나고 있다. 1층에서 3층까지 층마다 어떤 종류의 물건을 팔고, 구체적으로 누가 무슨 물건을 사고 파는지 차례대로 설명하고 있으므로 (C)가 정답이다.

8. What does the writer buy?

(A) nothing
(B) a clock
(C) Russian dolls
(D) a fairy tale game

해석 글쓴이는 무엇을 사는가?

(A) 아무것도 (사지 않음)
(B) 시계
(C) 러시아 인형들
(D) 동화 게임

유형 세부 내용 파악

풀이 'She is selling Russian dolls. [...] I buy two dolls for my parents.'를 통해 글쓴이가 러시아 인형들을 산다는 것을 알 수 있으므로 (C)가 정답이다. (B)는 'The clock is old. [...] It is expensive. I cannot buy it.'에서 가격이 비싸서 시계를 사지 못한다고 했으므로 오답이다.

9. What is true about Juan's clock?

(A) It works well.
(B) It is very cheap.
(C) Erika is selling it.
(D) Juan buys the clock.

해석 Juan의 시계에 관해 옳은 설명은 무엇인가?

(A) 잘 작동한다.
(B) 매우 싸다.
(C) Erika가 팔고 있다.
(D) Juan이 시계를 산다.

유형 세부 내용 파악

풀이 'But it works well.'에서 Juan이 파는 시계가 잘 작동한다고 했으므로 (A)가 정답이다. (B)는 비싸다고 했으므로 오답이다. (D)는 Juan이 시계를 사는 게 아니라 파는 것이므로 오답이다.

10. What is on the third floor, maybe?

(A) old cups
(B) coloring books
(C) fresh tomatoes
(D) toy robot games

해석 3층에는 아마 무엇이 있겠는가?

(A) 오래된 컵
(B) 색칠공부 책
(C) 신선한 토마토
(D) 장난감 로봇 게임

유형 세부 내용 파악 & 추론하기

풀이 'I go to the third floor. There, students are selling games.'를 통해 3층에서 게임을 판다는 것을 알 수 있으므로 (D)가 정답이다. (A)는 오래된 물건들('old things')을 파는 2층에서 볼 수 있는 물품이므로 오답이다.

Today is the school <u>market</u>. We can buy and <u>sell</u> things today at school! On the first floor, students sell toys and dolls. I see Minji. She is selling Russian dolls. They have smaller dolls inside them. They are cute! I buy two dolls for my parents. I go to the second floor. Students are selling old things there. I see Juan. He is selling a clock. The clock is old. But it works well. How much is it? 100 dollars? It is <u>expensive</u>. I cannot buy it. I go to the third floor. There, students are selling games. I put my <u>board</u> game on the table. Erika comes to me. She asks, "What is this game?" I say, "It is a board game about mermaids." Erika buys it. Wow! I get 3 dollars!

1. market
2. sell
3. expensive
4. board

1. market
2. sell
3. expensive
4. board game

Summary

Today is the school <u>market</u>. We can buy and sell things at school. There are toys, dolls, old things, and games.

오늘은 학교 <u>장터</u> 날이에요. 우리는 학교에서 물건들을 사고팔 수 있어요. 장난감, 인형, 오래된 물건, 게임들이 있어요.

Word Puzzle

p.76

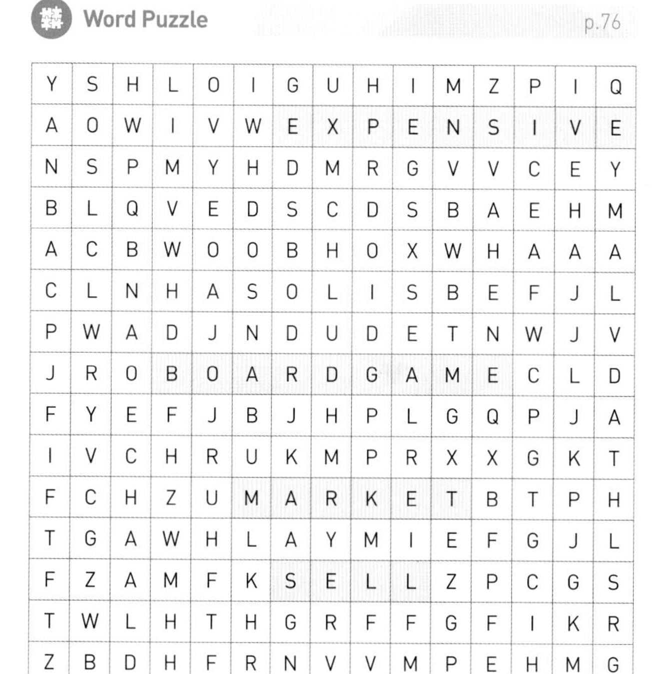

Y	S	H	L	O	I	G	U	H	I	M	Z	P	I	Q
A	O	W	I	V	W	E	X	P	E	N	S	I	V	E
N	S	P	M	Y	H	D	M	R	G	V	V	C	E	Y
B	L	Q	V	E	D	S	C	D	S	B	A	E	H	M
A	C	B	W	O	O	B	H	O	X	W	H	A	A	A
C	L	N	H	A	S	O	L	I	S	B	E	F	J	L
P	W	A	D	J	N	D	U	D	E	T	N	W	J	V
J	R	O	B	O	A	R	D	G	A	M	E	C	L	D
F	Y	E	F	J	B	J	H	P	L	G	Q	P	J	A
I	V	C	H	R	U	K	M	P	R	X	X	G	K	T
F	C	H	Z	U	M	A	R	K	E	T	B	T	P	H
T	G	A	W	H	L	A	Y	M	I	E	F	G	J	L
F	Z	A	M	F	K	S	E	L	L	Z	P	C	G	S
T	W	L	H	T	H	G	R	F	F	G	F	I	K	R
Z	B	D	H	F	R	N	V	V	M	P	E	H	M	G

1. market
2. sell
3. expensive
4. board game

Chapter Review

p.77

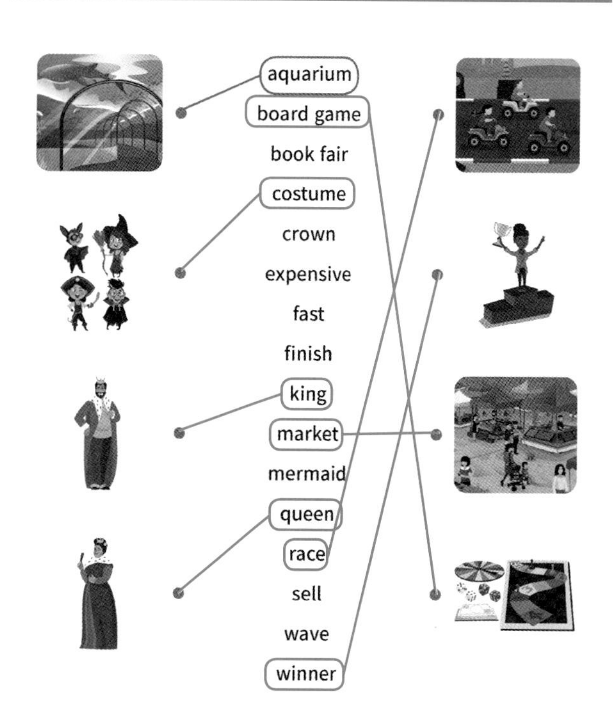

※ 학생의 생각에 따라 다양한 정답이 가능할 수 있습니다.

예)

queen, crown, costume, …

race, fast, winner, …

Chapter 3. Fun with Friends

Unit 9 | My New Best Friend p.79

Part A. Sentence Completion p.81

1 (B) 2 (A)

Part B. Situational Writing p.81

3 (C) 4 (D)

Part C. Practical Reading and Retelling p.82

5 (B) 6 (B)

Part D. General Reading and Retelling p.83

7 (A) 8 (A) 9 (D) 10 (C)

Listening Practice p.84

1 shy 2 comic
3 funny 4 laugh

Writing Practice p.85

1 shy 2 comic book
3 funny 4 laugh
Summary funny

Word Puzzle p.86

1 shy 2 comic book
3 funny 4 laugh

Pre-reading Questions p.79

Do you like reading with friends?
Who reads with you?

여러분은 친구와 독서하는 것을 좋아하나요?
누가 여러분과 함께 독서하나요?

Reading Passage p.80

My New Best Friend

Our class has a new student. Her name is Vicky. She is from another country. She looks shy. I am shy, too. Vicky sits next to me. At first, we do not talk. She and I are very quiet. I want to talk to her. Then, I see a comic book in her bag. It is "Mayo's Hamburger." It is my favorite story! I talk to her. I ask, "Do you like Mayo's Hamburger?" She says, "Yes! It is my favorite story!" Now, Vicky and I love to be together. We talk about comics at lunch. After school, we go to a comic book store downtown. There we read many funny comic books. We laugh for hours. Vicky is my best friend!

나의 새 단짝

우리 반에 새 학생이 있어요. 그녀의 이름은 Vicky예요. 그녀는 다른 나라에서 왔어요. 그녀는 수줍어 보여요. 저도 수줍어요. Vicky는 제 옆에 앉아요. 처음에, 우리는 대화하지 않아요. 그녀와 저는 매우 조용해요. 저는 그녀에게 말 걸고 싶어요. 그때, 저는 그녀의 가방에 있는 만화책을 보아요. 그것은 "Mayo의 햄버거(Mayo's Hamburger)"예요. 그것은 제가 특히 좋아하는 이야기예요! 저는 그녀에게 말해요. 저는 물어요, "너 "Mayo의 햄버거" 좋아하니?" 그녀가 말해요, "응! 내가 아주 좋아하는 이야기야!" 이제, Vicky와 저는 함께 있는 것이 아주 좋아요. 우리는 점심시간에 만화책에 관해 대화해요. 방과 후에, 우리는 시내에 있는 만화책 가게에 가요. 거기서 우리는 재밌는 만화책을 많이 읽어요. 우리는 몇 시간 동안 웃어요. Vicky는 제 단짝이에요!

어휘 who 누구 | with ~와 같이 | borrow 빌리다 | on ~(위)에 | under ~아래에 | above ~위에 | next to ~옆에 | student 학생 | another 다른 | country 나라 | shy 수줍은 | sit 앉다 | quiet 조용한 | then 그때 | comic book (=comic) 만화책[잡지] | favorite 특히 좋아하는 | together 함께 | talk about ~에 대해 이야기하다 | store 가게 | downtown 시내 | funny 재밌는 | laugh 웃다 | inside 안에서 | drink 음료; 마시다 | snack 간식 | bring 가져오다 | watch 보다 | noisy 시끄러운

Comprehension Questions

p.81

1. We do not talk.
   (A) It
   (B) We
   (C) He
   (D) She

해석 우리는 대화하지 않는다.
(A) 그것
(B) 우리
(C) 그
(D) 그녀

풀이 빈칸에는 주어가 필요하고, 부정문을 만들기 위해 들어간 조동사 'do'와 어울리는 1인칭 복수 인칭대명사 (B)가 정답이다. 나머지 선택지는 모두 3인칭 단수이기 때문에 'do'가 아니라 'does'가 되어야 적절하므로 오답이다.

관련 문장 At first, we do not talk.

2. I play soccer at lunch.
   (A) at
   (B) in
   (C) on
   (D) under

해석 나는 점심시간에 축구를 한다.
(A) ~에
(B) ~에
(C) ~ (위)에
(D) ~ 아래에

풀이 'lunch', 'dinner' 등 식사를 의미하는 명사 앞에서 전치사 'at'을 사용하여 '~에, ~ 때'라는 뜻을 나타내므로 (A)가 정답이다.

관련 문장 We talk about comics at lunch.

3. Can I borrow your comic book?
   (A) card
   (B) paint
   (C) comic
   (D) movie

해석 네 만화책을 빌려도 되니?
(A) 카드
(B) 물감
(C) 만화
(D) 영화

풀이 만화책[잡지]이 펼쳐져 있는 모습이므로 (C)가 정답이다.

관련 문장 Then, I see a comic book in her bag.

4. The clock is next to the bed.
   (A) on
   (B) under
   (C) above
   (D) next to

해석 시계는 침대 옆에 있다.
(A) ~ (위)에
(B) ~ 아래에
(C) ~ 위에
(D) ~ 옆에

풀이 침대 옆에 시계가 있으므로 (D)가 정답이다. (A)는 시계가 침대 위가 아닌 서랍 위에 있으므로 오답이다.

관련 문장 Vicky sits next to me.

[5-6]

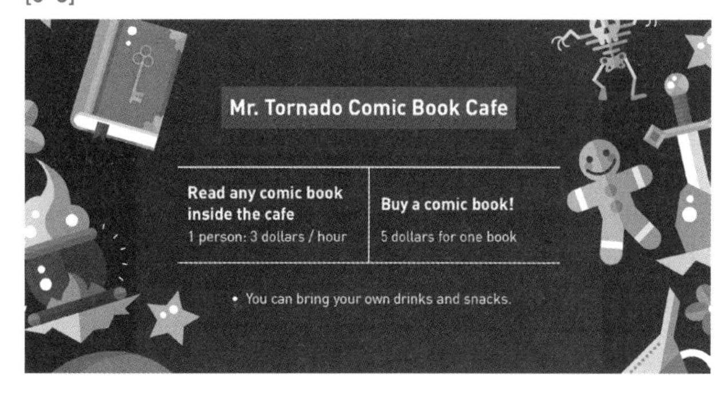

Mr. Tornado Comic Book Cafe	
Read any comic book inside the cafe 1 person: 3 dollars / hour	Buy a comic book! 5 dollars for one book

• You can bring your own drinks and snacks.

해석

Tornado 씨의 만화책 카페	
카페 안에서 아무 만화책이나 읽기 1인: 시간당 3달러	만화책 사기! 한 권에 5달러

• 본인의 음료와 간식을 가져올 수 있어요.

5. Mina spends one hour in the cafe. How much does she pay?
   (A) 1 dollar
   (B) 3 dollars
   (C) 5 dollars
   (D) 6 dollars

해석 Mina는 카페에서 1시간을 보낸다. 그녀는 얼마를 내는가?
(A) 1달러
(B) 3달러
(C) 5달러
(D) 6달러

풀이 '1 person: 3 dollars / hour'에서 만화 카페 이용료가 1인 기준 시간당 3달러라고 했으므로 (B)가 정답이다.

6. What can you NOT do in the cafe?

(A) bring snacks
(B) watch movies
(C) buy comic books
(D) read comic books

해석 카페에서 할 수 없는 것은 무엇인가?

(A) 간식 가져오기
(B) 영화 보기
(C) 만화책 사기
(D) 만화책 읽기

풀이 카페 안에서 아무 만화책이나 읽거나 만화책을 살 수도 있고, 본인의 간식을 가져와도 된다고 나와 있다. 하지만 영화를 볼 수 있다는 말은 언급되지 않았으므로 (B)가 정답이다.

[7-10]

Our class has a new student. Her name is Vicky. She is from another country. She looks shy. I am shy, too. Vicky sits next to me. At first, we do not talk. She and I are very quiet. I want to talk to her. Then, I see a comic book in her bag. It is "Mayo's Hamburger." It is my favorite story! I talk to her. I ask, "Do you like Mayo's Hamburger?" She says, "Yes! It is my favorite story!" Now, Vicky and I love to be together. We talk about comics at lunch. After school, we go to a comic book store downtown. There we read many funny comic books. We laugh for hours. Vicky is my best friend!

해석

우리 반에 새 학생이 있어요. 그녀의 이름은 Vicky예요. 그녀는 다른 나라에서 왔어요. 그녀는 수줍어 보여요. 저도 수줍어요. Vicky는 제 옆에 앉아요. 처음에, 우리는 대화하지 않아요. 그녀와 저는 매우 조용해요. 저는 그녀에게 말 걸고 싶어요. 그때, 저는 그녀의 가방에 있는 만화책을 보아요. 그것은 "Mayo의 햄버거(Mayo's Hamburger)"예요. 그것은 제가 특히 좋아하는 이야기예요! 저는 그녀에게 말해요. 저는 물어요, "너 "Mayo의 햄버거" 좋아하니?" 그녀가 말해요, "응! 내가 아주 좋아하는 이야기야!" 이제, Vicky와 저는 함께 있는 것이 아주 좋아요. 우리는 점심시간에 만화책에 관해 대화해요. 방과 후에, 우리는 시내에 있는 만화책 가게에 가요. 거기서 우리는 재밌는 만화책을 많이 읽어요. 우리는 몇 시간 동안 웃어요. Vicky는 제 단짝이에요!

7. What is the best title?

(A) My New Friend
(B) A Quiet Teacher
(C) Pets and Family
(D) Special Lunch Menu

해석 가장 알맞은 제목은 무엇인가?

(A) 나의 새 친구
(B) 조용한 선생님
(C) 반려동물과 가족
(D) 특별한 점심 메뉴

유형 전체 내용 파악

풀이 글쓴이와 학교에 새로 온 학생인 Vicky가 서로 수줍어하며 처음에는 서먹하다가, 만화책이라는 공통 관심사를 발견하고 친구가 되는 과정을 서술한 글이다. 따라서 (A)가 정답이다.

8. How is Vicky at first?

(A) shy
(B) noisy
(C) funny
(D) happy

해석 Vicky는 처음에 어땠는가?

(A) 수줍어하는
(B) 시끄러운
(C) 재밌는
(D) 행복한

유형 세부 내용 파악

풀이 'Her name is Vicky. She is from another country. She looks shy.'에서 Vicky가 수줍음을 탄다고 했으므로 (A)가 정답이다.

9. What is "Mayo's Hamburger"?

(A) a store
(B) a movie
(C) a TV show
(D) a comic book

해석 "Mayo의 햄버거"는 무엇인가?

(A) 가게
(B) 영화
(C) TV 프로그램
(D) 만화책

유형 세부 내용 파악 & 추론하기

풀이 'Then, I see a comic book in her bag. It is "Mayo's Hamburger." It is my favorite story!'를 통해 'Mayo's Hamburger'가 만화책의 제목이라는 것을 알 수 있으므로 (D)가 정답이다.

10. What do Vicky and the writer do after school?

(A) watch a movie
(B) eat hamburgers
(C) read comic books
(D) go to a supermarket

해석 Vicky와 글쓴이는 방과 후에 무엇을 하는가?

(A) 영화 보기
(B) 햄버거 먹기
(C) 만화책 읽기
(D) 슈퍼마켓에 가기

유형 세부 내용 파악

풀이 'After school, we go to a comic book store downtown. There we read many funny comic books.'에서 방과 후에 두 사람이 시내에 있는 만화책 가게에 가서 만화책을 읽는다는 것을 알 수 있으므로 (C)가 정답이다.

Listening Practice

S3-9 p.84

Our class has a new student. Her name is Vicky. She is from another country. She looks shy. I am shy, too. Vicky sits next to me. At first, we do not talk. She and I are very quiet. I want to talk to her. Then, I see a comic book in her bag. It is "Mayo's Hamburger." It is my favorite story! I talk to her. I ask, "Do you like Mayo's Hamburger?" She says, "Yes! It is my favorite story!" Now, Vicky and I love to be together. We talk about comics at lunch. After school, we go to a comic book store downtown. There we read many funny comic books. We laugh for hours. Vicky is my best friend!

1. shy
2. comic
3. funny
4. laugh

Writing Practice

p.85

1. shy
2. comic book
3. funny
4. laugh

Summary

Vicky is a new student. She sits next to me. At first, we are quiet. But then we talk about funny comic books. We read them together. Now she is my best friend.

Vicky는 새 학생이에요. 그녀는 제 옆에 앉아요. 처음에, 우리는 조용해요. 하지만 그 후 우리는 재미있는 만화책들에 관해 이야기해요. 우리는 함께 그것들을 읽어요. 이제 그녀는 저의 단짝이에요.

Word Puzzle

p.86

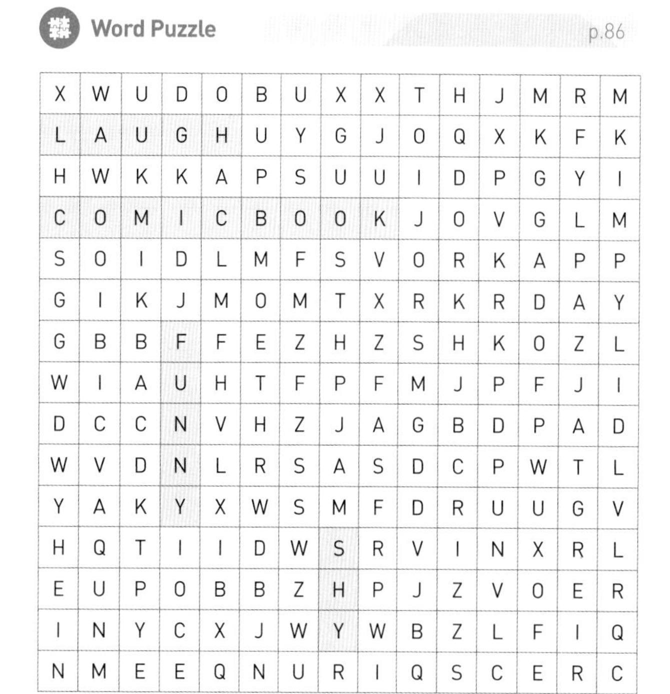

X	W	U	D	O	B	U	X	X	T	H	J	M	R	M
L	A	U	G	H	U	Y	G	J	O	Q	X	K	F	K
H	W	K	K	A	P	S	U	U	I	D	P	G	Y	I
C	O	M	I	C	B	O	O	K	J	O	V	G	L	M
S	O	I	D	L	M	F	S	V	O	R	K	A	P	P
G	I	K	J	M	O	M	T	X	R	K	R	D	A	Y
G	B	B	F	F	E	Z	H	Z	S	H	K	O	Z	L
W	I	A	U	H	T	F	P	F	M	J	P	F	J	I
D	C	C	N	V	H	Z	J	A	G	B	D	P	A	D
W	V	D	N	L	R	S	A	S	D	C	P	W	T	L
Y	A	K	Y	X	W	S	M	F	D	R	U	U	G	V
H	Q	T	I	I	D	W	S	R	V	I	N	X	R	L
E	U	P	O	B	B	Z	H	P	J	Z	V	O	E	R
I	N	Y	C	X	J	W	Y	W	B	Z	L	F	I	Q
N	M	E	E	Q	N	U	R	I	Q	S	C	E	R	C

1. shy
2. comic book
3. funny
4. laugh

Unit 10 | Clubs Meet on Fridays p.87

Part A. Sentence Completion p.89

1 (B) 2 (A)

Part B. Situational Writing p.89

3 (D) 4 (C)

Part C. Practical Reading and Retelling p.90

5 (B) 6 (A)

Part D. General Reading and Retelling p.91

7 (D) 8 (B) 9 (B) 10 (D)

Listening Practice p.92

1 tennis 2 leader
3 sweat 4 follow

Writing Practice p.93

1 tennis 2 sweat
3 leader 4 follow
Summary follow

Word Puzzle p.94

1 tennis 2 sweat
3 leader 4 follow

Pre-reading Questions p.87

Are you in a school club?
Which club do you want to be in?

학교 동아리에 (들어가) 있나요?
어떤 동아리에 들어가고 싶나요?

Reading Passage p.88

Clubs Meet on Fridays

Miho loves Fridays. On Fridays, the school clubs meet. There are 20 clubs in her school. There is a magic club and a reading club. There is a science club and a math club. Miho is in the tennis club. She plays tennis. There are 15 students in the tennis club. There is just one leader. His name is Junha. He is a good tennis player. What do students do in the tennis club? First they run. They run in the gym for 10 minutes. They sweat a lot. Then, the students stand in a line. They watch Junha. Junha hits a ball. The other students follow. Then, Junha jumps from left to right. The other students follow. Miho likes jumping and hitting the ball. Fridays are great days!

금요일 동아리 모임

Miho는 금요일을 아주 좋아해요. 금요일에, 학교 동아리들은 모여요. 그녀의 학교에는 20개의 동아리가 있어요. 마술 동아리와 독서 동아리가 있어요. 과학 동아리와 수학 동아리가 있어요. Miho는 테니스 동아리에 있어요. 그녀는 테니스를 쳐요. 테니스 동아리에는 15명의 학생이 있어요. 동아리장이 딱 한 명 있어요. 그의 이름은 Junha예요. 그는 훌륭한 테니스 선수예요. 테니스 동아리에서 학생들은 무엇을 하나요? 먼저 그들은 달려요. 그들은 체육관에서 10분 동안 달려요. 그들은 땀을 많이 흘려요. 그런 다음, 학생들은 일렬로 서요. 그들은 Junha를 봐요. Junha는 공을 쳐요. 다른 학생들은 따라 해요. 그런 다음, Junha가 왼쪽에서 오른쪽으로 뛰어요. 다른 학생들은 따라 해요. Miho는 뛰는 것과 공 치는 것을 좋아해요. 금요일은 정말 좋은 날이에요!

어휘 which 어느 | club 동아리, 클럽 | leader 지도자 | dig (땅을) 파다 | drop 떨어뜨리다 | sweat 땀 흘리다 | a lot 많이 | in a line 일렬로, 한 줄로 | cook 요리하다 | stand 서 있다 | swim 수영하다 | meet 만나다 | in ~(안)에 | magic 마술 | science 과학 | math 수학 | tennis 테니스 | gym 체육관 | minute 분 | watch 보다 | hit 치다 | follow 따라하다 | healthy 건강한 | over ~이상 | market 가게 | member 회원 | study 공부하다

Comprehension Questions

p.89

1. What <u>do</u> they do on Fridays?
   (A) is
   (B) do
   (C) has
   (D) does

해석 금요일에 그들은 무엇을 <u>하는가</u>?
   (A) ~이다
   (B) ~하다
   (C) ~했다
   (D) ~하다

풀이 해당 문장의 동사는 'do'(~를 하다)라는 일반 동사이다. 일반 동사가 들어간 문장을 의문문으로 만들 때 do 조동사를 사용해 'do 조동사 + 주어 + 동사 ~?'라고 표현한다. 이때 do 조동사와 3인칭 복수 주어 'they'가 일치해야 하므로 (B)가 정답이다.

새겨 두기 문장 구조 이해가 어렵다면 해당 의문문을
(1) 'They do what on Fridays?' →
(2) 'What ______ they do on Fridays?' →
(3) 'What do they do on Fridays?'의 단계로 이해하면 쉽다.

관련 문장 What do students do in the tennis club?

2. There is <u>one</u> leader.
   (A) one
   (B) two
   (C) many
   (D) more

해석 지도자 <u>한 명</u>이 있다.
   (A) 하나
   (B) 둘
   (C) 많은
   (D) 더 많은

풀이 '~가 있다'를 뜻하는 'there is / are ~' 형태의 구문이다. 3인칭 단수 동사 'is'와 어울리고 단수 명사 'leader'를 꾸밀 수 있는 수식어가 들어가야 하므로 (A)가 정답이다. 나머지 선택지는, 복수 명사 앞에서 쓰여야 적합하므로 오답이다.

관련 문장 There is just one leader.

3. On hot days, Junho <u>sweats</u> a lot.
   (A) digs
   (B) drops
   (C) smiles
   (D) sweats

해석 더운 날에, Junho는 <u>땀을</u> 많이 <u>흘린다</u>.
   (A) 파다
   (B) 떨어뜨리다
   (C) 웃다
   (D) 땀 흘리다

풀이 더운 날씨에 소년이 땀 흘리고 있는 모습이므로 (D)가 정답이다.

관련 문장 They sweat a lot.

4. The kids are <u>standing</u> in a line.
   (A) cooking
   (B) reading
   (C) standing
   (D) swimming

해석 아이들은 일렬로 <u>서 있다</u>.
   (A) 요리하는
   (B) 읽는
   (C) 서 있는
   (D) 수영하는

풀이 학생들이 일렬로 줄을 선 모습이므로 (C)가 정답이다.

관련 문장 Then, the students stand in a line.

[5-6]

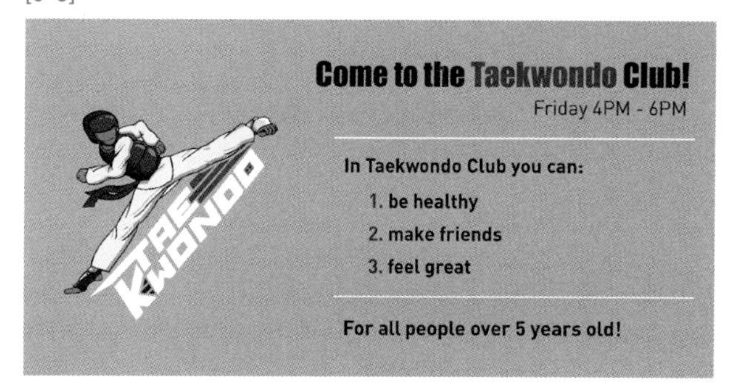

해석

태권도 동아리로 오세요!
금요일 오후 4시 - 오후 6시
태권도 동아리에서 할 수 있어요:
1. 건강해지기
2. 친구 사귀기
3. 기분 좋아지기
5세 이상 모두 가능!

5. What is this poster about?

(A) a TV show
(B) a sports club
(C) a cooking club
(D) a clothing market

해석 이 포스터는 무엇에 관한 것인가?

(A) TV 쇼
(B) 스포츠 동아리
(C) 요리 동아리
(D) 옷가게

풀이 'Come to the Taekwondo Club!', 'In Taekwondo Club you can:'에서 태권도 동아리에 관한 포스터라는 것을 알 수 있으므로 (B)가 정답이다.

6. Who can NOT join the club?

(A) a baby
(B) a parent
(C) a teacher
(D) a student over 5

해석 누가 동아리에 가입할 수 없는가?

(A) 아기
(B) 부모님
(C) 선생님
(D) 5살보다 많은 학생

풀이 'For all people over 5 years old!'에서 5세 위로만 동아리 활동이 가능하다고 했으므로 아기는 동아리에 가입할 수 없다. 따라서 (A)가 정답이다.

[7-10]

Miho loves Fridays. On Fridays, the school clubs meet. There are 20 clubs in her school. There is a magic club and a reading club. There is a science club and a math club. Miho is in the tennis club. She plays tennis. There are 15 students in the tennis club. There is just one leader. His name is Junha. He is a good tennis player. What do students do in the tennis club? First they run. They run in the gym for 10 minutes. They sweat a lot. Then, the students stand in a line. They watch Junha. Junha hits a ball. The other students follow. Then, Junha jumps from left to right. The other students follow. Miho likes jumping and hitting the ball. Fridays are great days!

해석

Miho는 금요일을 아주 좋아해요. 금요일에, 학교 동아리들은 모여요. 그녀의 학교에는 20개의 동아리가 있어요. 마술 동아리와 독서 동아리가 있어요. 과학 동아리와 수학 동아리가 있어요. Miho는 테니스 동아리에 있어요. 그녀는 테니스를 쳐요. 테니스 동아리에는 15명의 학생이 있어요. 동아리장이 딱 한 명 있어요. 그의 이름은 Junha예요. 그는 훌륭한 테니스 선수예요. 테니스 동아리에서 학생들은 무엇을 하나요? 먼저 그들은 달려요. 그들은 체육관에서 10분 동안 달려요. 그들은 땀을 많이 흘려요. 그런 다음, 학생들은 일렬로 서요. 그들은 Junha를 봐요. Junha는 공을 쳐요. 다른 학생들은 따라 해요. 그런 다음, Junha가 왼쪽에서 오른쪽으로 뛰어요. 다른 학생들은 따라 해요. Miho는 뛰는 것과 공 치는 것을 좋아해요. 금요일은 정말 좋은 날이에요!

7. What is the best title?

(A) Learn to Jump
(B) Miho the Leader
(C) New Club Member
(D) Miho's Club on Fridays

해석 가장 알맞은 제목은 무엇인가?

(A) 뛰는 것 배우기
(B) 동아리장 Miho
(C) 새로운 동아리 회원
(D) 금요일 Miho의 동아리

유형 전체 내용 파악

풀이 금요일에 학교 동아리가 모인다는 것과 다양한 학교 동아리를 나열한 뒤, Miho가 속한 테니스 동아리라는 중심 소재를 드러내고 있다. 그 후에 Miho가 속한 테니스 동아리에는 누가 있고 모여서 무엇을 하는지 차례대로 서술하고 있으므로 (D)가 정답이다. (A)는 전체 내용이 아니라 글의 일부만을 반영하는 제목이므로 오답이다.

8. What club is Miho in?

(A) the math club
(B) the tennis club
(C) the reading club
(D) the science club

해석 Miho는 어떤 동아리에 있는가?

(A) 수학 동아리
(B) 테니스 동아리
(C) 독서 동아리
(D) 과학 동아리

유형 세부 내용 파악

풀이 'Miho is in the tennis club.'에서 Miho가 테니스 동아리에 속해있다는 것을 알 수 있으므로 (B)가 정답이다.

9. How many students are in Miho's club?

(A) 10
(B) 15
(C) 20
(D) 30

해석 Miho의 동아리에는 학생이 몇 명 있는가?

(A) 10
(B) 15
(C) 20
(D) 30

유형 세부 내용 파악

풀이 'There are 15 students in the tennis club.'에서 Miho가 속한 테니스 동아리에 학생이 열다섯 명 있다는 것을 알 수 있으므로 (B)가 정답이다. (C)는 학교에 있는 동아리의 개수가 20개인 것이므로 오답이다.

10. What does Miho's club do first?

(A) hit balls
(B) do magic
(C) study math
(D) run in the gym

해석 Miho의 동아리가 처음으로 하는 것은 무엇인가?

(A) 공 치기
(B) 마술하기
(C) 수학 공부하기
(D) 체육관에서 달리기

유형 세부 내용 파악

풀이 'What do students do in the tennis club? First they run. They run in the gym for 10 minutes.'를 통해 Miho가 속한 테니스 동아리에서 가장 먼저 하는 일이 체육관에서 달리기라는 것을 알 수 있으므로 (D)가 정답이다.

Listening Practice

S3-10 p.92

Miho loves Fridays. On Fridays, the school clubs meet. There are 20 clubs in her school. There is a magic club and a reading club. There is a science club and a math club. Miho is in the tennis club. She plays tennis. There are 15 students in the tennis club. There is just one leader. His name is Junha. He is a good tennis player. What do students do in the tennis club? First they run. They run in the gym for 10 minutes. They sweat a lot. Then, the students stand in a line. They watch Junha. Junha hits a ball. The other students follow. Then, Junha jumps from left to right. The other students follow. Miho likes jumping and hitting the ball. Fridays are great days!

1. tennis
2. leader
3. sweat
4. follow

Writing Practice

p.93

1. tennis
2. sweat
3. leader
4. follow

Summary

Miho is in the tennis club. Students run in the gym and stand in a line. The leader hits a ball and jumps. The students follow him.

Miho는 테니스 동아리에 있어요. 학생들이 체육관에서 달리고 일렬로 서요. 동아리장은 공을 치고 뛰어요. 학생들은 그를 따라 해요.

Word Puzzle p.94

M	L	E	A	D	E	R	E	H	X	R	J	K	U	G
K	I	Z	N	O	B	J	Y	G	K	G	F	Q	J	Z
M	I	H	W	K	L	C	B	O	F	N	O	T	W	L
R	O	I	A	V	Q	E	B	C	Z	O	L	R	M	M
R	Y	J	W	M	T	C	M	K	R	S	L	T	E	R
J	H	M	I	C	P	Z	P	R	K	V	O	G	G	D
E	J	C	R	N	U	W	N	T	H	D	W	L	S	Y
Q	Y	J	O	Z	F	S	J	E	M	Q	F	L	P	D
R	W	V	Y	B	S	W	J	N	O	O	U	N	R	R
J	H	L	J	D	Z	E	C	N	Y	O	E	E	V	Z
N	W	L	X	R	B	A	K	I	L	M	X	R	F	Q
C	W	C	Y	N	C	T	M	S	F	L	L	X	Y	W
V	D	M	Y	E	G	C	J	X	Z	Z	V	B	Z	D
X	I	X	U	A	Q	X	H	C	Z	B	S	P	L	X
V	I	M	Z	L	I	N	D	N	I	Q	W	B	X	R

1. tennis
2. sweat
3. leader
4. follow

Unit 11 | Word Game! p.95

Part A. Sentence Completion p.97

1 (A) 2 (C)

Part B. Situational Writing p.97

3 (B) 4 (D)

Part C. Practical Reading and Retelling p.98

5 (D) 6 (B)

Part D. General Reading and Retelling p.99

7 (B) 8 (A) 9 (C) 10 (C)

Listening Practice p.100

1 word 2 mix
3 chooses 4 letters

Writing Practice p.101

1 word 2 mix
3 letter 4 choose
Summary letters

Word Puzzle p.102

1 word 2 mix
3 letter 4 choose

Pre-reading Questions p.95

Look at the word game. What is the word?

단어 놀이를 보세요. 무슨 단어인가요?

(정답: FISH)

Reading Passage p.96

Word Game!

Let's play a word game! The rules are easy. Choose one word. After that, mix the letters! Mila chooses the word "happy." She mixes the letters. Now the word is "hpyap." She shows it to her friend. His name is Caleb. Caleb looks at the letters. He asks, "Is it "happy"?" Mila says, "Yes, it is. That is the right word!" Now, it is Caleb's turn. Caleb mixes the letters. He shows the letters to Mila. The letters are "fndrie." What is the word? Mila does not know. Is it "fire"? No! Is it "funny"? No! Mila does not know. She asks, "What is the word, Caleb?" This word game is hard!

단어 놀이!

단어 놀이를 같이 해봐요! 규칙은 쉬워요. 단어 하나를 골라요. 그런 다음, 글자들을 섞어요! Mila는 "happy"라는 단어를 골라요. 그녀는 글자들을 섞어요. 이제 단어는 "hpyap"이에요. 그녀는 그것을 친구에게 보여줘요. 그의 이름은 Caleb이에요. Caleb은 글자들을 봐요. 그가 물어요, "그것은 "happy"니? Mila가 말해요, "응, 맞아. 그게 정확한 단어야!" 이제, Caleb의 차례예요. Caleb은 글자들을 섞어요. 그는 글자들을 Mila에게 보여줘요. 글자들은 "fndrie"이에요. 무슨 단어인가요? Mila는 모르겠어요. 그것은 "fire"이니? 아니! 그것은 "funny"이니? 아니! Mila는 모르겠어요. 그녀가 물어요, "무슨 단어니, Caleb?" 이 단어 놀이는 어려워요!

어휘 word game 단어(낱말) 놀이 | wave 흔들다 | tail 꼬리 | line 줄 | letter 글자 | circle 동그라미 | square 정사각형 | muffin 머핀 | draw 그리다 | send 보내다 | choose 선택하다 | rule 규칙 | easy 쉬운 | after ~ 후에 | mix 섞다 | show 보여주다 | right 정확한, 옳은 | turn 차례; 돌다 | long 긴 | vegetable 채소 | sand 모래 | koala 코알라 | candy 사탕 | snake 뱀 | fruit 과일 | pasta 파스타 | talent show 장기자랑 | rock, paper, scissors 가위바위보 | math 수학 | forest 숲

Comprehension Questions p.97

1. Let's play a word game!

(A) play
(B) plays
(C) playing
(D) be play

해석 단어 놀이를 하자!

(A) (놀이를) 하다
(B) (놀이를) 하다
(C) (놀이를) 하기
(D) 어색한 표현

풀이 무엇을 같이 하자고 요청할 때 사용하는 'Let's + 동사원형' 형태의 청유형 문장이다. 따라서 동사원형인 (A)가 정답이다. (D)는 'be' 동사의 원형과 일반동사의 원형이 함께 쓰일 수 없으므로 오답이다.

관련 문장 Let's play a word game!

2. The dogs are waving their tails.

(A) it
(B) its
(C) their
(D) them

해석 그 개들은 그것들의 꼬리를 흔들고 있다.

(A) 그것
(B) 그것의
(C) 그것들의
(D) 그것들을

풀이 명사 'tails'를 꾸며줄 수 있도록 소유격이면서 3인칭 복수 주어인 'The dogs'를 지칭해야 하므로 (C)가 정답이다. (B)는 'The dog waves its ears.'와 같이 'its'는 단수 명사의 소유격이므로 오답이다.

관련 문장 His name is Caleb.

3. There are five letters in this word.

(A) lines
(B) letters
(C) circles
(D) squares

해석 이 단어에는 글자 다섯 개가 있다.

(A) 줄
(B) 글자
(C) 동그라미
(D) 정사각형

풀이 'happy'라는 단어에 알파벳이 다섯 글자 있다. '글자'는 영어로 'letter'이므로 (B)가 정답이다.

관련 문장 After that, mix the letters!

4. Mila chooses the chocolate muffin!

(A) plays
(B) draws
(C) sends
(D) chooses

해석 Mila는 초콜릿 머핀을 고른다!

(A) 놀다
(B) 그리다
(C) 보내다
(D) 선택하다[고르다]

풀이 소녀가 사과와 머핀 중 머핀을 선택한 모습이므로 (D)가 정답이다.

관련 문장 Choose one word.

[5-6]

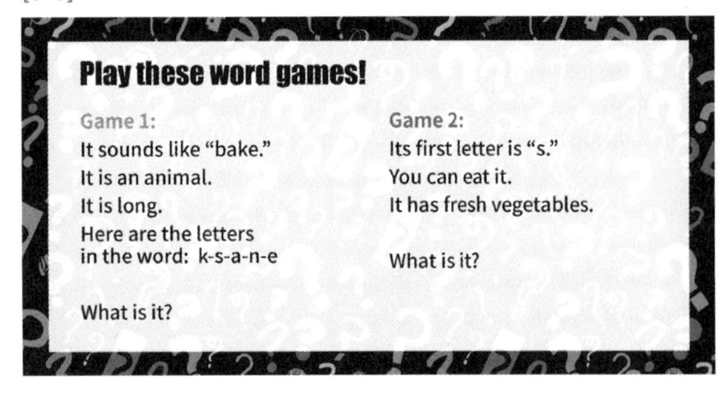

해석

이 단어 놀이들을 해보세요!

놀이 1:

그것은 "bake"와 비슷하게 들려요.
그것은 동물이에요.
그것은 길어요.
여기 그 단어 속의 글자들이에요: k-s-a-n-e

그것은 무엇일까요?

놀이 2:

그것의 첫 글자는 "s"예요.
그것을 먹을 수 있어요.
그것에는 신선한 채소들이 있어요.

그것은 무엇일까요?

5. Game 1's answer is:

(A) sand
(B) koala
(C) candy
(D) snake

해석 놀이 1의 정답은:

(A) 모래
(B) 코알라
(C) 사탕
(D) 뱀

풀이 동물이고, 길이가 길며, 'bake'와 소리가 비슷하고, 'k-s-a-n-e'라는 글자를 가진 것은 'snake'(뱀)이므로 (D)가 정답이다.

6. Game 2's answer is:

(A) fruit
(B) salad
(C) pasta
(D) cookie

해석 놀이 2의 정답은:

(A) 과일
(B) 샐러드
(C) 파스타
(D) 쿠키

풀이 첫 글자가 's'이고, 먹을 수 있으며 신선한 채소가 있는 것은 'salad'(샐러드)이므로 (B)가 정답이다.

[7-10]

Let's play a word game! The rules are easy. Choose one word. After that, mix the letters! Mila chooses the word "happy." She mixes the letters. Now the word is "hpyap." She shows it to her friend. His name is Caleb. Caleb looks at the letters. He asks, "Is it "happy"?" Mila says, "Yes, it is. That is the right word!" Now, it is Caleb's turn. Caleb mixes the letters. He shows the letters to Mila. The letters are "fndrie." What is the word? Mila does not know. Is it "fire"? No! Is it "funny"? No! Mila does not know. She asks, "What is the word, Caleb?" This word game is hard!

해석

단어 놀이를 같이 해봐요! 규칙은 쉬워요. 단어 하나를 골라요. 그런 다음, 글자들을 섞어요! Mila는 "happy"라는 단어를 골라요. 그녀는 글자들을 섞어요. 이제 단어는 "hpyap"이에요. 그녀는 그것을 친구에게 보여줘요. 그의 이름은 Caleb이에요. Caleb은 글자들을 봐요. 그가 물어요, "그것은 "happy"니?" Mila가 말해요, "응, 맞아. 그게 정확한 단어야!" 이제, Caleb의 차례예요. Caleb은 글자들을 섞어요. 그는 글자들을 Mila에게 보여줘요. 글자들은 "fndrie"이에요. 무슨 단어인가요? Mila는 모르겠어요. 그것은 "fire"이니? 아니! 그것은 "funny"이니? 아니! Mila는 모르겠어요. 그녀가 물어요, "무슨 단어니, Caleb?" 이 단어 놀이는 어려워요!

7. What is the best title?

(A) How to Cook
(B) Mix the Letters
(C) School Talent Show
(D) Rock, Paper, Scissors

해석 가장 알맞은 제목은 무엇인가?

(A) 요리하는 법
(B) 글자들을 섞어라
(C) 학교 장기자랑
(D) 가위바위보

유형 전체 내용 파악

풀이 첫 문장 'Let's play a word game!'에서 단어 놀이라는 중심 소재가 드러나고 있다. 이어서 글자를 섞는 단어 놀이의 규칙을 설명하고, Mila와 Caleb이 직접 놀이를 하는 상황을 서술하고 있으므로 (B)가 정답이다.

8. What do Caleb and Mina play?

(A) a word game
(B) a math game
(C) a baseball game
(D) a computer game

해석 Caleb과 Mina는 무슨 놀이를 하는가?

(A) 단어 놀이
(B) 수학 놀이
(C) 야구 경기
(D) 컴퓨터 게임

유형 세부 내용 파악

풀이 'Let's play a word game!'에서 두 사람이 글자를 섞고 맞추는 단어 놀이를 하고 있다는 것을 알 수 있으므로 (A)가 정답이다.

9. What is Caleb's word?

(A) fire
(B) funny
(C) friend
(D) forest

해석 Caleb의 단어는 무엇인가?

(A) 불
(B) 재밌는
(C) 친구
(D) 숲

유형 추론하기

풀이 Caleb이 제시한 여섯 글자 'fndrie'를 다시 배열하면 'friend'가 되므로 (C)가 정답이다. (A)와 (B)는 글자 수도 맞지 않고 본문에서 Caleb이 아니라고 했으므로 오답이다. (D)는 'fndrie'와 'forest'의 철자가 일치하지 않으므로 오답이다.

10. What does Mila do?

(A) go to sleep
(B) make a fire
(C) say the wrong word
(D) choose the word "sun"

해석 Mila는 무엇을 하는가?

(A) 잠자리에 들기
(B) 불 피우기
(C) 잘못된 단어 말하기
(D) "sun"이란 단어 선택하기

유형 세부 내용 파악

풀이 'Mila does not know. Is it "fire"? No! Is it "funny"? No! Mila does not know.'에서 Mila가 계속 잘못된 단어를 말하고 있다는 것을 알 수 있으므로 (C)가 정답이다.

Listening Practice

S3-11 p.100

Let's play a word game! The rules are easy. Choose one word. After that, mix the letters! Mila chooses the word "happy." She mixes the letters. Now the word is "hpyap." She shows it to her friend. His name is Caleb. Caleb looks at the letters. He asks, "Is it "happy"?" Mila says, "Yes, it is. That is the right word!" Now, it is Caleb's turn. Caleb mixes the letters. He shows the letters to Mila. The letters are "fndrie." What is the word? Mila does not know. Is it "fire"? No! Is it "funny"? No! Mila does not know. She asks, "What is the word, Caleb?" This word game is hard!

1. word
2. mix
3. chooses
4. letters

Writing Practice

p.101

1. word
2. mix
3. letter
4. choose

Summary

Here is a word game. Choose one word. Mix up the letters. Show the letters to your friend. Your friend guesses the word.

여기 단어 놀이가 있어요. 단어 하나를 골라요. 글자들을 섞어요. 친구에게 그 글자들을 보여줘요. 친구가 그 단어를 추측해요.

Word Puzzle p.102

W	B	R	Y	A	T	I	X	C	C	H	O	O	S	E
T	P	F	X	W	X	O	K	X	O	G	U	I	G	V
Y	X	C	Z	F	R	C	J	P	O	S	Q	T	L	G
J	U	M	F	M	I	X	U	D	J	A	W	R	D	M
C	B	P	C	H	U	B	D	L	E	T	T	E	R	C
O	V	A	T	O	P	W	W	Y	O	W	T	J	L	A
V	V	N	A	E	W	L	V	C	N	A	T	H	C	F
Y	S	I	Y	F	S	M	S	X	X	V	W	T	S	R
V	I	Z	S	W	P	D	Q	G	X	D	W	G	B	B
G	M	K	V	G	J	A	Z	F	A	D	W	W	I	B
Z	U	C	A	J	Y	R	M	T	B	Q	F	N	A	W
L	A	I	E	E	Q	W	Z	M	K	T	O	N	W	M
T	T	P	A	Y	Q	W	L	H	C	F	O	K	L	N
C	E	Q	S	K	K	H	Q	D	D	Y	I	I	Q	K
Z	T	M	V	T	W	W	O	R	D	I	F	S	O	D

1. word
2. mix
3. letter
4. choose

Unit 12 | Weekend Fun p.103

Part A. Sentence Completion p.105

1 (D) 2 (D)

Part B. Situational Writing p.105

3 (C) 4 (C)

Part C. Practical Reading and Retelling p.106

5 (B) 6 (B)

Part D. General Reading and Retelling p.107

7 (D) 8 (A) 9 (D) 10 (C)

Listening Practice p.108

1 fun 2 salad
3 good at 4 weekend

Writing Practice p.109

1 fun 2 salad
3 be good at 4 weekend
Summary have

Word Puzzle p.110

1 fun 2 salad
3 be good at 4 weekend

Pre-reading Questions p.103

Think! You go to your friend's house.
What do you do there?

생각해보세요! 여러분이 친구 집에 가요.
거기서 무엇을 하나요?

 **Reading Passage** p.104

Weekend Fun

Jake and Kareem are best friends. They have fun on Saturdays. Jake stays at Kareem's house often. And Kareem stays at Jake's house often. They have pizza and salad for dinner. They like a lot of cheese on the pizza. After dinner, they watch a movie. They eat popcorn. Then, they play video games. Jake is good at "Break King." Kareem is good at "Dance Star." At 9 PM, they wash and go to bed. In the morning, they eat cereal. Kareem puts bananas in his cereal. Jake does not like bananas. What do they do after breakfast? They go out and play soccer. Jake is good at kicking the ball! They play for one hour. Jake and Kareem love the weekend!

주말의 재미

Jake와 Kareem은 단짝이에요. 그들은 토요일마다 재밌는 시간을 보내요. Jake는 Kareem의 집에서 자주 머물러요. 그리고 Kareem은 Jake의 집에서 자주 머물러요. 그들은 저녁으로 피자와 샐러드를 먹어요. 그들은 피자 위에 치즈가 많이 있는 것을 좋아해요. 저녁 식사 후에, 그들은 영화를 봐요. 그들은 팝콘을 먹어요. 그런 다음, 그들은 비디오 게임을 해요. Jake는 "Break King"을 잘해요. Kareem은 "Dance Star"를 잘해요. 오후 9시에, 그들은 씻고 잠자리에 들어요. 아침에, 그들은 시리얼을 먹어요. Kareem은 그의 시리얼에 바나나를 넣어요. Jake는 바나나를 좋아하지 않아요. 아침 식사 후에 그들은 무엇을 하나요? 그들은 밖에 나가서 축구를 해요. Jake는 공차기를 잘해요! 그들은 한 시간 동안 놀아요. Jake와 Kareem은 주말을 아주 좋아해요!

어휘 what 무엇 | there 그곳(에서) | table tennis 탁구 | be good at ~을 잘하다 | campfire 캠프파이어 | cup 한 잔[컵] | pillow 베개 | fight 싸움; 싸우다 | lunch 점심 | break 휴식; 부서지다 | soda 탄산음료 | sugar 설탕 | in ~ 안에 | stay 머무르다 | often 자주 | dinner 저녁 식사 | wash 씻다 | go to bed 잠자리에 들다 | cereal 시리얼 | banana 바나나 | breakfast 아침 식사 | kick 차다 | weekend 주말 | popcorn 팝콘 | drive 운전하다

Comprehension Questions p.105

1. Jake and Kareem play table tennis for 2 hours.

(A) at
(C) to
(D) on
(D) for

해석 Jake와 Kareem은 2시간 동안 탁구를 한다.

(A) ~에
(B) ~로
(C) ~ (위)에
(D) ~ 동안

풀이 시간 앞에서 전치사 'for'을 사용하여 '~ 동안'이라는 뜻을 나타내므로 (D)가 정답이다.

관련 문장 They play for one hour.

2. How can you be so good at drawing?

(A) draw
(B) draws
(C) to draw
(D) drawing

해석 어떻게 그렇게 그리기를 잘할 수 있니?

(A) 그리다
(B) 그리다
(C) 그리기
(D) 그리기

풀이 '~을 잘하다'를 뜻하는 'be good at' 구문을 사용한 문장이다. 전치사 'at' 뒤에는 명사가 들어가야 하므로 동사 원형을 동명사로 바꾼 (D)가 정답이다.

관련 문장 Jake is good at kicking the ball!

3. We are having a pillow fight for fun.

(A) campfire
(B) cup of tea
(C) pillow fight
(D) lunch break

해석 우리는 재미로 베개 싸움을 하고 있다.

(A) 캠프파이어
(B) 차 한 잔
(C) 베개 싸움
(D) 점심 휴식

풀이 두 아이가 베개 싸움을 하는 모습이므로 (C)가 정답이다.

4. This soda has a lot of sugar in it.

(A) no
(B) many
(C) a lot of
(D) a little bit of

해석 이 탄산음료는 안에 설탕이 많다.

(A) 없는
(B) 많은
(C) 많은
(D) 약간

풀이 콜라 한 잔에 설탕이 많이 들어 있는 모습이므로 '많은'을 뜻하고 셀 수 없는 명사 'sugar'를 수식할 수 있는 (C)가 정답이다. (B)는 'many'가 셀 수 없는 명사 'sugar'를 수식할 수 없으므로 오답이다.

새겨 두기 'many'는 셀 수 있는 명사를 수식한다.

관련 문장 They like a lot of cheese on the pizza.

[5-6]

해석

Ali가 Kayla의 집에서 머물러요

계획:

1. 피자 먹기
2. 컴퓨터 게임하기
3. 아이스크림 만들기
4. 바깥 마당에서 그리기
5. TV로 "Night House" 시청하기
6. 오후 10시에 자러 가기

5. What do Ali and Kayla NOT do?

(A) watch TV
(B) eat burgers
(C) draw outside
(D) make ice cream

해석 Ali와 Kayla가 하지 않는 것은 무엇인가?

(A) TV 보기
(B) 버거 먹기
(C) 밖에서 그리기
(D) 아이스크림 만들기

풀이 버거를 먹는다는 계획은 없으므로 (B)가 정답이다. (A)는 5번에서, (C)는 4번에서, (D)는 3번에서 확인할 수 있으므로 오답이다.

6. When do Ali and Kayla go to sleep?

(A) at 9
(B) at 10
(C) at 11
(D) at 12

해석 Ali와 Kayla는 언제 자러 가는가?

(A) 9시에
(B) 10시에
(C) 11시에
(D) 12시에

풀이 6번의 'Go to bed at 10 PM'에서 오후 10시에 자러 간다고 나와 있으므로 (B)가 정답이다.

[7-10]

Jake and Kareem are best friends. They have fun on Saturdays. Jake stays at Kareem's house often. And Kareem stays at Jake's house often. They have pizza and salad for dinner. They like a lot of cheese on the pizza. After dinner, they watch a movie. They eat popcorn. Then, they play video games. Jake is good at "Break King." Kareem is good at "Dance Star." At 9 PM, they wash and go to bed. In the morning, they eat cereal. Kareem puts bananas in his cereal. Jake does not like bananas. What do they do after breakfast? They go out and play soccer. Jake is good at kicking the ball! They play for one hour. Jake and Kareem love the weekend!

해석

Jake와 Kareem은 단짝이에요. 그들은 토요일마다 재밌는 시간을 보내요. Jake는 Kareem의 집에서 자주 머물러요. 그리고 Kareem은 Jake의 집에서 자주 머물러요. 그들은 저녁으로 피자와 샐러드를 먹어요. 그들은 피자 위에 치즈가 많이 있는 것을 좋아해요. 저녁 식사 후에, 그들은 영화를 봐요. 그들은 팝콘을 먹어요. 그런 다음, 그들은 비디오 게임을 해요. Jake는 "Break King"을 잘해요. Kareem은 "Dance Star"를 잘해요. 오후 9시에, 그들은 씻고 잠자리에 들어요. 아침에, 그들은 시리얼을 먹어요. Kareem은 그의 시리얼에 바나나를 넣어요. Jake는 바나나를 좋아하지 않아요. 아침 식사 후에 그들은 무엇을 하나요? 그들은 밖에 나가서 축구를 해요. Jake는 공차기를 잘해요! 그들은 한 시간 동안 놀아요. Jake와 Kareem은 주말을 아주 좋아해요!

7. What is the best title?

(A) Sleeping at School
(B) Jake Makes a Pizza
(C) Kareem Wakes Up at 9
(D) Jake and Kareem's Weekend

해석 가장 알맞은 제목은 무엇인가?

(A) 학교에서 자기
(B) Jake가 피자를 만들다
(C) Kareem이 9시에 깨다
(D) Jake와 Kareem의 주말

유형 전체 내용 파악

풀이 초반부에 Jake와 Kareem이 단짝이며, 토요일마다 서로의 집에서 자주 하루를 보낸다는 중심 내용이 드러나고 있다. 그 후에 두 사람이 주말에 함께 무엇을 먹고 무엇을 하는지 시간순으로 설명하고 있는 글이므로 (D)가 정답이다.

8. What do Jake and Kareem have for dinner?

(A) pizza
(B) cereal
(C) popcorn
(D) cheese cake

해석 Jake와 Kareem은 저녁으로 무엇을 먹는가?

(A) 피자
(B) 시리얼
(C) 팝콘
(D) 치즈케이크

유형 세부 내용 파악

풀이 'They have pizza and salad for dinner.'에서 두 사람이 저녁으로 피자와 샐러드를 먹는다는 것을 알 수 있으므로 (A)가 정답이다. (B)는 두 사람이 아침에 먹는 것이므로 오답이다.

9. What does Jake NOT like?

(A) pizza
(B) cereal
(C) popcorn
(D) bananas

해석 Jake가 좋아하지 않는 것은 무엇인가?

(A) 피자
(B) 시리얼
(C) 팝콘
(D) 바나나

유형 세부 내용 파악

풀이 'Jake does not like bananas.'에서 Jake가 바나나를 좋아하지 않는다고 했으므로 (D)가 정답이다.

10. What is Kareem good at?

(A) driving a car
(B) making movies
(C) playing "Dance Star"
(D) playing "Break King"

해석 Kareem이 잘하는 것은 무엇인가?

(A) 차 운전하기
(B) 영화 만들기
(C) "Dance Star" 하기
(D) "Break King" 하기

유형 세부 내용 파악

풀이 'Kareem is good at "Dance Star."'에서 Kareem이 'Dance Star'라는 비디오 게임을 잘한다는 것을 알 수 있으므로 (C)가 정답이다. (D)는 Kareem이 아니라 Jake가 잘하는 비디오 게임이므로 오답이다.

Listening Practice

S3-12 p.108

Jake and Kareem are best friends. They have fun on Saturdays. Jake stays at Kareem's house often. And Kareem stays at Jake's house often. They have pizza and salad for dinner. They like a lot of cheese on the pizza. After dinner, they watch a movie. They eat popcorn. Then, they play video games. Jake is good at "Break King." Kareem is good at "Dance Star." At 9 PM, they wash and go to bed. In the morning, they eat cereal. Kareem puts bananas in his cereal. Jake does not like bananas. What do they do after breakfast? They go out and play soccer. Jake is good at kicking the ball! They play for one hour. Jake and Kareem love the weekend!

1. fun
2. salad
3. good at
4. weekend

Writing Practice

p.109

1. fun
2. salad
3. be good at
4. weekend

Summary

On Saturdays, Jake goes to Kareem's house. Kareem goes to Jake's house. They have pizza and salad. They watch movies, play video games, and play soccer.

토요일마다, Jake는 Kareem의 집에 가요. Kareem은 Jake의 집에 가요. 그들은 피자와 샐러드를 먹어요. 영화를 보고, 비디오 게임을 하고, 축구를 해요.

Word Puzzle

p.110

V	S	W	R	J	F	F	B	Y	L	R	J	T	T	Z
H	J	E	R	T	X	U	A	C	W	G	O	P	L	M
M	R	E	W	I	Y	N	O	T	G	F	U	L	O	R
V	N	K	R	Z	E	W	X	V	H	V	V	I	E	I
N	B	E	G	O	O	D	A	T	Y	T	S	S	B	C
Z	V	N	X	A	V	E	N	O	W	Q	V	B	N	H
R	X	D	F	X	M	E	Z	L	H	A	L	K	B	A
G	B	P	L	V	S	O	S	I	V	J	S	J	Y	B
J	V	J	T	T	C	G	J	D	A	M	A	H	Q	W
X	X	S	D	T	S	Y	A	J	X	E	L	M	C	N
P	E	H	Y	P	B	B	X	I	K	C	A	W	R	P
D	C	O	L	S	Z	R	G	Q	U	M	D	W	L	V
M	L	F	J	E	M	T	S	W	C	W	Z	F	G	R
C	M	Y	A	I	O	V	S	G	B	V	G	L	R	B
G	I	W	S	T	V	V	H	N	U	T	K	Y	F	A

1. fun
2. salad
3. be good at
4. weekend

Chapter Review

p.111

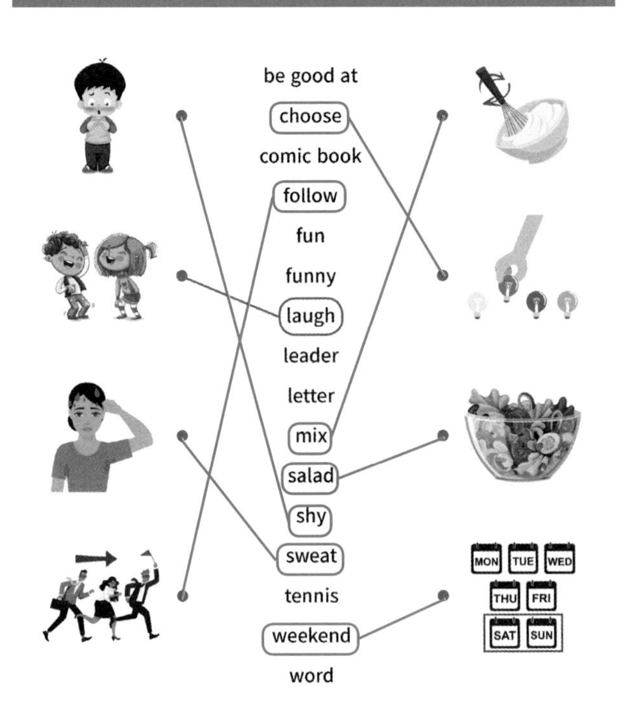

※ 학생의 생각에 따라 다양한 정답이 가능할 수 있습니다.

예)

follow, leader, …

salad, mix, …

MEMO

MEMO